Кайл
МИЛЛС

Обжигающий фактор

ИЗДАТЕЛЬСТВО
ХРАНИТЕЛЬ
МОСКВА
2006

УДК 821.111(73)
ББК 84 (7Сое)
М60

Серия «The Bestseller» основана в 2005 году

Kyle Mills
BURN FACTOR

Перевод с английского М. Виноградовой, Н. Трегубенко

Серийное оформление А. Кудрявцева

Компьютерный дизайн А. Тихомирова

Подписано в печать 24.04.06. Формат 84×108 1/32.
Усл. печ. л. 18,48. Тираж 5000 экз. Заказ № 2983.

Миллс, К.

М60 Обжигающий фактор : [роман: пер. с англ.] / Кайл Миллс. — М.: АСТ: АСТ МОСКВА: ХРАНИТЕЛЬ, 2006. — 351, [1] с. — (The Bestseller).

ISBN 5-17-037653-7 (ООО «Издательство АСТ»)
ISBN 5-9713-2826-3 (ООО Издательство «АСТ МОСКВА»)
ISBN 5-9762-0245-4 (ООО «ХРАНИТЕЛЬ»)

Загадочные убийства молодых женщин потрясли несколько штатов.

Полиция НЕ ВИДИТ между ними связи.

Однако молодая сотрудница ФБР Куинн Барри, работающая над программой идентификации преступника по ДНК, уверена: все эти преступления — дело рук ОДНОГО ЧЕЛОВЕКА!

Но стоит ей поделиться этой информацией с начальством, как ее ОТСТРАНЯЮТ ОТ РАБОТЫ — и почти сразу же происходит покушение на ее жизнь.

Куинн понимает: кто-то ПЫТАЕТСЯ ИЗБАВИТЬ УБИЙЦУ от наказания.

Но — кто и ПОЧЕМУ?

УДК 821.111(73)
ББК 84 (7Сое)

ПРОЛОГ

Высокий деревянный забор и раскидистые кроны деревьев задерживали свет уличных фонарей, погружая двор в тень. Теплая куртка надежно защищала Брэда Лоуэлла от ночной прохлады, пока он терпеливо ждал у крыльца. Наконец, тихо щелкнув, открылась дверь, и запах жилья смешался с ароматом влажной травы.

Лоуэлл еще раз огляделся, пока его люди осторожно проникали в здание и рассредоточивались веером по отработанной схеме. Во дворике позади дома царила полная тишина. Было около четырех утра, и, до того момента, как проснутся соседи и пригород наполнится обычной суетой, оставалось добрых два часа. Лоуэлл предпочел бы иметь в запасе больше времени, но приходилось довольствоваться этим.

Он шагнул в прихожую и закрыл за собой дверь. Свет горел только в гостиной. Порывшись в кармане, Брэд достал фонарик и включил его, на мгновение осветив человека в кроссовках, бесшумно взбегавшего по лестнице.

— Все в порядке. Шторы опущены, — послышался голос из миниатюрного наушника. Неожиданно яркий свет, включенный по всему дому, ослепил Лоуэлла, и он щурился, поднимаясь на второй этаж.

Один из его людей, натянув перчатки, уже работал в спальне, деловито перебирая содержимое ящиков и полок. Как Лоуэлл и предполагал, в комнате не оказалось ничего подозрительного. Стоявшая посередине кровать была застелена цветастым одеялом с пыльными оборками. Плюшевые зверюшки покинули кровать, когда ее хозяин вырос, и устроились поблизости на встроенной в стену полке.

Мужчина, обыскивавший комнату, принялся за платяной шкаф, осторожно вытаскивая обувные коробки и поочередно сдвигая с них крышки. Прервавшись на секунду, он бросил короткий взгляд через плечо. Заметив это, Лоуэлл постарался не выдать себя, тщательно скрывая нарастающие злость, страх и отчаяние. Командир должен в любой ситуации сохранять хотя бы видимость самообладания.

— Не думаю, что найдем здесь что-нибудь, сэр.

— Но искать все-таки придется, — отозвался Лоуэлл.

— Постараемся.

Лоуэлл сошел по лестнице на первый этаж и прислушался к тихим шорохам его группы, слаженно работавшей в гостиной. На секунду шорох смолк — это означало, что начальника заметили. Однако к тому времени, когда Лоуэлл занял наблюдательный пост у стены, о нем, казалось, уже забыли.

На большом куске полиэтилена, какими обычно прикрывают пол во время ремонта, распласталось тело девушки; рядом валялись окровавленная рабочая одежда и два использованных презерватива. Запястья жертвы были прикручены к дивану проволочной вешалкой для одежды, а ноги таким же образом закреплены у ножек массивного книжного шкафа. «Симпатичная», — подумал Лоуэлл, взглянув на ее застывшее лицо. Полные губы приоткрылись, обнажая белые зубы, длинные золотисто-каштановые волосы разметались вокруг головы, голубые глаза смотрели в потолок.

Лоуэлл подошел ближе и склонился над телом. Если бы он не знал заранее возраст девушки — чуть больше двадцати пяти, — ему вряд ли удалось бы точно определить его сейчас. Изящное тело было обезображено многочисленными бритвенными порезами. Некоторые из них еще кровоточили — жуткие красные ручейки чередовались с подсохшими и побуревшими полосами на теле и повсюду на полиэтилене. Мышцы лица казались слишком расслабленными, вероятно, предсмертная агония длилась не один час, прежде чем жизнь оставила тело и девушка погрузилась в вечный сон.

Лоуэлл выпрямился. Перед ним застыл один из его помощников с пылесосом в руках. Парень явно собирался уничтожить следы пребывания в доме посторонних. Взгляд молодого человека был прикован к телу, а костяшки пальцев, вцепившихся в ручку пылесоса, побелели от напряжения.

— Что-то не так, мистер Геллер? — произнес Лоуэлл сухим спокойным голосом. Сотрудник — новичок и, ясное дело, никогда подобного не видел. Впрочем, пусть учится владеть собой.

— Нет, сэр, — ответил Геллер, продолжая таращиться на то, что осталось от девушки.

— Тогда приступай к работе, сынок.

Пылесос глухо загудел, и Геллер начал осторожно чистить ковер вокруг тела. Лоуэлл отвернулся и в сопровождении одного из своих людей вышел из комнаты.

— Кто она, Джон? — спросил он, входя на кухню.

— Мэри Даннигэн, сэр. — На обеденный стол легли дамская сумочка и записная книжка. — Двадцать шесть лет, работала экономистом-аналитиком в частной компании, федеральный округ Колумбия. В ежедневнике нет записей ни на завтра, ни на выходные. В сумочке несколько фотографий, на всех она с одним и тем же парнем. Снимки сделаны много лет назад, думаю, парень — ее родственник, возможно, брат. В компьютере никаких писем... — Он замолчал.

— Это все?

— На данный момент все, сэр. Мы...

Лоуэлл раздраженно махнул рукой, не дав ему договорить.

— Короче, дело дрянь?

— Да, сэр.

Новый взмах рукой — и мужчина, облегченно вздохнув, ринулся в гостиную помогать остальным.

Дотронувшись до лба, Лоуэлл обнаружил, что вспотел. Дерьмовая ситуация. Через два часа рассветет, а он стоит в милом, опрятном домике, с такими же милыми, опрятными домиками по соседству, перед искромсанным телом красивой образованной девушки, имевшей приличную работу. И с каждой минутой все яснее понимает, что ситуация — хуже некуда.

Лоуэлл вытер рукавом выступившую на лбу испарину и вернулся в гостиную, где двое его людей щипцами пытались разогнуть проволоку, которой труп был прикручен к мебели.

— Все готово? — прозвучал женский голос.

Обернувшись, Лоуэлл оказался лицом к лицу с входящей в комнату Сьюзан Прескотт. Она надела длинный темный парик, широкие брюки и первую попавшуюся блузку из гардероба жертвы. Одежда сидела не слишком хорошо, но и не сказать, чтобы совсем плохо. Лоуэлл выбрал Прескотт для этой роли не только из-за подходящего веса и телосложения. Она славилась оперативностью в работе и отсутствием излишней эмоциональности.

— Я забрала все необходимое из ванной, а также достаточно одежды и обуви, чтобы все выглядело правдоподобно, — продолжала она, поудобнее перехватывая ручку чемодана. — В аптечке был трехмесячный запас противозачаточных таблеток. Я взяла его весь.

Лоуэлл посмотрел на двух мужчин, стоявших на коленях возле тела. Они пытались справиться с начинающимся трупным окоченением и соединить ноги девушки вместе.

— Нашли еще какие-нибудь лекарства, Джон?

Один из мужчин, закрепив лодыжки ремешком и поддернув его покрепче, покачал головой.

— Я прошелся по двум другим ванным комнатам, спальне и кухне. Никаких упаковок и рецептов. Думаю, все нормально.

Лоуэлл пристально наблюдал, как Геллер помогает завернуть девушку в полиэтилен, стараясь не запачкать ковер кровью, — лицо у парня побледнело, губы подозрительно тряслись...

— Геллер, — позвал Лоуэлл. Казалось, тот не слышит. — Геллер! — Лоуэлл не мог повысить голос, но командирские нотки вывели молодого человека из задумчивости. — Вам плохо?

— Нет, сэр! — напряженно ответил тот, явно пытаясь побороть приступ тошноты.

— У нас хватает проблем, мистер Геллер. Если нужно выйти из комнаты — идите. Никто ничего не скажет. Понятно?

— Все нормально, сэр.

Лоуэлл снова повернулся к женщине, стоящей рядом, и какое-то время внимательно ее изучал.

— Ладно, Сьюзан, иди.

Она коротко кивнула и направилась в гараж.

Лоуэлл застыл в центре гостиной, пытаясь собраться с мыслями. Ничего не упущено? Он тщательно осмотрел ковер, пока его люди с помощью скотча закрепляли полиэтилен вокруг тела. Вроде чисто. Можно быть уверенным, что после уборки никаких следов нельзя будет обнаружить, по крайней мере на первый взгляд. Возможны ли свидетели? Этого он предугадать не в силах. А вот непредвиденные проблемы будут обязательно. Их придется улаживать по мере возникновения.

— Полегче, — предостерег Лоуэлл, когда двое подняли тело, и опустился на колени, чтобы осмотреть нижнюю поверхность полиэтилена. — Ладно, идите.

Он последовал за ними в гараж, где Сьюзан Прескотт уже сидела за рулем «форда-тауруса», принадлежавшего жертве. Лоуэлл увидел, как Сьюзан наклонилась вперед и через секунду открылся багажник.

— В каком состоянии машина?

— Пробег меньше тридцати тысяч, сэр, — ответила она, опустив стекло. — Бензина достаточно. Неисправностей вроде нет. Все индикаторы работают.

— Сэр!

Лоуэлл обернулся. Двое его людей возились у задней стенки гаража, пытаясь засунуть сверток с телом в маленький багажник машины. Он явно не помещался в таком небольшом пространстве.

— Придется сломать ей ноги, мистер Геллер. Сьюзан, выходи и помоги ему. Джон, ты со мной. — Направляясь к двери, ведущей в дом, он успел заметить, как мгновенно позеленело лицо молодого человека. Но времени на сочувствие не оставалось. Парень должен справиться, иначе в команде ему делать нечего.

— Нужно еще раз осмотреть здесь все перед уходом, — сказал Лоуэлл, входя в гостиную и указывая на ковер. — Предварительный отчет необходим сегодня утром. А к вечеру я хочу знать о ней все. Понятно?

— Да, сэр.

— Проинформируйте меня, как только к делу привлекут полицию. Мне нужны ежедневные отчеты о том, как у них идет следствие.

— Я позабочусь об этом, сэр, — сказал Джон, слегка наклонив голову и прислушиваясь к звуку открывающейся гаражной двери. — Если нам повезет, ее не хватятся до понедельника.

— Меня не волнует, повезет нам или нет! — рявкнул Лоуэлл, не в силах больше сдерживать ярость, которая уже прожгла изрядную дыру в желудке. — Хватит нам дерьма, Джон. Ты понял? Хватит!

ГЛАВА 1

уинн Барри взглянула на свои часы и нахмурилась. Всего одиннадцать тридцать утра, а она уже проглотила четыре чашки крепкого чая и пятнадцать штук рисового печенья.

— Итак, можно будет запустить ее сегодня? — Голос раздался за спиной так неожиданно, что Куинн дернулась и смахнула с рабочего стола, на котором царил идеальный порядок, последнее клубничное печенье. Оно несколько раз перевернулось в воздухе, прежде чем упасть на пол.

— Куинн?

— Я этого не говорила, Луи, — ответила она, поворачиваясь в кресле. И чертыхнулась про себя, заметив, что южный акцент снова вкрался в ее речь. Как ни старайся, он всегда проявляется, когда она нервничает. Или пьяна.

Луи Крейтер слегка подался вперед, и его лысина засияла в электрическом свете. Не глядя на Куинн, он угрюмо изучал экран компьютера. Это выражение лица, казалось, было его реакцией на все события в жизни.

— Значит, завтра? — уточнил он, продолжая вглядываться в монитор, хотя шифр, заполнявший экран, выглядел для него совершенной тарабарщиной.

— Я ведь уже объясняла, что собираюсь сегодня полностью протестировать программу... Думаю, проблем не будет.

Раньше, когда Куинн работала частным программистом-консультантом, ей нередко приходилось иметь дело с подобными людьми. Собственно, это, да еще долгие часы одиночества, полутемная рабочая комнатушка, бесконечные банки кофе и еда всухомятку, и стало причиной того, что она уволилась через полтора года после окончания колледжа. Спустя несколько недель она устроилась на должность ассистента в ФБР, надеясь в скором времени усвоить все тонкости работы этой организации, чтобы получить шанс стать когда-нибудь настоящим агентом.

Примерно в это же время Крейтер, ответственный за фэбээровскую объединенную базу данных ДНК, законсервировал финансирование базы частными лицами, чтобы сократить бюджетные расходы. А потом, нависнув над ней коршуном, произнес сакраментальные слова, которые начальники департаментов во всем мире говорят своим боссам:

— Своими силами мы сможем делать работу лучше за меньшие деньги.

— Хорошо, Луи. Без проблем, — ответила Куинн.

Так что теперь она практически вернулась к тому, с чего начинала, — к перепрограммированию гигантских и запутанных компьютерных баз данных, зато правительственные выплаты составляли сейчас почти половину ее доходов...

— Ладно, я рад, что ты вышла на финишную прямую, — сказал Крейтер, возвышаясь над ней всеми своими шестью футами и тремя дюймами, пока Куинн, нервничая, догрызала остатки карандашной резинки. — И вот еще что... Почему бы нам не дернуть пару банок пива, пока идет тестирование? Ты могла бы рассказать мне о своих достижениях...

Нет, об этом не могло быть и речи. Потому что если вредоносные компьютерные гномики сейчас начеку, они наверняка разнесут программу в пух и прах за время ее отсутствия.

— Я бы с удовольствием, Луи, но не могу. Я уже договорилась...

— Насчет ленча?

— Понимаешь, обещала подруге, что перекусим вместе, — объяснила Куинн. — Хочешь, присоединяйся. Будет весело...

Крейтер тряхнул головой — видимо, здорово рассердился — и зашагал из угла в угол, не говоря ни слова.

«Плохи дела», — подумала Куинн.

Каждый раз, отходя от ее стола, шеф выглядел раздраженным. Насколько она могла судить, все начальники имеют две общие черты: во-первых, они слышат только то, что хотят слышать, а во-вторых, они всегда дают невыполнимые обещания своим боссам. Продвижение Луи Крейтера по карьерной лестнице во многом зависело от скорости и качества создания этой программы, в то время как собственные перспективы Куинн всецело определялись его удачливостью. Приятная зависимость, нечего сказать!

Она глубоко вздохнула и снова склонилась над клавиатурой. Пятнадцать минут до ленча. Если поторопиться, можно успеть начать тестирование до перерыва.

Пятнадцать минут уже почти истекли.

— Угадай кто? — Тонкие пальчики, унизанные кольцами, легли Куинн на глаза, заслонив ряды цифр, бегущие по экрану.

— Привет, Кейти. — Обретя зрение, Куинн увидела, как подруга плюхнулась в свободное кресло.

— Как насчет обеда, крошка? Предложение еще в силе? — спросила Кейти, взяв со стола латунное пресс-папье и изучая его с напускным интересом.

— Да, конечно. Только закончу кое-что...

— Пасьянс? — Перегнувшись через стол, Кейти пыталась заглянуть в экран.

Куинн нахмурила брови и усердно застучала по клавиатуре, не обращая внимания на подругу, которая вертелась вокруг ее кресла, как расшалившийся ребенок.

— Мне нравится, что здесь нет окон, — сообщила Кейти, расхаживая по комнате. — Никогда не поднималась так высоко в здании полицейского управления. Я всегда думала, что здесь пытают подозреваемых.

— Нет, это внизу, в холле. — Куинн качнула головой, продолжая сосредоточенно печатать. — Здесь они пытают своих служащих.

— А ты думаешь, на пятом этаже лучше, глупенькая? — Кейти остановилась рядом. — Ну, закончила? Я просто умираю от голода.

— Уже почти... Осталось только запустить поисковую программу, чтобы она завершила сканирование к моему приходу.

— А что ты ищешь?

— Одного хорошего человека.

— Да ну тебя! Я серьезно...

— Фантомы.

— Можно поинтересоваться чьи? Или это «совершенно секретно»?

Куинн нажала «Ввод» и повернулась к подруге, пока компьютер переваривал параметры поиска.

— Знаешь, что такое база данных ДНК?

— Часть криминалистической базы данных, правильно?

— Ты меня поражаешь! — Куинн улыбнулась. — Да, действительно. Так вот, в ней хранится информация о нераскрытых преступлениях. Представь, что на месте преступления, скажем, в Мичигане, остается кровь или слюна преступника. Этот образец ДНК вводится в полицейскую базу данных Мичигана, которая затем передает информацию в наш центральный компьютер. А потом находят аналогичную ДНК, которая осталась на месте преступления где-нибудь в Калифорнии, например. Криминалистическая база данных отследит эти совпадения и установит, что преступления в двух штатах связаны между собой.

— И чей образец ДНК ты сейчас ищешь?

— Свой... Понимаешь, мы частично апгрейдили нашу базу данных, и я перекодировала ее, чтобы установить новое железо. Потом поместила образец ДНК в базы данных всех штатов и собираюсь запустить программу поиска, которую сама же и написала, — проверить, найдет ли она совпадения. Если повезет, то меня оставят на этой работе.

— Это, по-твоему, везение? — фыркнула Кейти. — Постой, до меня дошло — в этом вся проблема?

— Проблема? О чем ты, Кейти?

— Да о том, что всю последнюю неделю у тебя такой вид, будто кто-то гоняется с газонокосилкой за твоей кошкой!

Куинн уткнулась в монитор и старательно застучала по клавишам, делая вид, что не замечает внимательного взгляда подруги.

— Нет, дело не в этом! — изрекла наконец Кейти, драматически выделяя каждое слово. — Я поняла — это все из-за Дэвида!

— Не понимаю, о чем ты.

Кейти притворилась, что тянется влево за карандашом, а затем ловко схватила ежедневник, лежавший справа от монитора. Не ожидая такого подвоха, Куинн даже не успела ее остановить.

— Перестань, Кейти, отдай! — с досадой воскликнула она.

— О, тебе понадобился ежедневник, неужели? — рассеянно произнесла Кейти, отбежав за пределы досягаемости и торопливо перелистывая страницы.

— Кейти, я серьезно...

— Шестнадцатое июня, — прочитала подруга вслух. — «Дэвид». — Она перелистнула еще несколько страниц. — Десятое августа. «Оставь Дэвида в покое». — Еще несколько страниц. — Второе сентября. «Беги от Дэвида как от чумы».

Куинн вскочила с кресла и выхватила у подруги ежедневник.

— Да-да, у меня совершенно нет силы воли! — сердито сказала она. — Только не надо все время тыкать меня в это носом.

— Господи, девочка, что же ты так привязалась к нему? А-а, понятно! Эффектный и опытный сотрудник ЦРУ ослепил бедную деревенскую дурочку своим блеском...

— Я не деревенская дурочка. Я самая настоящая деревенщина.

— Ах да, прости... Знаешь, что я думаю на самом деле? Чей-то парень оказался совершенным кретином! Ну, рассказывай, что на этот раз?

— Ничего особенного, очередная его деловая вечеринка. — Куинн тоскливо вздохнула и откинулась на спинку кресла. — Да ты знаешь, как там бывает... Сборище парней с прилизанными волосами, которые всего-то и делают, что подают кофе в Лэнгли*, а ведут себя так, будто объездили весь мир. А Дэвид, когда оказывается в их компании, вечно напускает на себя самодовольный всезнающий вид и разговаривает со мной как с идиоткой.

— Ну и что в этом нового? — пожала плечами Кейти.

Куинн обвела глазами огромный компьютерный офис ФБР, беспрерывно снующих по нему мужчин и женщин, потом сообщила:

---

* В Лэнгли находится штаб-квартира ЦРУ. — *Здесь и далее примеч. пер.*

— На эти выходные мы договорились прыгать с парашютом.

— С парашютом?! — изумилась подруга. — Ты что, серьезно собралась прыгать из самолета?

— Я нашла классное место, — продолжала Куинн. — Проходишь однодневные курсы, и тебе разрешают прыгнуть с парашютом. И вместе с тобой прыгают два парня и снимают полет на камеру. Я несколько месяцев уговаривала Дэвида, и он наконец пообещал, что в эти выходные мы будем прыгать. А теперь он заявляет, что мы просто обязаны пойти на эту вечеринку, и после нее — я уверена — он снова будет занят!

— Знаешь, если бы Бог хотел, чтобы мы прыгали из самолетов, он создал бы нас более прочными и удароустойчивыми.

Куинн пожала плечами:

— Я просто подумала, это будет захватывающее приключение...

— Так, значит, вся проблема в том, что тебе придется идти на вечеринку, пить и есть там на халяву, вместо того чтобы прыгнуть из самолета и разбиться насмерть?

— Да нет, это еще не все...

— А что же?

— Он хочет, чтобы я надела то *платье*.

— О Господи! — Кейти в ужасе всплеснула руками. — То самое *платье?!*

Вопль был таким громким, что все в комнате замерли и обернулись в их сторону. Обе девушки наполовину сползли под стол в тщетных попытках справиться с приступом хохота. Наконец, первой обретя контроль над собой, Кейти сочувственно сжала руку Куинн.

— Только не это *платье*! — повторила она, на этот раз шепотом. — Боже мой, все, что угодно, только не его!

ГЛАВА 2

Брэд Лоуэлл чувствовал на себе пристальный взгляд секретарши, но все не мог решиться открыть дверь и войти в кабинет начальника. Он глубоко вздохнул и оглядел просторную приемную, стараясь не смотреть на девушку. Немногочисленная мебель, простая и практичная, стоила наверняка немало. Чересчур белые стены, почти лишенные картин, создавали такое впечатление, будто в помещении недавно сделали ремонт. Однако Лоуэлл знал, что это не так. Обстановка офиса не менялась годами. Как и его владелец.

— Можете войти, — подсказала секретарша, сочувственно улыбаясь. Лоуэлл был для нее одним из тех, кто так же нерешительно топтался каждый день перед кабинетом ее шефа. Она не подозревала, зачем он пришел.

Распрямив плечи и одернув куртку, Лоуэлл толкнул дверь, вошел и тут же закрыл ее за собой. Воздух в кабинете казался более вязким. Конечно, это была игра воображения, но ему никак не удавалось стряхнуть с себя внезапное гнетущее чувство.

Ричард Прайс кивком дал понять, что заметил его появление, однако продолжил писать что-то в лежавшем перед ним блокноте.

Раньше очки для чтения Прайс надевал очень редко, но после шестидесяти все чаще прибегал к их помощи. Не считая этого да поседевших висков, он оставался тем же самым человеком, с которым Лоуэлл познакомился пятнадцать лет назад. Его плечи в тщательно отутюженной белой рубашке были так же широки, внушительный торс по-прежнему переходил в спортивную талию. Это невероятное сочетание крепкого телосложения, широкого приплюснутого носа и узких очков делало Прайса похожим одновременно и на боксера в отставке, и на интеллигента, что, впрочем, было не так уж далеко от истины.

— Что случилось, Брэд? — спросил он, не поднимая глаз от блокнота.

Лоуэлл следил, как золотая ручка в обветренной руке выписывает изящные завитки.

— У нас проблемы, сэр.

— Я уже понял. Хотя у меня были основания надеяться, что мы тщательно спланировали операцию...

— Объект не вышел на связь. — Сказав это, Лоуэлл невольно протянул руку к галстуку, узел которого внезапно стал слишком тугим. Уникальная способность Прайса наводить ужас на подчиненных не уменьшалась с годами.

— Так и будем препираться, Брэд, или ты все-таки расскажешь, что произошло?

— Сэр, он не объявился. Он выбрал другую жертву и место.

— Кто эта «другая»?

Лоуэлл достал из кармана куртки маленькую записную книжку и стал читать, хотя знал содержание наизусть. Он боялся ошибиться. Прайс обладал сверхъестественным умением замечать малейшие оплошности и никогда ничего не забывал.

— Мэри Даннигэн. Двадцать шесть лет, чуть больше года работала экономистом в исследовательском центре в Вашингтоне. Поступила на эту должность сразу же после получения степени доктора философии в Джорджтауне. — Лоуэлл на секунду поднял глаза: Прайс с непроницаемым выражением лица снял очки и положил их на стол. — Последние три месяца она встречалась с одним парнем — молодой юрист, без судимостей. Отношения не особенно серьезные, но вряд ли она общалась с кем-то еще. В ее компьютере уже давно висит парочка сообщений от него, но, видимо, парень еще не забеспокоился основательно...

— Что с ее работой? — прервал Прайс.

— Когда она не появилась там сегодня утром, ей послали по электронной почте письмо. Их интересовало не столько ее отсутствие, сколько информация, которую она обещала для них найти. Похоже, у нее был довольно свободный график и она периодически работала дома.

— Полиция?

— Еще не задействована. Я уверен, что до понедельника, а возможно, и до вторника, ее не хватятся. А когда полиция наконец заинтересуется ею, все будет выглядеть так, будто девушка только что уехала. Конечно, в итоге им придется начать расследование, но они наверняка вплотную займутся ее теперешним парнем и предыдущими знакомствами. Время, с которого она отсутствует, определить невозможно, так что установить их алиби нелегко. В любом случае мы будем следить за ходом официального расследования.

— Значит, мы вне подозрения?

— Уверен, сэр.

— Что ж, нам повезло.

— Да, сэр. Более того. В медицинской карточке есть записи, что в студенчестве она лечилась от депрессии. Причина — переутомление в сочетании с плохой наследственностью. Этот факт еще больше запутает полицию. Им останется лишь строить предположения...

— Ты знаешь, как я отношусь к везению. — Прайс указал на кресло, стоявшее перед его столом.

— Знаю, сэр, — сказал Лоуэлл. Сев, он почему-то почувствовал себя еще более неуютно. — И я согласен. Но в данном случае мы...

— Семья?

— Родители вместе с младшим братом живут в Техасе. С политикой не связаны. С правоохранительными органами дел не имели. Доходы самые обычные, ничего подозрительного...

Прайс нахмурился, прижав палец к губам, и, казалось, полностью погрузился в изучение ковра у себя под ногами. Лоуэллу была знакома эта особенная манера размышлять; в такие моменты следовало хранить молчание. Он стал повторять в уме то, что собирался сейчас сказать. Прошла почти минута, до того как Прайс снова заговорил.

— Брэд, как случилось, что мы упустили его?

Лоуэлл ожидал этот вопрос. Отвечать нужно было очень осторожно. Прайсу требовались объяснения, а не оправдания. Разговор с ним превращался порой в хождение по лезвию бритвы.

— У меня в распоряжении три человека, сэр. Один из них новичок. Я не хочу разбрасываться людьми. Это значит, что я могу полагаться только на электронное наблюдение...

— И в чем же проблема?

— Сэр, он обнаруживает наши «жучки» и отслеживающие устройства, как только мы их устанавливаем. Честно говоря... такое впечатление, что он всегда на шаг впереди нас.

Прайс снова сосредоточился на ковре, но в этот раз Лоуэлл решился прервать ход его мыслей.

— Сэр... Мне кажется, мы теряем контроль...

Прайс оставался недвижим. Он только секунду изучающе смотрел на Лоуэлла, затем снова опустил взгляд.

— Брэд, ситуация скверная, да только нам не привыкать. Не стоит принимать ее слишком близко к сердцу.

— Раньше все было иначе, сэр. — Лоуэлл сам удивился, как громко и напряженно прозвучали эти слова. Он понизил тон, но молчать не собирался. — Раньше в его действиях была система. Мы видели ее. В этот раз все по-другому. Случайность. Не могу объяснить точно... Это похоже на игру. Сэр, я не знаю, куда она ведет. Думаю, пришло время пересмотреть нашу позицию... — Лоуэлл остановился. Десять лет он сдерживал свое недовольство, хотя многое мог бы сказать. Но не сейчас.

— Мы просто теряем время, Брэд. И оба знаем это, — сказал наконец Прайс. — Нам нужно держаться вместе до конца.

— Да, сэр. Понимаю. — Лоуэлл так и знал, что его слова ничего не изменят.

— Что, если увеличить твою команду? Это поможет?

Лоуэлл поерзал в кресле. Он понимал, что хочет услышать Прайс, но не собирался скрывать свои сомнения.

— Даже не знаю, сэр. Привлекать новых людей — значит рисковать. И нет гарантии, что это поможет.

— Что ж, боюсь, у нас нет выбора. — Прайс черкнул что-то в своем ежедневнике. — Составь список возможных кандидатур. Встретимся в четыре и решим все окончательно.

ГЛАВА 3

Куинн Барри, сияя улыбкой, возвращалась в вычислительный центр ФБР. Даже гнетущая мрачность серых стен и унылые лица служащих не испортили ей настроения. Почти час она вращалась в вихре неистощимой энергии Кейти, выслушивала ее бредовые идеи и бесстыдно флиртовала с милашкой официантом. Так что, возникни перед ней сейчас призрак незабвенного Джона Эдгара Гувера, отца-основателя ФБР, она улыбнулась бы еще шире и помахала ему рукой. Если тестирование прошло удачно, самое время отправиться сегодня с Дэвидом на его служебную вечеринку и выпить солидную порцию своей любимой водки с тоником!

Куинн скользнула в кресло, избегая смотреть на экран. Уверившись, что никто не обращает на нее внимания, она подвинула к себе кружку и крутанула ее по часовой стрелке, а потом дважды стукнула ею об стол. Этот ритуал — «обсессивно-компульсивный», как называл его знакомый психолог, — она приобрела в дни работы консультантом. Глупо, конечно, но ее коллеги совершали порой и более мудреные действия. Куинн задумчиво постукивала карандашом по щеке, дожидаясь, пока оживет монитор. Наконец на экране высветились слова:

Поиск 1 — Выполнен.

Поиск 2 — Выполнен.

У нее вырвался вздох облегчения. Воспрянув духом, девушка отстучала на клавиатуре несколько команд. Обе поисковые программы — прежняя и ее — не рухнули, не накрылись и не зависли. Когда Куинн прочитала статистический отчет, улыбка ее стала еще шире. Ее программе потребовалось в три раза меньше времени и оперативной памяти. Куинн занялась распечаткой результатов на принтере, стоявшем у противоположной стены.

— Девочка, ты молодец, — промурлыкала Куинн и, лениво развалившись в кресле, оттолкнулась ногой от пола. Когда кресло перестало вращаться, девушка вскочила и направилась к принтеру.

Результаты первого прогона ее программы, написанной специально для CODIS — фэбээровской объединенной базы данных ДНК, уже лежали на столе. Как и требовалось, программа отыскала образцы ДНК, которые Куинн внесла в базы данных всех штатов, определила их идентичность и сгруппировала в список. Куинн торопливо пробежала глазами две распечатки — итог работы обеих поисковых программ. На первый взгляд списки полностью совпадали.

— Есть! — воскликнула Куинн и победно стукнула по принтеру кулаком.

Все, кто был в комнате, подняли головы и недоуменно посмотрели на нее.

— Простите. — Усилием воли девушка приняла серьезный вид и, закусив губу, чтобы не рассмеяться, прошествовала к своему рабочему месту.

Поудобнее устроившись в кресле, она принялась внимательно изучать распечатку: список образцов ДНК и местоположения лабораторий, где они были обнаружены, начиная с Алабамы, номер один, и заканчивая Вайомингом, номер... Очередной довольный возглас застрял в горле. Номер пятьдесят пять. Брови девушки взметнулись вверх, она растерянно поправила очки и поднесла лист бумаги поближе. Пятьдесят пять? Она медленно заскользила пальцем снизу вверх и почти сразу нашла виновника. В лаборатории Пенсильвании обнаружилось два образца ДНК. Один из них Куинн лично внесла в базу данных, а второй был ей неизвестен. Она обвела карандашом загадочную ДНК и принялась искать остальные.

Минуту спустя все они были подчеркнуты. Неизвестная ДНК встречалась в пяти штатах — Пенсильвании, Орегоне, Оклахоме, Мэриленде и Нью-Йорке. Что за ерунда? Куинн безмолвно уставилась в распечатку, пытаясь сообразить, где она допустила ошибку.

Ее поисковая программа сделала в точности то, что требовалось, — обнаружила идентичные образцы ДНК в базах данных всех штатов и выдала их как группу преступлений, совершенных одним, не существующим в реальности человеком. Так откуда, черт возьми, взялась другая ДНК, одна и та же во всех пяти случаях?! Никогда раньше это совпадение в CODIS не фиксировалось.

Куинн обхватила голову руками и закрыла глаза, не в силах больше видеть злосчастный список. Где, ну где она напортачила? Ведь этот поисковый алгоритм она уже не раз использовала, когда нужно было протестировать новое железо...

После пяти минут напряженных раздумий ничего путного на ум не пришло. Куинн не удивило бы, накройся ее система целиком. Или если бы совпадений не было вообще. Или если бы, наоборот, их нашлось огромное множество. Но пять... Что все это значит?

Внезапно чья-то рука опустилась ей на плечо. Карандаш вылетел из пальцев и ударился в монитор. Куинн резко обернулась. Обычно угрюмое, лицо ее шефа просто светилось от удовольствия.

— Луи! Может, хватит уже так шутить?

— Нервничаешь, Куинн? Надо бы тебе поменьше пить крепкий чай, это вредно для здоровья...

— Не думаю, что в чайной коробке с такими прикольными пожеланиями может таиться опасность, — парировала она нарочито бодрым голосом.

— Ну-ну... Я слышал твои вопли всю дорогу, пока шел из кабинета. Хочешь мне что-то сообщить, а? Хорошие новости?

Куинн на секунду застыла, но тут же опомнилась и выдавила из себя улыбку.

— Ты прав, новости замечательные. Совершенно верно.

— И что, твоя программа работает?

— Пробный поиск в нашей базе данных прошел отлично, — не моргнув глазом солгала она. — Новая поисковая программа даже более экономична, чем прежняя.

— Здорово! — Луи со всего маху хлопнул ладонью по спинке кресла так, что Куинн чуть не ткнулась носом в экран компьютера. — Молодчина! Значит, можно смело запускать ее в систему?

— Мм-м... Да, Луи, конечно... Только, видишь ли, она еще не совсем доделана... Кое-какие моменты надо будет уладить, сам понимаешь. Надо еще протестировать ее как следует, отловить «блох», которые вечно прячутся...

— О да, разумеется! — Луи явно не слушал ее лепет. — Замечательно потрудилась, Куинн, просто великолепно! — И он умчался прочь.

Куинн почувствовала, как силы медленно покидают ее. И зачем только она все это нагородила? Луи наверняка уже мысленно звонит своему боссу, чтобы сообщить радостное известие: новая система «полностью функциональна»! Чайники, которые ничего не смыслят в компьютерах, просто обожают эту фразу — «полностью функциональна». И что прикажете делать завтра, когда притащится толпа парней в костюмах и потребует продемонстрировать ее работу? Что она им покажет? Программу, выдающую бессмысленные данные из-за ошибки, которую даже неизвестно где искать? Можно не сомневаться, они просто из кожи вон вылезут, чтобы отправить ее в Квонтико, в Академию ФБР, на стажировку. Держи карман шире!

Куинн взглянула на часы. Через пять часов Дэвид приедет за ней, чтобы вместе отправиться на вечеринку. Можно, конечно, позвонить ему сейчас и отменить все, к черту... Да только это будет в четвертый раз подряд, он и слышать ничего не захочет.

Девушка расстроенно сунула очередной пакетик чая в свою чашку, не оправдавшую надежд на везение, и поплелась к кофейному автомату за кипятком. Придется все переделывать заново.

ГЛАВА 4

— Выходи!

Геллер торопливо открыл боковую дверь фургона и, выпрыгнув наружу, оказался по щиколотку в жидкой грязи.

По радио сообщили, что ураган постепенно идет на убыль. «Что-то не заметно», — подумал Геллер, когда на него обрушились порывы ветра, дующего со скоростью пятьдесят миль в час. Потоки дождя тотчас же промочили его насквозь. Геллер содрогался от озноба, мечтая оказаться в постели под тремя теплыми одеялами.

Он постарался держаться тропинки, освещенной передними фарами автомобиля, но свет, отражаясь от стены дождя, только слепил его. Повернувшись к фургону, Геллер провел по горлу ребром ладони. Фары погасли; все погрузилось в темноту и хаос непогоды.

Молодой человек осторожно двинулся вперед и вскоре наткнулся на железный забор, преграждавший дорогу. Ему пришлось изрядно повозиться с ключами, прежде чем открыть висевший на цепи тяжелый замок.

— Проезжайте! — крикнул Геллер в темноту, с трудом удерживая тяжелые ворота.

Фургон медленно проехал мимо и скрылся за сплошной пеленой дождя.

— Ворота запер? — услышал он, запрыгивая на пассажирское сиденье и отжимая волосы.

— Нет, сэр. Оставил открытый замок болтаться на цепи, как вы сказали.

Брэд Лоуэлл молча нажал педаль газа, не удостоив Геллера благодарности. Казалось, ни дождь, ни беспросветная темень, ни запотевшие стекла не волновали Лоуэлла. Фургон на возрастающей скорости мчался по полузатопленным улицам. «Интересно, — подумал Геллер, — сколько раз пришлось Лоуэллу побывать на этой заброшенной военной базе, чтобы с такой уверенностью выбирать сейчас направление?» Поразмыслив, он понял, что совсем не хочет знать ответ.

— Далеко еще, сэр? — спросил он, чтобы нарушить молчание. Но Лоуэлл, видимо, вовсе не тяготился тишиной. Не дождавшись ответа, Геллер прислонился лбом к окну и стал вглядываться в темноту. Разобрать что-либо за потоками воды, струившимися по стеклу, было невозможно. Лишь когда дождь на секунду ослабевал или ветер менял направление, Геллеру удавалось мельком увидеть окрестности. Призрачные контуры зданий, тянущихся вереницей вдоль дороги, то появлялись, то снова исчезали в разбушевавшейся стихии. Все вокруг выглядело таким же мертвым, как груз, который они везли.

Лоуэлл резко повернул фургон вправо и внезапно остановился, даже не сбросив скорость. Геллер едва успел вытянуть руки, чтобы не удариться головой о лобовое стекло.

— Вылезай, — скомандовал Лоуэлл, открыв дверь и выпрыгивая на улицу.

Геллер слышал, как открывается задняя дверь фургона, но не мог заставить себя отпустить приборную панель.

— Геллер, шевели задницей! Быстро!

Он глубоко вздохнул и полез через сиденья в глубь фургона. Лампочка внутри не работала, и приходилось довольствоваться отблеском передних фар на ветровом стекле.

— Держишь? — раздался из темноты голос начальника.

Геллер опустился на корточки и ухватил край полиэтиленового свертка. Едва успев осознать его тяжесть, он качнулся вперед — это Лоуэлл поволок сверток наружу. Спрыгнув на землю с высоты двух футов, Геллер изо всех сил вцепился в свою ношу, но от дождя полиэтилен стал очень скользким. Когда до двери полуразрушенного бетонного здания оставалось всего два шага, его руки разжались сами собой. Сверток упал в грязь.

— Господи Иисусе! — воскликнул Лоуэлл.

— Простите, сэр, — испуганно пробормотал Геллер, чувствуя, как горит его лицо под холодными струями дождя. — Я...

— Поднимай давай!

Геллер, нагнувшись, пытался ухватить скользкий тяжелый сверток. Наблюдая за ним, Лоуэлл процедил сквозь зубы:

— Черт тебя дери, один я не донесу!

Обычное спокойствие изменило шефу, и в голосе явственно слышалось раздражение.

Геллер закрыл глаза и заставил себя обхватить сверток руками, для надежности сцепив снизу пальцы. Теперь он чувствовал все — каждый выступ, каждый изгиб окоченевшего тела. Ноша напоминала статую. Статую мертвой девушки, которая была младше его лишь на несколько лет.

Усилием воли Геллер прогнал внезапно нахлынувший приступ слабости. Хорошо хоть, не пришлось нести другой конец, рассуждал он сам с собой, идя по коридору. Неизвестно еще, каково было бы ощущать под руками ее переломанные ноги.

— Сюда, — скомандовал Лоуэлл.

Они вошли в комнату, в которой не было ничего, кроме стальной ленты конвейера посередине. Геллер помог водрузить тело девушки на конвейер и шагнул назад со словами:

— Сэр, я хотел бы извиниться...

— Все нормально. — Лоуэлл уже совладал с собой. Подойдя к бетонной стене, он нажал одну из кнопок. Внезапный скрежет металла и шипение газа заглушили вой урагана, бушующего за стенами заброшенного здания.

Геллер следил, как сверток с телом движется по направлению к открывшимся в конце конвейера металлическим дверцам. Из проема вырывались языки пламени и отражались в черном полиэтилене, облепленном скотчем.

— Много потребуется времени, сэр? — услышал Геллер свой голос.

— Не много. Час или чуть больше. — Лоуэлл хлопнул дверцами и задвинул засов.

Геллер молча кивнул, не в силах оторвать взгляд от дверей, за которыми слышалось шипение газа. Не выдержав жара, он отступил назад.

ГЛАВА 5

— Что? — прокричала Куинн из ванной. Она наклонилась вперед, едва не коснувшись носом дна раковины, и попыталась разглядеть упавшую линзу, которая явно не желала, чтоб ее нашли.

— Говорю, ну и рассвирепел наш старикан! — Дэвид смотрел в гостиной телевизор, пытаясь одновременно разговаривать с Куинн. — Не знаю, о чем думал Боб, но он явно в пролете.

Куинн наконец обнаружила линзу и подцепила ее кончиком пальца. Ополоснув ее в растворе, девушка пошире открыла покрасневший измученный глаз и в третий раз попыталась вставить линзу. Как только люди не издеваются над собой, чтобы лучше видеть!

— Не думаю, что он получит это место. Хотя что я тебе объясняю, ты и сама знаешь.

Куинн моргнула, линза выскочила и опять исчезла в раковине. Это уже слишком! Дурацкая линза, неприкрытое самодовольство в голосе Дэвида, идиотская ошибка в поисковой программе, которую так и не удалось обнаружить... Терпению Куинн пришел конец.

— Господи, Дэвид! — завопила она. — Боб твой друг!

— Эй, а разве я виноват, что он заболел? — отозвался Дэвид. Было слышно, как он переключает каналы. — Но если он не держится за свою работу, она с таким же успехом может стать моей.

Разозлившись, Куинн выдернула из раковины затычку и швырнула ее на пол. Удовлетворенная улыбка блуждала по ее лицу, пока она следила, как исчезает в водостоке линза, причинившая ей столько мучений.

— Не сомневаюсь, — пробормотала девушка, надела очки в черной роговой оправе и отправилась в спальню. Большого зеркала в доме не было, поэтому Куинн пришлось встать на кровать, чтобы разглядеть себя в зеркале, висящем изнутри на дверце шкафа.

Зрелище вызвало у нее глубокий горестный вздох. Короткое платье, подарок Дэвида, приподнялось, так что стала видна полоска нижнего белья. Куинн поморщилась и сильным рывком одернула подол, переступив назад на мягком матрасе, чтобы увидеть себя в полный рост.

— Эй, Куинн! Что-то горит, тебе не кажется?

Она не удостоила его ответом. Это был фен, включенный первый раз в этом году. Куинн всегда стригла свои волосы коротко, полтора дюйма длиной, — это очень облегчало уход за ними. Но их колючий взъерошенный вид не лучше гармонировал с ярко-красным коротким платьем, чем очки. Она стала похожа на девушек, которые переворачивают цифры счета во время спортивных соревнований. А Дэвид еще настаивает, чтобы она надела туфли на высоком каблуке... Мало ему шести футов ее роста! Потрясное будет зрелище, нечего сказать.

Пять минут спустя Куинн вошла в гостиную. Взглянув на нее, Дэвид замер и уронил пульт от телевизора на пол. На девушке была шифоновая юбка длиной почти до самых лодыжек, из-под которой виднелась пара кожаных сабо на толстой подошве. Смутившись его молчанием, Куинн нервно поправила на переносице очки и старательно разгладила бесформенный свитер. Дэвид как завороженный выбрался из мягкого кресла и подошел ближе.

— Что это? — спросил он.

— Ты о чем?

— Где платье, которое я купил тебе?

— А, платье... Видишь ли, Дэвид... Оно такое... Ну, ты понимаешь, о чем я... Оно не совсем...

— Ты обещала надеть его!

— Извини, Дэвид, но в нем я чувствую себя так неловко... Давай договоримся, а? Смотри. — Она указала пальцем на свою прическу. — Не представляешь, сколько лака пришлось извести, чтобы так уложить их! И кстати, я накрашусь как следует, честное слово!

Дэвид молча обошел вокруг нее. Он явно не испытывал восторга от предложенного компромисса.

— Не понимаю, Куинн, — начал он. — Просто не понимаю...

— Чего не понимаешь?

— Неужели тебе в самом деле нравится выглядеть как... как толстая занудная библиотекарша?

Куинн надолго задумалась, стоит ли отвечать и вопрос ли это вообще. Дэвид стоял прямо перед ней, засунув руки в карманы невообразимо широких стильных брюк, и молча ждал. Наконец девушка стряхнула оцепенение и произнесла:

— Слушай, Дэвид, я допускаю, что тебе трудно понять женскую точку зрения, но лучше бы ты хорошенько обдумал свои слова!

Однако Дэвид никогда не отличался особой чувствительностью, и холодность ее тона не возымела действия. Он лишь отступил на безопасное расстояние и сказал:

— Куинн... Ты не представляешь, как здорово выглядела бы...

— Здорово?! — возмущенно переспросила Куинн. — Дэвид, я выглядела бы как дешевая проститутка в платье от Лауры Эшли!

Вся гамма эмоций, от удивления до нескрываемого раздражения, отразилась на лице молодого человека. Дэвид Бергин привык оставлять последнее слово за собой, особенно в споре с женщинами.

— Что ты пытаешься этим доказать, Куинн? Что наличие ума освобождает тебя от заботы о своей внешности? Вернись на землю! Здесь тебе не какая-нибудь ферма «Собачий участок» в Западной Виргинии. Здесь — федеральный округ Колумбия. Твоя внешность и поведение так же важны, как и твои умственные способности. Прости, беру свои слова обратно. Они еще важнее. И если ты действительно собираешься стать агентом ФБР, тебе придется выучить правила игры.

— Значит, «Собачий участок» в Западной Виргинии? — Куинн скрестила руки на груди. — У нас вечер комплиментов, как я погляжу!

В глазах Дэвида промелькнула тень беспокойства — он осознал, что зашел слишком далеко. Но Куинн, распалясь, уже размахивала руками, не давая ему пойти на попятный.

— Знаешь, Дэвид, по-моему, сегодняшний вечер — это дурацкая идея!

— Что ты имеешь в виду?

Демонстративно вздохнув, Куинн решительным шагом направилась мимо него к двери.

— Куда ты, Куинн? Куда ты собралась?

— Пойду прокачусь, — сказала она, взявшись за дверную ручку. — Мне нужно кое-что обдумать.

— Ну уж нет! — воскликнул Дэвид тем безапелляционным тоном, который Куинн просто терпеть не могла. — Мы пойдем на вечеринку. Ты и так уже много раз отказывалась. Люди хотят познакомиться с тобой. Что обо мне подумают, если ты опять не придешь?

— Наверное, подумают, что ты не женат, — ответила она. — Не забудь закрыть дверь, когда будешь уходить.

ГЛАВА 6

Куинн подтащила свой стул поближе и облокотилась на бильярдный стол, затянутый обшарпанным сукном. Кроме нее, в маленьком пивном баре были только мужчина, поразительно похожий на Авраама Линкольна, да барменша с высоко зачесанными волосами. Куинн совершенно случайно открыла для себя это место, еще когда училась в Мэрилендском университете. Как-то раз она в компании одногруппников бродила по переулкам, вымощенным булыжником, и вдруг решила, что неплохо бы выпить кружечку пива перед возвращением в общагу. Они гурьбой ввалились в первый попавшийся бар и два часа гоняли шары на маленьком бильярдном столике, хохоча до упаду.

В следующие выходные совместными усилиями — частично по памяти, частично по карте — они снова разыскали этот бар. А потом недели не проходило, чтобы они не собирались там вместе выпить по кружечке легкого пива.

Окончив университет, все ее одногруппники разъехались по стране и пропали из виду. Но Куинн почему-то никак не могла забыть это место. Ее словно манили заляпанная потолочная плитка, нависающая прямо над головой, запахи старого дерева и плесени, расставленные на полках сувениры и вещи, якобы когда-то принадлежавшие Элвису Пресли. Они почти возвращали девушку в то время, когда все казалось ей новым и удивительным, не поблекшим под натиском суровой действительности.

Куинн выпрямила затекшую спину, потянулась и снова склонилась над листками, разбросанными по всему столу. От бесконечных цифр, плохо различимых из-за тусклого освещения, глаза покраснели и слезились. Хорошо хоть, три кружки пива прогнали надвигающуюся головную боль. Когда личная жизнь катится под откос, нет лучшего способа отрешиться от проблем, чем выпить пива и попытаться найти крохотную ошибку в огромной программе.

На противоположной стене Элвис убаюкивающе качал ногами, и часы, вделанные в его живот, показывали час ночи. Уже четыре часа Куинн с тупым упорством снова и снова проглядывала распечатку своей поисковой программы. Совершенно элементарный алгоритм, недоумевала девушка, такие проходят в старших классах школы! Задача программы — открывать базы данных и сканировать представленные в них образцы цепочек ДНК. Если обнаружатся одинаковые ДНК — выдать их по окончании поиска. Проще не бывает! Так откуда возникли эти пять образцов ДНК и почему старая поисковая программа не обращала на них внимания? Ведь принцип работы обеих программ один и тот же!

Куинн порылась в куче бумаг, наваленных на столе, и выудила свою итоговую распечатку. «Мэриленд, Нью-Йорк, Оклахома, Орегон и Пенсильвания», — шепотом прочитала она. Ну и какая между ними связь? Девушка уже перелопатила кучу литературы по базам данных каждого из этих штатов. Никаких особенных различий ни в железе, ни в программном обеспечении. Казалось, сейчас она еще дальше от решения, чем в начале поиска.

— Мы закрываемся. Пожалуйста, покиньте помещение.

Куинн подняла глаза. Мужчина неуверенно повернулся на своем стуле и остекленело уставился на нее. Барменша взяла его за подбородок двумя пальцами и повернула к себе со словами:

— Барни, это касается только тебя...

Мужичок уже так набрался, что не мог протестовать. Пошатываясь и придерживаясь за стены, он направился к выходу и растворился в ночи. Захлопнув за ним дверь, барменша устало привалилась к косяку.

— Господи, и зачем мне все это нужно? Ведь я могла бы прожить достойную жизнь... — задумчиво произнесла она.

Куинн улыбнулась. Берти — вот еще одна причина, по которой этот маленький пивной бар так притягивал ее. Все посетители бара находили в этой женщине одновременно и заботливую мать, и собеседника для философских разговоров. Куинн подняла кружку в шуточном тосте.

— Думаю, это вполне достойная жизнь, — сказала она. — Разве не так ты мне всегда говорила?

— Никогда не верь тому, что я говорю, милая. — Берти перегнулась через барную стойку и нацедила себе кружку пива. — Тогда ты будешь жить долго и счастливо.

Вздохнув, девушка начала собирать бумаги. Берти придвинула стул и уселась напротив Куинн.

— Ведешь расследование? — поинтересовалась она.

— Берти, сколько можно объяснять: я не агент, — мрачно ответила Куинн. — Я всего-навсего служащая. Коврик для ног. Маленький ничтожный камешек в фундаменте здания, возведенного Эдгаром Гувером.

— Ну, это всего лишь вопрос времени. Не переживай, когда-нибудь ты своего добьешься.

— Иногда я очень в этом сомневаюсь. — Куинн засунула все листки в потрепанный рюкзак и бросила его на стол.

— Чем же ты тогда занимаешься?

— Просто проходила мимо и зашла поздороваться.

— Для работы есть более подходящие места, ты не находишь? — Берти скептически хмыкнула и закурила сигарету.

— Конечно, — сказала Куинн уныло.

— Значит, проблемы с Дэвидом?

— Мы поссорились, — кивнула девушка, не поднимая глаз от пола.

— Из-за чего?

— Из-за платья, которое он мне купил.

— Как можно поссориться из-за платья?

— Очень даже можно! Во многих штатах мне просто запретили бы появляться в нем на людях...

Берти глубоко затянулась и вдруг согнулась в приступе сильного кашля.

— Может, пора бросить? — заметила Куинн.

— И что ты надумала? — спросила Берти, не обращая внимания на ее слова.

— Куплю тебе никотиновый пластырь.

— Я о платье, — нахмурилась Берти.

— Сожгу его. Или задушу им Дэвида. Еще не решила... — Куинн замолчала, глядя, как Берти, погруженная в свои мысли, сосредоточенно дымит сигаретой. У нее наверняка созреет какой-нибудь мудрый совет еще до того, как пепел упадет на пол.

— Знаешь, Куинн, я думаю, ты слишком накручиваешь себя. Мужчины любят похваляться своими женщинами, вот и все. Будь у меня такая внешность, я ни за что не стала бы прятать свою красоту. Черт, да я давно уже была бы замужем за кинозвездой! Или за каким-нибудь красавчиком бейсболистом...

— Дело не только в платье, — быстро сказала Куинн, пока Берти не погрузилась в извечные мечты о красавчике бейсболисте, — а еще кое в чем. Я подумала — а подходит ли он мне вообще? Я ведь меняюсь. Взрослею, можно сказать. Знаешь, до того, как приехала в Мэриленд, я ни разу не пробовала китайской кухни. А силосная башня казалась мне самым высоким сооружением в мире.

— Берти кивнула, не прерывая ее излияний.

— Понимаешь, пропала новизна. Первое время после знакомства с Дэвидом я только и делала, что восхищалась. Тем, что он классно одевается и уверенно ведет себя, что получил образование в Лиге плюща, что работает в ЦРУ... Он был для меня просто совершенством. Я с такими парнями никогда раньше не общалась и даже помыслить не могла, что он пригласит меня на свидание!

— Ты ему поклонялась, — полувопросительно-полуутвердительно заметила Берти.

— Ага, точно — поклонялась. И думала, что хочу того же, чего хочет он. А теперь я в этом не уверена. — Вздохнув, Куинн сняла очки и потерла глаза. — Не знаю, может, я просто зануда, а? Меня так мама называла, пока они с папой не расстались. Говорила, что я всегда всем недовольна, что я чересчур высокого о себе мнения...

— Не мели ерунды, Куинн. Мир был бы очень скучен, если бы всех устраивала их жизнь. Согласна?

— Может быть. Не знаю.

— Зато я знаю! — Берти швырнула непотушенную сигарету на другой конец бильярдного стола, и на сукне появилась еще одна дырка. — Этот бар мне достался от папы, когда он умер. В шестьдесят втором. Мне было примерно столько же, сколько тебе, и я считала, что все это временно. Собиралась продать его и уехать куда-нибудь устраивать свою жизнь. Только мне постоянно что-то мешало. А теперь вот стою здесь и разговариваю с тобой.

— Да ладно, Берти, ты... — начала Куинн, но женщина, не дослушав, взяла ее пустую кружку и пошла к стойке.

— Милая, захлопни дверь, когда выйдешь, — сказала она.

— Погоди, куда ты?

— Пойду спать, уже поздно.

— Берти, ну скажи, что мне делать! Ты ведь всегда даешь мне советы...

— Куинн, тебе не нужны мои советы. Ты сама можешь принять решение.

ГЛАВА 7

Куинн откинулась на спинку кресла, потирая переносицу, и оглядела унылые серые стены. Был самый тоскливый день недели — понедельник, часы показывали половину первого. Просторный офис почти опустел на время ленча. Девушка проводила глазами единственного сослуживца, который возвращался на свое рабочее место со стаканом кофе.

Мертвее не бывает, подумала Куинн, не в силах подняться с кресла. Она просидела в нем как приклеенная почти все выходные — отыскивая ошибку в расчетах и избегая Дэвида Бергина. И если в отношении Дэвида старания увенчались успехом, то с программой дела окончательно зашли в тупик.

Никаких намеков. Она даже начала мечтать, чтобы причиной сбоя оказался какой-нибудь сложный отрезок кода, попавший из другой программы. Тогда она позвала бы пару старых друзей, заманив их пивом и чили кон кесо*, и за ночь они вместе отыскали бы этот кусок. Но в том-то и дело, что искать нечего! Алгоритм, который Куинн использовала для написания программы, — один из самых простых и распространенных...

Куинн поудобнее устроилась в кресле и могла теперь обозревать всю комнату. За стеклянной дверью офиса маячила лысая макушка Луи Крейтера. Он, по обыкновению, улучил время, когда все на ленче, и занялся разбором бумаг. Так, скоро остальные потянутся обратно, а ей вовсе не нужны свидетели. Предстоящее унижение само по себе достаточно неприятно, еще и зрителей недоставало.

Куинн взяла стопку бумаг — распечатку своей программы, — чтобы чувствовать себя более уверенно, и направилась в офис Крейтера. В дверях она остановилась, подперла плечом косяк и прикусила нижнюю губу, не решаясь начать разговор. Полминуты девушка провела в мучительных раздумьях, пока Крейтер не заметил ее и не оторвался от своих бумажек.

— Чем могу помочь? — осведомился Луи. Не дождавшись ответа, он вздернул брови и нетерпеливо качнул головой. Понять жест было нетрудно. Его ждали занятия поинтереснее, чем созерцание Куинн, переминающейся в дверях с ноги на ногу.

— Луи, не найдется ли у тебя пары минут? Мне нужно поговорить о CODIS...

— Конечно. Присаживайся.

— Спасибо, — сказала Куинн, не двигаясь с места. — Помнишь, в пятницу я тестировала новую программу?

— Конечно. Я уже доложил начальству. Они в восторге.

Куинн пришлось притворно чихнуть, чтобы скрыть судорогу, исказившую ее лицо.

* Чизбургеры с приправой чили.

— Ну вот, я тогда сказала, что программа обнаружила все образцы ДНК, причем очень быстро. И что работает она замечательно...

Луи улыбнулся и кивком предложил перейти к делу.

— Так вот, возникла небольшая проблемка...

— Постой, ты же сказала, что она работает идеально? — Насторожившись, Луи резко выпрямился в кресле.

— Нет, я сказала, что она работает замечательно. Но дело в том, что она выделила еще пять образцов ДНК из пяти разных штатов. А прежняя поисковая система не распознавала их... э-э-э... как идентичные.

Он молчал долго, очень долго. Потом заговорил, с силой опершись ладонями о стол. Пытается таким образом скрыть, что руки трясутся от злости, подумала Куинн.

— Черт возьми, Куинн, о чем ты говоришь?

Девушка подавила желание оглянуться и проверить, не слышит ли их кто-нибудь.

— Я проторчала здесь все выходные, Луи, — сказала она, — и не смогла обнаружить...

— Закрой дверь.

Куинн закрыла дверь и прислонилась к ней спиной, стараясь оставаться как можно дальше от шефа.

— Ты хочешь сказать, что твоя долбаная программа не работает? Это ты мне хочешь сказать?

— Да нет, она работает, просто...

— Она работает, но работает неправильно? Так?

Опустив глаза, Куинн изучала свои шлепанцы.

— В общем, да, — собравшись с духом, выдавила она.

— Господи Иисусе! — вскричал Луи, вскочив с кресла. Теперь он опирался на стол сжатыми кулаками. — Куинн, ты же сказала, что все в порядке!..

Разумеется, она вовсе этого не говорила; он так услышал. Впрочем, момент для спора был не слишком подходящий.

— И я так сказал начальству. И какие теперь проблемы с этой дурацкой программой? Всего-то надо было протестировать новое железо!

— Луи, я должна...

Подняв руку, он остановил ее.

— Единственное, что я хочу знать, — когда ты все исправишь?

— Не знаю. — Голос Куинн задрожал, но усилием воли она совладала с собой. — Не могу обнаружить причину. Я даже не уверена, есть ли она. Может быть, это ошибка в базах данных или вообще влияние каких-нибудь потусторонних сил. Или глюк в прежней поисковой прог...

— О да! Разумеется! Именно так, — саркастически перебил Луи. — Программа, с которой мы работали десять лет, оказывается запоротой. По-моему, ты вполне могла обойтись без ошибок, учитывая твой богатый опыт. Ты для чего колледж оканчивала? Почти два года назад, а?

— Луи, я была уверена, что она работает. Я не вижу никаких причин тому, что случилось. — Она шагнула по направлению к шефу, протягивая ему распечатку программы. — Давай я покажу...

— Заткнись.

Девушка остановилась на полпути, подавившись словами.

— Что?

— Ты вообще представляешь, в какое положение меня поставила?

— Луи, я...

— Молчи. — Он огляделся, будто призывая окружающие вещи в свидетели. — Не могу поверить! Я протащил тебя сюда, невзирая ни на что. Другие сомневались, но я сказал, что ты справишься. Как я буду выглядеть после всего этого?

Куинн почувствовала, как ее нервозность сменяется растущим раздражением. Да как он смеет! Можно подумать, он сделал ей одолжение! Она не просила эту работу. Она предупреждала, что переписывать программу — дело очень долгое и трудоемкое. Но шеф, как обычно, не слушал. Луи интересовало одно — какие привилегии он получит за работу, которую для него делала Куинн. Если бы каким-нибудь чудесным образом готовая программа оказалась у него на столе, он, без сомнения, присвоил бы себе все лавры. А когда обнаружилось, что не все идет как по маслу, он пытается свалить вину на нее!

— Знаешь, Луи, я могу еще...

— Вон!

— Прости? — не поняла Куинн.

— Все сроки сдачи программы уже прошли, а теперь ты говоришь, что ничего не вышло!

— Много чего вышло! — Куинн почувствовала, как раздражение от всего этого спектакля перерастает в самый настоящий гнев. — Я проделала кучу работы! Это, наверное, какой-то вирус. Такое часто бывает, между прочим!

— Сейчас же убирайся из моего офиса! Мне нужно подумать, как выпутаться из этой ситуации.

На секунду Куинн потеряла самообладание. Ей ужасно захотелось схватить шефа за галстук и как следует встряхнуть, чтобы с ним можно было поговорить по-человечески. Но она сдержалась. Нет, уж лучше оставить его сейчас в покое и дать остыть.

ГЛАВА 8

Ничто в этом проекте не внушало сенатору Джеймсу Уилкинсону оптимизма — даже приблизительно. Так дело обстояло не всегда, но год от года противное подрагивающее щекотание внизу живота все усиливалось. Был ли тому виной сам проект (технологии развивались со скоростью и неотвратимостью вируса, требуя совершенно немыслимого уровня секретности и надежности)? Или же причина крылась в самом сенаторе — постаревшем, помудревшем и более отчетливо представляющем себе возможные последствия своего участия в проекте?

Нагнувшись к фонтанчику для питья, он попытался прополоскать рот от неприятного металлического привкуса, наполнявшего воздух стерильных вестибюлей и лабораторий вокруг, но ничего не вышло.

— Если соблаговолите пройти сюда, сенатор, мы продолжим знакомить вас с главным проектным центром.

Уилкинсон величественно кивнул Ричарду Прайсу, председателю и серому кардиналу «Современной термодинамики, инкорпорейтед», и проследовал за ним через контрольный пункт безопасности в очередной бесконечный коридор, стены в котором заменяли перегородки из толстого стекла. Медленно поворачивая голову на ходу то вправо, то влево, сенатор лицезрел за стеклом множество крайне занятых и погруженных в работу мужчин и женщин.

Вот еще что он ненавидел в постылом проекте — всю эту научно-техническую специфику. Ученых и инженеров, которые свободно расхаживали среди неведомых машин и установок, работали без всякого контроля и присмотра, с видом посвященных обсуждали технические проблемы, провалы и успехи. Уилкинсон возглавлял Комитет сената по разведке уже столь давно, что и сам счет годам потерял, однако так и не сумел смириться с учеными — с их эксцентричностью, надменным пренебрежением политическими и военными реалиями, неизбывной тягой поделиться открытиями с коллегами из других институтов и лабораторий.

Прайс словно бы прочел мысли своего спутника. Вкладывая в узкую прорезь в стене карточку, висевшую у него на шее, он бросил на Уилкинсона быстрый взгляд.

— Поверьте, сенатор, мы делаем все возможное, чтобы разные области исследований никоим образом не зависели друг от друга. Пространственное разделение, ограниченный доступ в различные помещения и все такое прочее. Лишь маленькая группка сотрудников знает обо всем проекте в целом. И все же, как мы и говорили раньше, успехи науки во многом зависят от обмена идеями...

— Полагаю, все зависит от того, кто именно ими обменивается, — сухо ответил Уилкинсон. Прайса он всегда недолюбливал — такой же высокомерный зазнайка, как и умники, что на него работают. Когда Прайс разговаривал с сенатором, в его голосе всегда слышались слабые, еле различимые снисходительные нотки.

— Мне кажется, сэр, наша служба безопасности за последние десять лет не дала ни единого сбоя.

Уилкинсон кивнул — скорее просто соглашаясь с этим фактом, нежели признавая заслуги самого Прайса.

— Вы ведь не были здесь с тех пор, как мы завершили этот отсек, да, сенатор?

Перешагнув порог, Уилкинсон окинул взглядом помещение. Большое — площадью примерно с два футбольных поля; стены, пол и потолок голые, стерильно-белые. На высоте пятидесяти футов над полом тянулись рельсы из нержавеющей стали, по которым бесшумно скользило множество огромных приборов из титана, углеволокна, наисовременнейшей керамики и прочих материалов космической эры. Около сотни сотрудников, слаженно передвигающихся по лаборатории, казалось, нужны были лишь для того, чтобы благоговейно прислуживать созданиям рук своих. Они что-то прикручивали, подвинчивали и протирали до глянца, взгромоздившись на высокие стремянки; они яростно молотили по клавишам, скармливая таинственным предметам новые данные и сведения. Они священнодействовали и поклонялись.

— Как вы знаете, — промолвил Прайс, деликатно подталкивая сенатора в спину, — темпы развития проекта все увеличиваются и увеличиваются. Поэтому нам потребовалось внести в первоначальный план определенные изменения. Мы переросли простую компьютерную симуляцию и теперь собираемся дополнить свои возможности по созданию воображаемой реальности кое-какими реальными системами и механизмами. Очень, очень увлекательный период. Весьма захватывающе.

Сенатор Уилкинсон потер глаза — отчасти пытаясь сбросить накопившееся напряжение, отчасти из-за того, что подняться ему сегодня пришлось в четыре утра. Поди доберись в эту глушь, затерянную в просторах южновиргинских гор, в такую несусветную рань! Никогда еще Прайс не вытаскивал его из дома на встречу, назначенную на семь утра!

— И во сколько мне обойдутся все эти реальные системы и механизмы, а, Ричард?

Прайс улыбнулся, хотя и не слишком уверенно — скорее напоказ, а не от души. Несмотря на все экивоки и прочие формальности, оба знали: их встречи всегда обусловлены одной и той же причиной. Деньгами.

— Девяносто миллионов.

Уилкинсон протяжно выдохнул, даже не пытаясь скрыть удивление и раздражение.

— И это вдобавок к тому, что мы уже выложили на усовершенствования аппаратуры?

Прайс кивнул.

— Ричард, мне кажется, вы плохо осознаете, о чем просите. Откуда, по-вашему, берутся деньги? Думаете, я могу просто явиться в конгресс и поднять вопрос о финансировании этого проекта? Нет, приходится потихоньку вытягивать средства из других контрактов и разработок, да так, чтобы никто ничего не знал. Вы хоть представляете, как трудно устроить, чтобы девяносто миллионов просто взяли и растворились в воздухе?

— Боюсь, сенатор, во всем виноват я.

Уилкинсон повернулся на голос и смерил неприязненным взглядом человека, который шагал сейчас к ним по бетонному полу. Новоприбывший не очень вписывался в окружение. Начать хотя бы с того, что вместо обязательного лабораторного халата он носил дорогой темно-бордовый свитер и бежевые льняные брюки. Серебристо-седые волосы его были длиннее, чем хотелось бы видеть сенатору, но аккуратно причесаны и удивительно подходили к точеным чертам лица и смуглой коже новоприбывшего. Однако сильнее всего от кишевших вокруг интровертов-умников его отличала непринужденная, почти расслабленная уверенность в себе.

— Сенатор, — начал Прайс, — наверняка вы помните Эдварда Марина, координатора нашего проекта.

— Ну разумеется. Рад снова видеть вас, доктор.

Улыбка Марина продемонстрировала ряд ровных белых зубов и лишь усилила окружавшую его ауру собственного достоинства, благодаря которой он казался старше своих сорока четырех лет — сенатор знал, что ему именно столько. Они уже пару раз встречались, и каждый раз Уилкинсон чувствовал себя слегка неуютно. Уж слишком непринужден и учтив был Марин, слишком обаятелен. Уилкинсон привык сразу оценивать степень неискренности собратьев по политике — однако не знал, какой меркой мерить Эдварда Марина.

— Так, вы говорите, это ваша вина, доктор? Надо ли понимать, что мы столкнулись с непреодолимыми препятствиями?

Уилкинсон гадал, сколько раз слышал это расхожее выражение на протяжении всей своей долгой карьеры куратора бесчисленных государственных контрактов.

Марин направился на середину лаборатории изящной, даже чуть-чуть слишком изящной походкой. Оба его собеседника двинулись вслед за ним.

— Напротив, сенатор. Мы совершили глобальный прорыв, которого я не ждал и на который бюджет не был рассчитан.

Уилкинсон остановился и повернулся к Марину, пропуская проходившую мимо группу техников.

— А я-то думал, что на своем веку слышал уже все, что только возможно. Но это что-то новенькое.

— Говорил же я вам, сенатор, у нас тут происходят весьма захватывающие события. Весьма увлекательные, — вмешался Прайс.

— Нельзя ли поконкретнее, доктор?

— Безусловно. Мы наняли одного необыкновенно талантливого молодого человека провести для нас кое-какую теоретическую работу, и, должен признаться, он удивил даже меня. Думаю, вы были в курсе, что у нас возникли определенные проблемы с системой умножения частоты колебаний и я полагал, что на их решение уйдет не менее двух лет. Чтобы не утомлять вас подробностями, скажу вкратце: несколько месяцев назад парень буквально вытащил кролика из шляпы, и эти проблемы перед нами уже не стоят.

Марин умолк и одарил сенатора очередной вспышкой белозубой улыбки. Уилкинсон задумчиво кивнул, хотя на самом деле не отличил бы систему умножения частоты колебаний от мышиной норы. Он всегда терял интерес, когда доходило до таких вот деталей. На это и существуют помощники.

— И что это означает для нас, доктор Марин?

— Помимо девяноста миллионов долларов?

Уилкинсон нахмурился:

— Да, помимо них.

— Честно говоря, это означает, что проект вступает в завершающую стадию. Очевидно, нам остается еще решить кое-какие проблемы, и мы будем знать больше...

— А что это значит в отношении сроков?

Прайс явно занервничал, однако ему хватило здравого смысла молчать, пока координатор проекта задумчиво водил указательным пальцем по гладко выбритому подбородку. Все эти проверяльщики, особенно из военных, страсть как не любят, когда технические работники делают такие вот смелые утверждения. Кажется, сегодня они с Марином были несколько честнее, чем стоило бы.

— Я бы сказал, что — при должном финансировании и толике везения, разумеется, — мы получим готовую для внедрения систему годика через три.

Уилкинсон снова сорвался с места и зашагал так быстро, что обоим спутникам приходилось чуть ли не трусить рядом с ним рысцой. Пару минут все трое молчали, а потом Прайс все с тем же мрачным видом пустился объяснять, мимо каких приборов они проходят и для чего эти приборы предназначены. Уилкинсон коротко попросил его помолчать и сосредоточился на горящей проблеме.

Большая часть правительства об этом проекте и слыхом не слыхивала. Даже президент не представлял себе всех масштабов исследований. До сих пор Уилкинсон поддерживал проект скорее из благоразумия — если хрупкое равновесие, которым сейчас наслаждается мир, вдруг рухнет, он, Уилкинсон, будет выглядеть дальновидным и прогрессивным политиком. Но ему и в голову не приходило, что за время его карьеры «СТД» выдаст и в самом деле работающий результат. Он-то всегда считал исследования чем-то вроде черной дыры, куда имеет смысл периодически закидывать очередную порцию денег.

Если на время оставить в стороне потенциально опасную реакцию Китая и России, как воспримут столь потрясающую новость здесь, дома? Насколько тщательно общественность захочет проверить подозрительные источники и методы финансирования работы «Современной термодинамики»? А как насчет неизменной и скорее всего незаконной секретности, которой проект был окружен с самого начала? И наконец, когда пыль уляжется — захочет ли хоть кто-нибудь, чтобы наработки и в самом деле были пущены в ход? А ведь будет уже поздно сворачиваться и делать вид, словно ничего такого и не существует.

Рука, опустившаяся на плечо сенатора, вернула его к действительности. Сфокусировав взгляд, Уилкинсон обнаружил, что по полу перед ним тянется ярко-красная полоса.

— Прошу прощения, сенатор, но ради вашей же безопасности в этот отсек мы заходить не будем. Тут совсем рядом, у зала заседаний, как раз расположен буфет. Почему бы не закончить разговор там?

ГЛАВА 9

— Куинн? Что с тобой сегодня?

Молодой человек остановился прямо посреди прохода, загораживая путь в компьютерную лабораторию ФБР и внимательно глядя на темные круги под глазами девушки.

— Поздно легла, знаешь, как оно бывает? — ответила она, делая первый глоток из пластиковой чашки у нее в руках. Чудотворный чай не оказал обычного мгновенного действия — дурной признак.

— Надеюсь, хоть развлеклась на славу?

Куинн состроила легкую гримаску и снова попыталась вспомнить, как же зовут этого молодого человека. Их представили друг другу несколько месяцев назад, но с тех пор знакомство так и не вышло за рамки той стадии, когда мимолетно здороваются друг с другом в коридоре. Хотя молодой человек, судя по всему, не прочь был познакомиться и поближе.

— Увы, Чарли, не с моим счастьем, — ответила она наконец, когда кофеин начал потихоньку реанимировать мертвые и полуиздыхающие клетки головного мозга. — Работа-работа-работа, чуешь?

— Хоть рассказала бы.

Она демонстративно посмотрела на часы, висящие на стене, и шагнула вперед.

— Ну, тогда уж сегодня выспись, — напутствовал ее молодой человек, уступая дорогу.

— Боюсь, не светит.

Куинн зашагала дальше и неохотно перешагнула порог компьютерного центра. Опустив голову пониже, скользнула к своему столу, слишком смущенная, чтобы отвечать на обращенные на нее со всех сторон взгляды. Сочувственно коситься и покачивать головами начали еще вчера, а сегодня, наверное, уж все в курсе, что она получила выволочку от Луи Крейтера.

Набравшись храбрости, девушка бросила взгляд вправо — и, разумеется, натолкнулась на сальную ухмылочку одного из сидевших у стены сослуживцев. Однако смотрел он куда-то мимо нее. Куинн проследила за его взором — и замерла на месте.

Двое мужчин, возившихся у ее компьютера, судя по всему, чувствовали себя как дома. Один сидел в ее кресле, закинув ноги на стопку рабочих папок. Другой же выгрузил личные вещи девушки на пол и примостил задницу прямо на край опустевшего стола.

— Прошу прощения, — начала Куинн, приблизившись. — Чем могу помочь?

Тот, что сидел в кресле, лениво повернул голову в ее сторону, удостоил девушку короткой равнодушной усмешкой и снова вперил взор в экран.

— Вы Куинн?

— Ну да. А это мое рабочее место.

— Вам велено пойти и поговорить с Луи, — сказал тот, что пристроился на столе.

— Кто вы?

— Куинн!

Повернувшись, она увидела, что Луи Крейтер высунул голову из своего кабинета.

— Одну минуточку.

Она понимала, что это глупо, но все равно ощущение было — как будто над ней надругались. И страшно не хотелось оставлять этих грубиянов преспокойно копаться в ее вещах.

— Куинн! Сейчас же! — строго велел Крейтер, видя, что она не трогается с места. Осознавая воцарившуюся в компьютерном зале тишину, девушка послушно зашагала к кабинету.

— Садись, — произнес Крейтер, закрывая за ней дверь.

— Кто эти типы? — спросила она, уверенная, что уже знает ответ.

— Специалисты из «Современной термодинамики», изначального разработчика системы.

Куинн почувствовала, как подбородок у нее упрямо выпячивается вперед, и даже не попыталась скрыть возмущения.

— Вы звонили в «СТД»?

— Я сказал — сядь.

Девушка еще пару секунд стояла, но затем решила, что скандалом сейчас ничего не добьешься.

— Луи...

Он вскинул руку:

— Не нервничай. Так всегда делается. Проект необходимо завершить, а вчера он находился на мертвой точке.

— Я могу закончить его сама, Луи. К тому времени как эти типы разберутся, что я успела сделать, у меня бы уже все работало.

— Ладно тебе, Куинн. В прошлый раз, когда мы с тобой говорили, ты даже не знала, с какого конца браться за дело.

— Я начала с кода «СТД» и индивидуальных систем. Не думаю, что проблема во мне...

Крейтер коротко засмеялся и тряхнул головой:

— Обожаю уверенность в себе, Куинн. И даже ничего не имею против здорового упрямства. Но позволь дать тебе маленький совет: есть такое понятие, как «чересчур». Никто не станет уважать сотрудника, не умеющего признавать свои ошибки. Это не то качество, которое мы можем позволить нашим агентам. Мы играем в команде.

Глаза Куинн сузились, но девушка сумела промолчать.

— Я знаю: ты старалась изо всех сил. И ценю твои старания. И все-таки очевидно — тебе эта задача не по зубам. Вероятно, я виноват ничуть не меньше остальных...

Смысла спорить не было никакого: как ни глупо, а Луи уже явно все для себя решил. И скрытая в словах про допустимые в агентах качества и игру в команде угроза тоже прозвучала достаточно откровенно.

— Ты куда? — спросил он, когда Куинн начала приподниматься.

— Придать этим типам ускорения. Надо обсудить кучу всяких тонкостей, прежде чем они смогут приступить к работе.

Крейтер покачал головой:

— Они уверяют, что все под контролем.

— Прошу прощения?

— Послушай, Куинн, эти парни — профессионалы, им не нужна твоя помощь.

— Луи, — произнесла девушка, тщательно следя за тем, чтобы голос звучал ровно, — я сама профессионал, и я утверждаю...

— Я перевел тебя на программистскую работу в Квонтико. Натану Шейлу из отдела техподдержки расследований надо модифицировать одну систему.

Куинн неверящими глазами следила, как босс обходит вокруг стола и плюхается в кресло.

— Луи, вы же это не серьезно. В чем бы ни состоял затык, он не очевиден. Без моей помощи эти парни просто пропадут.

Крейтер словно не слышал.

— Почему бы пока тебе не собрать свое барахло и не отдохнуть остаток дня? Я сказал Нату, что ты явишься к нему завтра утром и будешь готова приступить к работе.

ГЛАВА 10

Полный упадок сил, что так отравлял ему жизнь, наконец-то почти прошел. Исчезли эта свинцовая тяжесть во всем теле, от которой кажется, будто кровь стала слишком вязкой и не хочет бежать по жилам, тревожащая неспособность сосредоточиться и эти краткие моменты, когда эмоции едва не вырываются из-под контроля.

Он опустил окно и высунул руку из машины, подставив ладонь под струи встречного воздуха. Мало кто любит это ощущение, а вот ему оно нравилось — нравилось чувствовать мгновенную реакцию тела: как почти незаметно натягивается, становится более упругой кожа, как поднимаются дыбом волоски на руке, стараясь сохранить тепло.

Воздух позднего утра был на удивление прозрачен, хотя тот, кто ехал сейчас в машине, не знал, в атмосфере ли дело или в его обостренном восприятии. Мчась по усыпанной гравием дороге, он улавливал тончайшие изменения запаха мелькавших по обочинам деревьев — даже словно бы отличал мельчайшие оттенки медленно вянущих под жарким солнцем листьев.

Он посмотрел в зеркало заднего обзора. Без особой причины, лишь для того, чтобы полюбоваться пустотой петляющего по красно-золотому пейзажу проселка. Он и без всяких проверок знал: сзади никого нет. Все те, чья работа состояла в том, чтобы следовать за ним по пятам, контролировать его, остались на сотни миль позади.

На то, чтобы добиться свободы, потребовались годы медленного, до боли нудного и изнурительного труда, но в конце концов он умудрился обернуть все ухищрения недругов против них же самих. И теперь все бесчисленные электронные устройства и тщательно продуманные системы слежения были полностью перепрограммированы. Какая ирония! Чем хитроумнее и изощреннее делались технологии, тем легче он брал над ними контроль. И теперь этот контроль стал абсолютным. Люди по ту сторону приборов видели и слышали только то, что он, их объект, позволял им видеть и слышать, тогда как сам он сделался практически всемогущ: их телефонные переговоры, письма по электронной почте, семейные обстоятельства, медицинские досье — все лежало перед ним как на ладони. Они ничего не могли утаить от него.

Он дернул на себя руль. Пластиковое колесо опасно изогнулось в его руках, и по лицу водителя расползлась широкая улыбка: сила возвращалась. А он-то уже почти забыл, как это бывает.

Машина словно сама собой сбавила скорость, когда впереди у дороги показались дома. Порой он гадал — не это ли самая приятная стадия процесса в целом. Годы предвкушения, тщательной проработки плана, нарастающий, уже почти невыносимый накал. И затем последние моменты перед самим действием, когда время словно бы останавливается и во всем мире существует лишь бешеное биение сердца, странная сухость в схваченном судорогой горле и повышенная активность слюнных желез.

Дорога пошла на подъем, и вот автомобиль въехал на острый гребень — самую высокую точку на много миль вокруг. Внизу расстилалась крохотная долинка, сверху похожая на стеганое одеяло из множества аккуратных кусочков правильной геометрической формы: в этих краях все еще процветали фермеры. Человек за рулем проследил взглядом разделяющие поля прямые линии, на миг задерживаясь там, где они сходились у какого-нибудь из старинных домиков, разбросанных по склонам холмов.

Он знал: на сей раз он перегнул палку, испытывая терпение тех, кто пытался за ним наблюдать. Слишком внезапно выдернул их из самодовольной дремоты, в которую сам же и погрузил. Ведь после определенного момента даже законченный тупица становится непредсказуем, как смертельно раненный зверь, не сознающий, что жизнь вот-вот покинет его. Но это входит в игру. Делает ее еще более захватывающей и возбуждающей. Помогает вновь вернуться к жизни.

Машина остановилась на обочине, опять словно сама собой, без каких-либо усилий со стороны водителя. Не было ни ветерка, солнце жарко припекало спину, когда он вылез из машины и двинулся вдоль дороги. До ведущего к дому ответвления пути оставалось совсем немного, каких-нибудь пятьдесят метров. Сворачивая, он на ходу провел рукой по пышущему жаром металлическому почтовому ящику на столбе.

Когда он шагал к дому, весь окружающий мир словно бы померк, потускнел. Обычный человек ничего не заметил бы, но он — он видел, как цвет медленно покидает поля и холмы вокруг, как крохотный домик с высоким фронтоном и ухоженным садиком словно бы наливается светом, начинает сиять еще ярче.

И чем ближе подходил человек, тем сильнее делался этот странный оптический эффект. Перед дверью чужак остановился, помедлил, оглядывая выцветший мир вокруг. Ближайший дом — в четверти мили отсюда — почти растаял в дымке пшеничных полей.

Он даже не осознал, что уже постучал, пока дверь не открылась. На пороге стояла молодая женщина. Футболка и джинсы забрызганы грязью, на миниатюрных ручках — потрепанные перчатки. Длинные каштановые волосы забраны в хвост, но несколько непослушных прядок выбились и спадали вперед, подчеркивая красоту гладкой кожи и юного лица.

Он знал: она работает гидробиологом, изучает воздействие промышленных предприятий на экологию Чесапикского залива. По всем отзывам — весьма талантливый и многообещающий молодой специалист.

— Могу вам чем-нибудь помочь? — спросила она, стягивая перчатки и запихивая их в передний карман джинсов. Мускулистое бедро на миг чуть сжалось от давления, а потом самым соблазнительным образом разгладилось вновь.

Эта молодая женщина улыбалась так уверенно и спокойно. Чувствовала себя в полной безопасности — как и все остальные до нее. Они видели лишь то, что он позволял им видеть. Потом чужак покажет ей больше, но пока он излучал лишь добродушие, чуть приправленное беспокойством и неуверенностью: эта маска всегда срабатывала на сто процентов.

ГЛАВА 11

Не доходя до квартиры, Куинн Барри с досадой швырнула спортивную сумку вверх, но та с тяжелым стуком грохнулась на середине лестничного пролета, не долетев до цели. Сердитый пинок отправил ее через оставшиеся ступеньки на балкон, что тянулся вдоль всего здания. По дороге домой девушка завернула в гимнастический зал, чтобы хоть немного выпустить пар и отвлечься от событий сегодняшнего паршивого, прямо-таки препоганейшего дня. Но даже двадцать минут яростного избиения груши не помогли избавиться от уныния.

В жизни она не испытывала такого унижения, как сегодня, пока выгребала вещи из ящиков своего рабочего стола. После показательной порки, устроенной ей Луи, она снова подошла к тем типам из «СТД» с великодушным, как ей казалось, предложением ввести их в курс того, что она уже успела сделать и на чем остановилась. Однако те парни лишь снисходительно посмотрели на нее и помотали головами, а потом просто-напросто повернулись спиной и взялись за прежнее. Ей пришлось в буквальном смысле слова отпихнуть одного из них с дороги, чтобы добраться до ящика со своими вещами.

Высокомерные ублюдки! Обращались с ней точно с полной идиоткой, клушей-бухгалтершей, не способной отличить живую мышь от компьютерной. Да она как программист наверняка их сто раз обойдет — в любое время суток! Черт возьми, да начни она сразу после колледжа работать в «СТД», они скорее всего сейчас находились бы у нее под началом!

Когда девушка угрюмо подобрала с пола сумку и побрела к двери квартиры, поднялся ветер. Проходя мимо окна крохотной гостиной, где она устроила рабочий кабинет, Куинн краем глаза заметила в глубине комнаты какое-то движение. Резко остановившись, она припала к стеклу и, приложив к нему ладони, попыталась через полузакрытые жалюзи разглядеть, что же там происходит. Глазам потребовалось несколько мгновений на то, чтобы привыкнуть к царящей внутри полутьме, но потом Куинн сдавленно ахнула.

Там, спиной к ней, стоял какой-то человек. Мужчина. Стоял и преспокойно проглядывал бумаги, лежавшие возле компьютера. Словно примерзнув к месту, девушка наблюдала, как он пролистал стопку счетов на краю стола и как ни в чем не бывало уселся в ее кресло. Куинн прижала руки к стеклу как можно плотнее, чтобы отгородиться от солнца, и тут вдруг незваный гость повернулся вполоборота влево, и она узнала этот профиль.

Дэвид!

Девушка глубоко вздохнула. Только этого ей сегодня не хватало! Она невольно посмотрела вниз, на стоянку, где оставила машину. Может, смыться по-быстрому?

— Ох, да повзрослей же наконец! — тихонько сказала она сама себе и решительно зашагала к двери. Вошла в дом Куинн как можно тише, сумку поставила на ковер, туфли сняла возле дивана. Бесшумно ступая в носках по полу, она прокралась по коридору и остановилась в дверях кабинета.

Дэвид все еще сидел в кресле, но теперь согнулся вдвое, проглядывая кипу бумаг на полу.

— Что-то ищешь?

Как она и добивалась, Дэвид подпрыгнул и нервно выскочил из кресла, едва не опрокинувшись на компьютер.

— Куинн, силы небесные! Что ты тут делаешь?

— Живу. Что ты ищешь?

— На чем можно писать. Хотел оставить тебе записку. — В голосе Дэвида сквозила легкая неуверенность, которой девушка ни разу не слышала у него раньше. Только вот почему? Действительно ли он беспокоился о будущем их отношений — или никак не мог опомниться от того, что она застала его врасплох?

Когда она шагнула к нему, он чуть не попятился. Вытащив из царящего на столе хаоса блокнот, девушка шлепнула им Дэвида по груди.

— И что ты собирался написать?

— Что прошу прощения.

Подозрения взыграли еще сильнее. За все время знакомства с Дэвидом она ни разу не слышала, чтобы с его уст слетело хоть что-то подобное. Он был отлично вышколенным юристом, и извинения его всегда отличались многословностью, запутанностью, обилием оговорок и опровержений.

— Понятно, — произнесла девушка.

Они уставились друг на друга. Казалось, Дэвид не знал, что делать дальше. Она тоже не знала, хотя и по иным причинам. Понимала лишь, что определенно не хочет, чтобы у него создалось впечатление, будто она склонна принимать извинения. Злой близнец Купидона явно предлагал ей путь разорвать опостылевшие отношения, и она твердо вознамерилась принять предложение.

— Куинн, послушай... То, что я наговорил... Я был не прав.

Еще одно потрясение. День сплошных неожиданностей.

— Послушай, Дэвид, — начала Куинн, стараясь говорить как можно бесстрастнее и невыразительнее, — я не хочу изображать сволочь. Но нам все же надо поговорить.

— Знаю! Знаю, что надо. Поэтому и заказал столик у Тони. Подумал, может, нам поужинать тихо и мирно — только ты да я.

Девушка вздохнула. Она точно знала, что должна сказать. Должна сказать «нет». Должна сказать, что не хочет никаких повторений, что настала пора разбежаться, пока еще не поздно. Но подобрать слова оказалось так трудно. Ведь они с Дэвидом встречались уже около года, и в общем и целом он был очень славным молодым человеком — умным, честолюбивым и, на свой лад, верным другом. Только вот для нее совсем не годился.

— Конечно, Дэвид, — услышала она свой собственный голос. — Звучит заманчиво.

— Отлично. Отлично. Послушай, а что ты делаешь дома в середине рабочего дня? — спросил он, явно стремясь сменить тему.

— Меня перевели в Квонтико, — объяснила девушка, выходя из комнаты и усаживаясь за стол на кухне.

— Правда? Вот здорово! Это дает тебе шанс накачать мускулы. — Голос у Дэвида был какой-то рассеянный, словно молодой человек думал о чем-то совсем другом. Как бы там ни было, но, похоже, он не собирался расспрашивать ее о причинах столь внезапного изменения в карьере.

— А ты, Дэвид?

— Э? А, я просто поздно пошел на ленч. И как уже говорил, хотел оставить тебе записку, поскольку ты... гм... не отвечаешь на звонки. Узнать, удастся ли нам поужинать сегодня вместе.

Больше говорить вроде бы было не о чем, однако Дэвид все маячил в дверях кухни. Судя по виду, он задумался о чем-то глубоко своем, хотя пытался скрыть это под довольно глуповатой улыбкой. Куинн гадала, неужели он вдруг начал и в самом деле цепляться за их роман? Самое время!

Наконец молодой человек направился к двери, но, уже взявшись за ручку, остановился, вперив взор в спортивную сумку Куинн.

— Куинн...

— Да?

— Да нет. Ничего.

— Давай, Дэвид, выкладывай. Что еще?

— Хотел попросить тебя об одолжении. Но наверное...

— Ну давай же, Дэвид. Не тяни.

— Машина у меня при торможении вся так и трясется...

Куинн закатила глаза. Она выросла на ферме и изрядную часть детства провела, лежа под днищем грузовиков и прочих хозяйственных агрегатов. А известное дело — по количеству жаждущих получить бесплатную консультацию автомеханик даст фору разве что врачу.

— Наверное, надо подкрутить ротор. Избавился бы ты от этого своего монстра и проблем бы таких не знал.

— Это не монстр. Это внедорожник.

— Да как ни назови. Знаешь, Дэвид, у меня ведь даже и инструментов никаких нет...

— Что ты, что ты! Я просто подумал, может, ты взглянешь, что там, и скажешь мне точно, в чем дело и во сколько обойдется ремонт. Ты ведь знаешь, на что способны эти механики, если думают, будто не знаешь, о чем идет речь.

Куинн тихонько прикинула, не объясняется ли нынешнее поведение Дэвида скорее желанием разобраться с тормозами, а не сохранить отношения с ней. Но тут же укорила себя за цинизм. Если она и пришла к выводу, что они с Дэвидом не созданы друг для друга, это еще не повод превращаться в мегеру.

— Ну ладно, Дэвид. Без проблем.

Он бросила ему ключи от своей машины, а он уронил свои ей на сумку.

— Спасибо, детка. Так, значит, встречаемся в ресторане в семь.

На то, чтобы собраться с силами, потребовалось минут пять, но в конце концов Куинн все же отклеилась от стула и вынула из холодильника пачку мороженого. Поедая его прямо из пачки, она постаралась выбросить из головы Дэвида и хоть как-то упорядочить все, что произошло с ней за последние несколько часов.

Учитывая жирный черный крест, который Луи наверняка поставил на ее персональном досье, имеет ли она еще хоть сколько-нибудь реальный шанс стать агентом? Черт, да имелся ли у нее такой шанс вообще? Как ни жаль, но Дэвид был не так уж не прав в своей достопамятной пятничной тираде. Куинн и в самом деле вовсе не выглядела образцовым «федеральным агентом» — да и не одевалась соответствующе. Она уже сейчас начала напрягаться от того, что вышестоящие постоянно суют нос в ее дела, а ведь по сравнению с полевыми агентами работает чуть ли не в полной автономии. Что же будет, когда какой-нибудь старый хрыч заявит, что ему не нравится оттенок ее костюма? Что у нее плохо почищены туфли? Что она должна называть его «сэр»?

Может, она чуточку переборщила в отчаянной попытке вырваться из захолустного городка Западной Виргинии? Еще во втором классе она пообещала себе, что сбежит при первой же возможности — непременно увидит весь мир и попробует все, что этот самый мир сможет ей предложить. Но может, она уже видела то, что мир мог ей предложить? Может, лучше всего было бы работать в приличном предприятии частного сектора за приличные деньги? Приличный дом. Приличный муж. И пара приличных детишек. Возможно, еще приличная собака: ничего экстраординарного, лабрадор или ретривер.

Может, стоит вернуться на прежнюю работу? Она ведь неплохо преуспевала до тех пор, как подала заявление в ФБР. Жалованье отличное, неформальный стиль одежды, интересная работа. Ну, вроде как интересная. Девушка состроила гримаску и сунула в рот шарик мороженого размером с добрый снежок. Кого она обманывает? Когда она работала в частном секторе, то самые захватывающие минуты они переживали всей конторой, когда кто-нибудь отправлялся за пончиками.

Досадливо бросив ложку на стол, Куинн потерла лоб — от мороженого у нее разболелась голова. Все — сплошное дерьмо. Чем больше она думала о модификации, которую провела для CODIS, тем больше убеждалась, что ее вины нет. Получив ледяной отпор от этих двух ослов, присланных из «СТД» «исправить» ее ошибки, девушка начала думать, не кроется ли причина в них самих. А ну как эта система вовсе не столь хороша, как ей полагалось бы быть, а они теперь просто спешат прикрыть свои задницы?

Куинн прошла в кабинет, открыла чулан, в котором царил такой же хаос, как и на рабочем столе, и принялась лихорадочно рыться в бумагах. На поиски ушло с полчаса, но в результате она нашла, что искала — копию программы «СТД». Да, в свое время, перед тем как приступить к работе, она уже проглядывала все самые важные части, однако всерьез так и не обдумывала их. Возможно, настало время изучить их вторично. Она не променяет мечты о приключениях, перестрелках и славе на унылое сидение за монитором! Она не сдастся! Во всяком случае — без боя.

ГЛАВА 12

Когда Куинн свернула с шоссе I-95 и направилась навстречу огням Балтимора, было уже около одиннадцати. Девушка все жала на газ и только перед съездом с дороги ударила по тормозам. Ремень безопасности натянулся, больно врезаясь в до отказа набитый едой живот, противоблокирующая система пришла в действие, и автомобиль Дэвида резко остановился. Это была уже третья попытка воспроизвести описываемые Дэвидом неполадки — и в третий раз Куинн ничего похожего и близко не обнаружила. Пожалуй, пора сдаться и признать машину абсолютно здоровой, пока какой-нибудь полицейский не обратил внимание на столь эксцентричную манеру вождения и не потребовал «дыхнуть в трубочку».

Ужин прошел необычно — Дэвид вел себя лучше, чем Куинн вообще считала возможным. Он снова извинился, причем не стал выдвигать никаких условий, да и выглядел весь вечер в должной степени раскаявшимся и даже почти нервным. Куинн же, если вспомнить, вела себя точно последняя мегера, но она просто не знала, как правильно реагировать. Может, Дэвид нынче вечером был просто одержим бесом очарования, питающим склонность к высоким блондинкам, одевающимся как хиппи-библиотекарши?

Хотя, в чем бы ни крылась разгадка волшебного преображения Дэвида, всего этого с лихвой хватило, чтобы сбить Куинн с толку и лишить решимости. Большую часть ужина девушка провела в непривычном для себя молчании, позволив своему кавалеру говорить о чем хочет и пытаясь собраться с духом. В конце концов вопрос о дальнейших отношениях так и повис в воздухе.

После ужина Дэвид пригласил ее к себе, но Куинн отказалась, сославшись на то, что завтра первый раз выходит на новую работу. Казалось, ее спутник искренне огорчился, а еще сильнее переполошился, когда она сообщила ему, что в пятницу после работы сразу едет к отцу на ферму. Дэвид намекнул, что не прочь отправиться с ней, однако Куинн сделала вид, будто не поняла намека. Тогда он заявил, что надеялся в эти выходные провести с ней побольше «первоклассного времени» вдвоем. Так прямо и сказал этими самыми словами — «первоклассное время». Действительно одержимый. Этот человек явно нуждался в экзорцизме.

Пробираясь сквозь хитросплетение знакомых улочек промышленного района Балтимора, Куинн оглядывала ряды ветхих и покосившихся строений. И что такое в этом городе постоянно притягивало ее? Она никогда так и не свыклась с атмосферой Вашингтона — он всегда казался ей слишком официальным, напыщенным и самодовольным. Балтимор хотя бы не отрывался от реальности.

Куинн втиснула громоздкий спортивный автомобиль в узкий, мощенный булыжником переулок и взгромоздилась колесами на тротуар, прекрасно сознавая, что подобный маневр заставил бы Дэвида поморщиться. Схватила с заднего сиденья рюкзачок и потрусила к видавшей виды двери заведения Берти. Бар оказался заперт, но изнутри доносился приглушенный голос Пэтси Клайн. Побарабанив в дверь минуту-другую, девушка наконец достучалась до хозяйки.

— Куинн? Девочка, что ты делаешь здесь в такое недетское время?

— Проезжала мимо.

— Гм-гм. — Берти внимательно оглядела оба конца улицы, после чего позволила Куинн проскользнуть внутрь.

— Думала пропустить стаканчик, но если вы уже закрываетесь...

— За весь вечер ни души, так что не было никакого смысла оставаться открытой. Проходи. Плесни уж и мне.

Куинн прошла вдоль стойки, кинула рюкзачок на стул и налила себе стакан воды.

— Ужинала сегодня с Дэвидом, — пояснила она, смешивая Берти джин с тоником.

Та на миг перестала подметать.

— В самом деле? И как?

— Потрясающе. Он стал другим человеком. Как будто...

Берти оперлась на метлу, улыбаясь так насмешливо, что Куинн потеряла мысль.

— Что такое?

— Да так, просто иногда забываю, какая же ты еще маленькая, Куинн.

— В смысле?

— Мужчины не меняются, золотко. Они либо нравятся тебе такими, какие есть, либо не нравятся.

Куинн сняла очки и протерла глаза, но все кругом лишь расплылось еще сильнее. За тот час, что она помогала Берти убираться, единственное толковое заключение, к которому они пришли, состояло в том, что она еще не оперившийся птенец. А «проблема Дэвида», как они ее именовали, сама собой не решилась.

Берти ушла наверх в постель, но Куинн осталась, заварила себе чаю и разложила на узкой стойке копию программы «СТД» CODIS. С тех пор прошло три часа.

Девушка снова водрузила очки на нос и небрежно скинула на пол очередной прочитанный лист. Она уже дважды проглядела алгоритм и теперь точно знала, что ей нужно: простой и эффективный поисковый механизм. Сейчас она как раз загружала подпрограмму и с каждой минутой убеждалась в правильности своего вывода. Чем глубже она вникала в проблему, тем сильнее подозревала — а может, Луи прав? В конце концов, программа «СТД» работала уже не первый год. Возможно ли, что она, Куинн, права, а программа врет?

Прошел еще час, прежде чем девушка все же нашла то, что искала. От усталости она чуть не пропустила совершенно невинную с виду строчку программы — и пропустила бы, не мелькни там со всей отчетливостью знаковые цифры: 30,33.2. Порывшись в рюкзачке, Куинн выудила распечатку с пятью загадочными совпадениями и пробежала пальцем вниз по странице, разыскивая неидентифицируемую последовательность ДНК.

15,16/30, 33.2/16,20/20,25/11,17/14,/16/
8,13/11,11/9,11/10,10/8,11/7,9.3/9,13

Единственная строчка программы, которую она нашла, выглядела просто и недвусмысленно: если последовательность ДНК содержит участок 30,33.2, программа должна перескочить на другое место. Куинн начала лихорадочно пролистывать сваленные на стойке документы и поймала себя на том, что первый раз за три дня улыбается.

Нужное место обнаружилось в груде бумаг на полу возле разбитого бильярда. В назначенном ранее адресе шла строка, почти идентичная первой. Только на сей раз условием становился участок 8,13. И если последовательность включала и его, программа должна была немедленно перейти к следующей строке, затерянной где-то среди запуска результатов в печать.

— Победа! — громко проговорила девушка, проведя пальцем по загадочной последовательности и обнаружив там искомые 8,13.

Четыре часа спустя она сидела уже прямо на полу, разложив вокруг четырнадцать страниц, взятых из совершенно разных частей программы. Тринадцать из четырнадцати включали по одному из участков той последовательности ДНК, на которой дала сбой ее поисковая система. Если в последовательности содержался один из таких участков, программа тут же перескакивала на следующую строку, где проверялся уже следующий. Если совпадали все тринадцать, программа переходила на последнюю строку, проверяющую, стоят ли эти тринадцать участков в нужной последовательности. Тут-то и начиналось самое интересное. Если ответ был положителен, компьютеру полагалось просто-напросто проигнорировать полученный результат.

Куинн просматривала страницы и обведенные на них строки, судорожно пытаясь понять, что же именно она обнаружила. Ясно было только одно: система CODIS с самого начала программировалась так, чтобы исключить одну-единственную последовательность ДНК. Если ФБР искало или пыталось внести в базу последовательность 15,16/30, 33.2/16,20/20,25/11,17/14,/16/8,13/11,11/9,11/10,10/8,11/7,9.3/9,13, то система CODIS просто не узнавала ее, выдавая отрицательный результат. И еще в одном девушка была уверена столь же твердо: кто бы ни вносил в программу этот обходной путь, он нарочно замаскировал его, спрятав отдельные отрывки в разных частях программы.

Оставался вопрос — зачем?

Поднявшись, Куинн прошлась вдоль стойки за очередной чашкой чаю. И, уже собираясь отглотнуть, вдруг заметила слабое мерцание, что пробивалось сквозь закрытые ставни витрины.

О черт!

Со стуком отставив чашку, она взглянула на висевшие над стойкой часы с изображением Элвиса. Почти семь утра! Девушка бросилась обратно и принялась поспешно собирать устилавшие пол бумаги.

Кажется, в первый рабочий день она создаст о себе яркое впечатление! Опоздавшая, не выспавшаяся, не принявшая душ и не переодевшаяся.

ГЛАВА 13

Он видел трещинки.

Невидимые никому другому, они появились, исказив все его совершенство. Он попытался снова превратить лицо в непроницаемую маску добродушия и легкой тревоги — маску, которая обеспечила ему пропуск в этот дом, но все равно видел в глазах подлинного себя. С глазами всегда было справиться труднее всего. Было что-то такое... необычное в почти бесцветных белках, окружавших зеленую радужную оболочку, в сочетании зеленой радужки с крохотными морщинками у глаз и формой бровей. Эти глаза отличались удивительной выразительностью.

Что же они выражали?

Он вспомнил, как в детстве считал, будто внутри его кто-то живет. Кто-то совсем маленький и слабый, кого легко подавить. Лишь очень не скоро он постиг правду. Или — не так уж не скоро? Быть может, он всегда ее знал, с самого начала. Он сам и был тем, кто таился внутри. Все остальное — только маска.

Отодвинув вазу с букетом цветов, он нагнулся поближе к зеркалу, висевшему на стенке за комодом. Что ж, могло быть и хуже — бывало и хуже. Он прекрасно помнил: знакомые вдруг начинали избегать его, с беспокойством гадая, что же в нем вдруг так переменилось. Даже люди, случайно встреченные на улице, и те, сами не понимая почему, вдруг нервничали, когда он оказывался поблизости, и спешили найти повод свернуть в сторону, очутиться подальше от предшествовавшего его появлению ощущения беспричинного страха. Ничего определенного — просто все равно что принадлежать к другому биологическому виду, отличаться от остального человечества. Как будто вся его физическая оболочка — лишь наряд, сшитый из плоти и крови, костюм для того, кем он, человек перед зеркалом, был на самом деле. Однако человек знал, что долго так не продлится. Это конец, а не начало. Конец, который должен был настать давным-давно.

Все еще завороженный собственным отражением, он провел пальцами по волосам — и разом сбросил растрескавшуюся маску. Совсем как повелитель теней, призывающий их по своей команде, приказывающий им начать на его лице игру, стереть все то, что он носил лишь для показа окружающему миру, оставить лишь таящийся внизу голый череп.

Наконец оторвавшись от зеркала, он посмотрел на пол. Первые лучи только-только начали струиться в окно, освещая крохотную кухоньку и тускло поблескивая на черном пластике под ногами. Казалось, она смотрит прямо на него, хотя он знал —

она ничего не видит. Он наблюдал, как полоска света чуть двигалась, высвечивая туманную пустоту глаз лежавшей на полу молодой женщины. Руки ее были привязаны к тяжелому дубовому столу посреди комнаты, ноги — к буфету за спиной стоявшего тут человека.

Осторожно ступив между раскинутых ног убитой, он провел босой ступней вверх по ее бедру. Цвет кожи так красиво менялся, переходя от ровного загара ног к кремовой белизне лона, но этого было уже не видно. Все тело несчастной покрывали узкие полосы разрезов, прямые красные линии, частично скрывшие наготу молодой женщины под бурой коркой запекшейся крови. Двигая ногу дальше — по мягким волоскам на лобке и выше, по животу, он прикрыл глаза. Кое-где кровь была ровно той консистенции, чтобы подошва на долю секунды прилипала к ней. Тогда юная кожа натягивалась, поднимаясь за движением стопы. Как он любил это ощущение!

Но теперь всего этого было уже мало. Он помнил такое чувство и прежде — чувство, будто он танцует на грани пережитого опыта. Отчаянная потребность войти в сознание своих жертв, стать частью их боли и страха, поймать прилив и уплыть с ним. Узнать, что видели они в эти последние мгновения. Последовать за ними в смерть.

Он лег рядом с молодой женщиной. Свернулся в позе эмбриона и положил голову на левую грудь убитой. Утреннее солнце пригревало все сильнее, и он ощущал, как по голой коже ползет теплый луч.

Он позволил посадить себя в клетку. Позволил кормить, дрессировать, заботиться о себе. Позволил им лишить его переживания опасности и непредсказуемости. Однако с этим покончено. Потребовались годы, но теперь власть в его руках.

Он не станет действовать сразу. Позволит предвкушению медленно нарастать — как делал всегда. И когда оно станет невыносимым, когда руки начнут трястись от напора бушующего в крови адреналина — вот тогда и настанет нужный момент.

ГЛАВА 14

Куинн показала временный пропуск, и охранник на воротах махнул ей проезжать, даже не попросив опустить окно. Пустячок, а приятно, поскольку жевательную резинку, предназначенную заменить зубную щетку, девушка как зашвырнула между сиденьями, так еще и не доставала.

Слава Богу, пробок на дороге не оказалось, и — если, конечно, не заблудиться в поисках нужного корпуса — у Куинн еще оставалось несколько минут в запасе. Девушка ехала с максимально разрешенной скоростью, практически не обращая внимания на разбросанные среди красивых деревьев вальяжные здания фэбээровского центра. Сейчас Куинн больше интересовало, как выглядит она, а не все вокруг.

Она критически обозрела себя в зеркальце заднего вида. С волосами все в порядке — при длине полтора дюйма особенно не разлохматишься. Недосып давал о себе знать общей зеленоватостью вида, но самое худшее — здоровенные синяки под мутными и красными глазами — было скрыто толстой пластиковой оправой очков.

Куинн уже почти убедила себя, что выглядит хоть куда, как по другой стороне дороги трусцой пробежала стайка агентов-практикантов. Стройные, загорелые, ясноглазые. Нарочно они, что ли, издеваются? Гады!

К счастью, указания, полученные девушкой накануне, оказались просты, и за три минуты до начала рабочего дня она без труда втиснула машину на свободное место на парковке. Схватила чашку, пару пакетиков чая, нашла жвачку и выскочила из машины — отнюдь не так грациозно, как хотелось бы. И уже собиралась захлопнуть дверцу, как вдруг заметила на пассажирском сиденье рюкзачок с распечатками программы «СТД». Конечно, чувства собственного достоинства, свойственного, например, кожаному «дипломату», этому рюкзачку недоставало, но все равно казалось как-то приличнее явиться на новую работу с ним, чем с пластиковой чашкой и пачкой мятной жевательной резинки в руках.

Куинн быстро сдернула рюкзачок с сиденья, закинула на плечо и потрусила к скучному прагматичному зданию, перед которым припарковала машину. Судя по ее часам, до официального опоздания оставалось тридцать секунд.

— Чем могу помочь? — спросила женщина за регистрационной стойкой. Как и те практиканты на пробежке, она выглядела слишком уж самоуверенно-холеной.

— Я ищу Донну Фельдман.

— Вы ее нашли. Я Донна. А вы, должно быть, Куинн. — Женщина поднялась и протянула руку. — Боюсь, утреннее совещание у Ната уже началось, так что я сама провожу вас на ваше рабочее место. Он вернется к одиннадцати.

Куинн понимающе улыбнулась, и Донна жестом пригласила ее следовать за ней. Лестница, по которой они спускались, оказалась непропорционально длинной для такого небольшого строения: в глубину здание явно простиралось дальше, чем в высоту.

— К сожалению, офис тесноват, — промолвила Донна. — Придется вам посражаться за окна.

— Ничего страшного, — пробормотала Куинн. — Единственное, что убивает программиста вернее, чем прямой солнечный свет, — это удар ножом в сердце.

Донна засмеялась и провела Куинн через открытую дверь в зал, разделенный на множество унылых отсеков.

— Вот ваше место, — сказала Донна, указывая на клетушку, в которой сиротливо стояли металлический стол и одно-единственное синее кресло.

Куинн кинула рюкзачок на стол, но садиться не стала, а чашку сжимала все так же крепко.

— Нат сказал, что хочет сам ввести вас в курс дела и угостить ленчем, если у вас нет иных планов. А я пока попытаюсь раздобыть вам всяких офисных принадлежностей. Если еще что понадобится, обращайтесь.

— Спасибо, Донна.

— Нет проблем. Еще увидимся.

Куинн смотрела ей вслед, пока Донна не скрылась на лестнице, а потом устало опустилась в кресло и вперила взгляд в потолок. Гул голосов, доносящийся из соседних кабинок, звучал чуть тише и неразборчивее, чем в Вашингтоне, но в остальном атмосфера казалась совсем такой же.

И дальше что?

Заняться в ближайшие пару часов было решительно нечем, а вариант посидеть-поскучать отпадал начисто: этак она через пять минут заснет прямо на рабочем месте. Немного подумав, девушка вывалила на стол содержимое рюкзака и разложила страницы в нужном порядке.

Она обдумывала свои ночные открытия всю дорогу сюда и подозревала, что странный обходной путь в программе «СТД» был замаскирован умышленно: иных причин раскидывать отдельные шаги по всей программе просто не было. И объяснить это Куинн могла только одним: программисты «СТД» использовали тот же проверочный метод, что и она, — поместили в банки данных отдельных штатов фантомную последовательность ДНК и запустили поиск по ней. А потом, когда отладили программу, оказалось, что почему-то удалить эту фантомную ДНК из баз гораздо труднее, чем предполагалось. И вместо того чтобы приложить побольше стараний и все-таки ее удалить, эти горе-программисты просто-напросто пошли в обход.

Куинн улыбнулась и, подняв стопку листов, поднесла поближе к глазам, вглядываясь в напечатанные мелким шрифтом строчки программы. Неряшливо работаете, господа!

— Куинн? Я Нат Шейл.

Она подпрыгнула — нервы, нервы, бессонная ночь — и уронила бумаги на стол.

— Мистер Шейл, — она вскочила и протянула руку, — приятно познакомиться.

Рука у него на ощупь оказалась прохладной и сухой, пожатие — крепким, но не чрезмерно сильным.

— Зовите меня Натом. Рад вас видеть. Удивлен, но очень рад.

— Удивлены?

— Я ведь отправил запрос только пару недель назад. Не то чтобы наша задача была по-настоящему важной и срочной, просто на уровне идей — что неплохо бы слегка подработать одно из приложений.

Куинн чуть сощурилась и невольно поморщилась.

— Вы хорошо себя чувствуете? — спросил Шейл.

— Великолепно. А почему вы спросили?

— На долю секунды у вас стал такой вид, будто вы охотно перепилили бы мне горло столовым ножом.

Чудесно! Судя по всему, она на верном пути к тому, чтобы произвести на нового босса и правда незабываемое впечатление.

— На самом деле я просто только что перенесла грипп и плохо спала ночью.

— Какая жалость! — Судя по голосу, Шейл поверил ее выдумке и искренне посочувствовал. — Я ведь говорю, вопрос не слишком срочный. Может, вам лучше сегодня поехать домой и хорошенько отдохнуть?

— Спасибо, Нат. Честное слово, со мной все в полном порядке...

Он бросил взгляд на часы.

— Я просто выскочил на пятиминутный перерыв и решил поздороваться. Почему бы нам тогда не запланировать совместный ленч часиков на двенадцать, чтобы я вам обрисовал свои соображения?

Куинн улыбнулась и кивнула, а Шейл заторопился обратно на совещание. Настроение у девушки значительно ухудшилось. Если Луи воображает, что ее можно отправить в отстойник за чужие промахи, он крупно ошибается.

Бросившись обратно в кресло, она набрала номер.

— Алло, Луи Крейтер.

— Луи, это Куинн.

— Куинн, — судя по голосу, он не был рад ее слышать, — чем могу помочь?

— Я по поводу этого самого сбоя...

— Это уже не твоя работа. Сегодня утром я встречался с теми двумя парнями из «СТД», и они говорят — твоя программа просто класс и отлично работает.

— Ничуть не сомневаюсь, что они так говорят.

Тон Куинн, казалось, на миг поверг Луи в замешательство, однако он быстро оправился.

— Гм, ну да. Словом, они сказали, ты потрудилась на славу. Похоже, ты и правда произвела на них впечатление. Судя по всему, проблемка, которая тебе не давалась, оказалась не такой уж серьезной.

Куинн нахмурилась. «Похоже, ты и правда произвела на них впечатление»... А что, свой смысл в этом есть. Уж явно меньше всего на свете деятели из «СТД» хотят, чтобы она, Куинн, подняла шум. Вот ее теперь и стараются умаслить, чтобы она выбросила все из головы и отступилась. По их расчетам, если они замолвят за нее словечко прежнему боссу, выйдет лучше некуда. Может, так оно и было бы. Но, на их несчастье, конкретно сейчас Куинн умирала со скуки, сидя в пустой кабинке в Квонтико. А кроме того — успела не на шутку разозлиться.

— Луи, это не совсем так. Прошлой ночью я еще поработала над проблемой и поняла, что вина-то, в общем, не моя...

— А я что сказал?

— То есть я имею в виду...

— Хватит, — снова оборвал он ее. — Все это становится уже смешно.

— Луи, я...

— Послушай, Куинн, в твоей программе был ляп, и ты сама не могла его выявить, верно? Не могла выявить. И мне пришлось вызывать этих двух ребят, чтобы тебя вытянуть. Теперь они говорят, что ты отлично потрудилась, и я готов принять их слова на веру. Так давай на том и закончим, ради всего святого.

— Но...

— Куинн! Хватит! Помни, что я говорил: неспособность признать свои ошибки — отнюдь не то качество, которое мы ценим в агентах. Ты получила новое задание. Сосредоточься на нем и постарайся исполнить его как можно лучше.

Послышались длинные гудки. Он разъединился!

Куинн опустила пластиковую трубку на место с такой силой, что та чуть не треснула.

— «Ты не могла его выявить», — передразнила она и злобно лягнула стенку отсека. Вот и все, что он уяснил, а ее послужное досье теперь украсится выводом: «Она старалась как могла, но в результате нам пришлось обращаться к профессионалам, чтобы они все уладили».

Сложив руки на груди, девушка уставилась на груду бумаг на столе. Вот и все. Ее вышвырнули — и больше уже ничего не поделаешь. Луи явно и слушать ничего не хотел. Он уже все для себя решил.

Она так и сидела, глядя на унылые серые стены вокруг. Прошло минут пять, прежде чем по лицу ее расползлась медленная улыбка.

Досье. Вот что ей надо! Вот где искать ответ. Все, что ей надо, — это воспользоваться солидностью нынешнего рабочего адреса и заказать копии пяти досье по тем результатам, которые выдала ее поисковая система. А когда обнаружится, что ни одного из этих досье на самом деле не существует, ее правота будет доказана. И тогда она с чистой совестью пошлет этакое сокрушенно-сочувствующее письмо в «СТД»: мол, есть у вас кое-какие проблемки. Еще копии Луи и его боссу — и вуаля! Она будет не только отомщена, но еще и произведет впечатление человека, радеющего о пользе общего дела, а это качество ФБР в агентах ценит.

ГЛАВА 15

Ричард Прайс стоял перед широким окном, что выходило на безлюдные виргинские горы, окружавшие территорию «Современной термодинамики», но смотрел на них невидящим взглядом.

— Вторая женщина за неделю, Брэд. Что, черт возьми, происходит?

Отражение Брэда Лоуэлла в стекле неуютно покачнулось. Темный костюм и красный галстук Брэда оставались безупречными, как всегда, и все же сегодня он выглядел немного иначе. Взгляд, хотя и вежливо направленный в пустую стенку, был слишком напряжен, подбородок выпячен вперед чуть сильнее, чем следовало бы. И это его молчание...

Прайс отвернулся от окна и посмотрел подчиненному прямо в глаза.

— Не заставляйте меня спрашивать дважды.

То ли напор ослабил решимость Лоуэлла молчать, то ли, напротив, усилил решимость высказаться. Прайса такие мелочи не интересовали.

— Я же сказал вам, что все изменилось, сэр.

— Кажется, я спрашивал вас о другом. Я спросил, как такое могло произойти. Я только что удвоил вашу чертову команду...

— Да, сэр!

Прайс опустился в кожаное кресло за своим письменным столом, не сводя тяжелого взгляда с неподвижно замершего на ковре перед столом человека.

— Некогда мне играть с вами в эти игры, Брэд. Если вам есть что сказать — выкладывайте начистоту.

— Сэр! Трое из моих людей новички, а один вообще работает всего неделю. Они хорошие парни, все трое, но не готовы... не готовы к такому. И даже когда я смогу их толком обучить, я все равно не в состоянии эффективно отслеживать объект — особенно после того, как вы приказали, чтобы мы держались вне зоны его видимости.

— Да ладно вам, Брэд! Вы чертовски хорошо знаете...

— Сэр! — Голос Лоуэлла сорвался почти на крик, и Прайс потрясенно умолк. — Сэр, для приборов электронного слежения его словно бы не существует, мы уже обсуждали это с вами. Сегодня мы нашли микрочип, вставленный в следящее устройство его автомобиля. Оно посылает неправильные данные — мы гонялись за пустотой. Так мои люди до сих пор не поймут, как этот микрочип работает...

В лице Лоуэлла снова появилась неуверенность, а голос утратил напор.

— Вы закончили? — спросил Прайс.

— Нет, сэр. Учитывая ограничения, с которыми я работаю, я считаю, что взять ситуацию под контроль просто невозможно.

— Ситуация такова, какова есть. Меня не интересуют оправдания.

— А я вовсе не собираюсь оправдываться, сэр. Если вы считаете мою работу неадекватной, я могу хоть сегодня же положить вам на стол заявление об уходе.

Прайс глубоко вздохнул и жестом пригласил подчиненного садиться на один из стульев, что стояли перед столом. Лоуэлл повиновался, но сел на самый краешек и сидел очень прямо, будто кол проглотил.

— Черт возьми, Брэд, я вовсе не желаю вашей отставки. И вы это прекрасно знаете.

— Да, сэр.

Прайс подпер голову рукой.

— Брэд, конец операции уже близок. Мы с вами оба это знаем. Каждый день сейчас на вес золота. Надо держаться.

— Я понимаю, сэр. Я просто не уверен, что это возможно.

Прайс поднялся, обошел вокруг стола и сел на стул рядом с Лоуэллом. Время жесткой иерархии и запугивания миновало. Сейчас ему позарез надо было, чтобы Лоуэлл собрался. Чтобы поверил — хотя бы ненадолго.

— Так какова ситуация на данный момент, Брэд?

— Дом чист, тело убрано...

— Но?

— Еще один раз — и кто-нибудь может заметить тенденцию. За краткий промежуток времени в одном и том же районе исчезло несколько молодых, образованных и красивых женщин. И мы никак не можем этому помешать.

Прайс потер губу большим пальцем, однако ничего не сказал.

— Думаете, вы можете что-нибудь поделать, сэр? — спросил Лоуэлл.

— Не знаю, Брэд. Честно, не знаю.

— Тогда, быть может, если слегка изменить правила, которым я вынужден следовать, мы могли бы...

Прайс покачал головой:

— Нет. Еще нет. Может, скоро и придется менять, но пока рано. А что та программистка из ФБР?

— Куинн Барри. Мы еще следим за ней по старой памяти, хотя не думаю, что возникнут еще какие-нибудь проблемы. Ее перевели в Квонтико, а мы исправили проблемы с CODIS.

Прайс встал, и через секунду Лоуэлл тоже поднялся, справедливо истолковав это как знак, что разговор окончен. Впрочем, когда он уже повернулся, чтобы уходить, Прайс вдруг протянул руку и коснулся его плеча:

— Я верю в вас, Брэд. Всегда верил.

Изумление на лице Лоуэлла не слишком удивило Прайса. Он ведь всегда был скуп на похвалу, считая, что тем самым придает ей больше ценности — в тех редких случаях, когда до похвалы все-таки доходило.

— Ситуация, без сомнения, необыкновенно сложна, — продолжал он. — Но вы знаете, что стоит на кону. Надо тянуть время. Сейчас важна каждая секунда. Вы ведь понимаете, правда, Брэд?

Лоуэлл коротко, отрывисто кивнул и вышел из кабинета. Прайс остался стоять посреди комнаты, глядя ему вслед.

Необыкновенно сложная ситуация.

Интересно — она с самого начала была так сложна? Или просто невозможна?

Прайс молча кивнул, приветствуя пятерых мужчин, что сидели за столом в зале для совещаний, а сам занял привычное место во главе стола.

— Рад, что вы пришли, сэр. Мы как раз готовы начать. — Техник закрыл стеклянную дверцу шестифутового стеллажа с аудиовизуальным оборудованием и попятился, сосредоточенно глядя на зажатый в руке пульт. Огромный, во всю дальнюю стену комнаты, экран замерцал, сделался из черного серым, потом зеленым, а еще через миг на нем появилось расплывчатое изображение.

— Ага, мы поймали спутниковую волну, — промолвил молодой человек, кладя пульт на стол. — Если возникнут проблемы, я в коридоре.

Он вышел из комнаты, по дороге выключив свет, от чего изображение на экране стало видно лучше.

Там не было никаких шкал или градуировок, лишь чуть зеленоватая белизна песчаных дюн, заснятых камерой ночного видения, вмонтированной в днище штурмовика «Ф-18 Хорнет».

Время от времени к шипению, что раздавалось из вделанных в стены колонок, примешивался спокойный голос. Для большинства присутствующих он нес какую-то невнятную околесицу, но Прайсу было все совершенно понятно. За двадцать лет службы в армии жаргон летчиков стал для него вторым языком.

Безжизненный пейзаж начал потихоньку меняться. Время от времени в отдалении мелькали неясные вспышки света — должно быть, костры пастухов или кочевников. Потом стали появляться маленькие геометрические фигурки строений и наконец — огни и безошибочно распознаваемые структуры большого города.

Когда пилот сбросил газ, шипение в динамиках уменьшилось, скороговорку радиста понимать стало легче. Прайс огляделся по сторонам, замечая, что освещенные зеленоватым сиянием лица присутствующих становятся все сосредоточеннее и сосредоточеннее.

«Ф-18» выбросил груз над большим кубиком здания рядом со скопищем строений, которые сверху выглядели как центр города. Прайс внимательно следил за падением маленького, но смертоносного предмета. И когда бомба взорвалась, разметав здание на куски в одной безмолвной, даже не очень яркой вспышке, по комнате прошел одобрительный гул.

Весь мир словно бы накренился — это «Ф-18» лениво начал поворачивать на обратный курс. Камера на днище могла слегка вращаться и еще некоторое время оставалась нацеленной на место взрыва, регистрируя суматошные всполохи огня, раздуваемого пустынным ветром.

— Вот ведь пустое транжирство!

Все головы повернулись в глубь комнаты — туда, откуда, собственно, исходил голос.

— Прошу прощения? — сказал Прайс, когда доселе неподвижная фигура наклонилась вперед, в поле света, что шел от экрана.

— Я сказал, вот ведь пустое транжирство.

— Не могли бы объяснить поподробнее, мистер Марин? — напустился на него кто-то из сидевших в комнате: судя по всему, его разозлило отвращение, сквозившее в голосе ученого.

— Афганцы еще много лет не создали бы ничего, даже отдаленно несущего нам угрозу, — промолвил Марин.

— И отчего это, черт возьми, вы так уверены?

— Ой, да ради всего святого. Все в этой комнате — и вы в том числе — прекрасно знают, что афганцы не представляют ни малейшей угрозы. Если какая страна и угрожает нам, то это Северная Корея. Но она слишком тесно связана с Китаем, чтобы делать из нее мишень на практике, верно? Корейцы не настолько беспомощны.

Прайс решил не вмешиваться в разгорающийся спор. Строго-то говоря, доводы Марина в общем и целом вполне справедливы. Соединенные Штаты все сильнее охватывает усиленно подогреваемая средствами массовой информации паранойя — мол, как бы отсталые народности вдруг не построили у себя атомное оружие и не сбросили его прямо на голову американцам. Можно, конечно, возразить, что это и впрямь самая серьезная угроза, с которой сталкивалась страна, — считая даже годы «холодной войны», когда в расчет приходилось брать полную непредсказуемость потенциального противника. В ближайшем десятилетии страны, где к власти пришли откровенные безумцы или религиозные фанатики, вполне могут разработать ядерное оружие. Президент просто вынужден демонстрировать, что принимает меры, а советники не сумели присоветовать ему ничего лучшего.

Чего не знал никто из сидевших в этой комнате — что здание, только что уничтоженное бомбой, скорее всего не имело ровным счетом никакого отношения к производству оружия — ЦРУ так и не удалось обнаружить в Афганистане никаких ракетных баз. Но это абсолютно несущественно: как столь красноречиво указал Марин, афганцы не представляли реальной угрозы. Важно было другое: заснять, как что-то взрывается, и передать пленку средствам массовой информации.

Доктор Эдвард Марин внезапно поднялся и обвел столпившихся перед столом людей рукой — этот смутно-угрожающий жест снова заставил всех в комнате замолчать.

— Это моя вина! Моя — и таких, как я. Мы выхолостили войну, упростили ее. Лишили ее запаха заразы и тишины смерти. Обескровили ужас и скорбь. Из-за нас теперь войной заправляют трусы и лицемеры.

Почти сразу же снова поднялся шум, но Прайс и на этот раз воздержался от участия в спорах. Его злость на доктора Эдварда Марина, его личные чувства более не играют никакой роли. Больше он не может позволить себе такой роскоши, как проявление эмоций.

Что сделано, то сделано.

ГЛАВА 16

Что касается программирования, нынешняя задача оказалась проще некуда. Куинн провела в Квонтико всего полтора дня, но уже готова была вносить требуемые исправления. Она посмотрела на край стола, но тут вспомнила, что ее «счастливая» чашка дома — так и лежит в ящике с остальными вещами, вывезенными со старой работы. Приносить ее сюда и смысла вроде бы не было. Если все пройдет успешно, то потребуется не больше дня на отладку новой версии, а потом еще два-три — на обучение персонала. А вот после...

Что после? До того как ей будет позволено пройти тест на курсы агентов, остается еще почти год — при условии, что теперь, при таком-то послужном списке, ее вообще допустят к экзаменам. Может, еще повезет, еще представится случай показать себя и исправить подпорченную репутацию? И все же слишком велик шанс, что она закончит просто-напросто обычным программистом где-нибудь в Айове, обеспечивая агентов ФБР всякими «жучками» и прочими спецустройствами.

Позор, истинный позор. Впрочем, в Квонтико ей понравилось. Новый босс оказался просто чудо. Местность прекрасная: яркие деревья и стоящие поодаль друг от друга здания вместо бетона и городской сумятицы. А что лучше всего: хотя до дома ехать около часа, зато против основного движения, а значит — без пробок.

Свободные дороги не дергали нервы и позволяли спокойно размышлять о своем, а расстояние давало предлог избегать Дэвида. Детский сад? Да. Зато удобно. Куинн почти выбралась из болота неуверенности и эмоционального раздрая, куда ее засасывало всю неделю. За выходные на отцовской ферме она вволю набездельничается и, надо надеяться, наберется мужества сказать Дэвиду, что их роману пришел конец.

Хотя, конечно, Куинн предвкушала ту минуту, когда она реально встретится с бойфрендом и все скажет, без особого восторга, но и не думала, что он так уж огорчится. Ведь он классный парень — красивый, умный, преуспевающий, да еще и не увлекается спортивными передачами. Едва ли такое совершенство обделено женским вниманием. Он без труда найдет себе куда более амбициозную, сговорчивую и лучше одевающуюся подругу, чем она, Куинн. Да он ей еще спасибо скажет!

Девушка потянулась за стоявшей возле клавиатуры чашкой, немного повернула ее и легонько постучала по пластику. Да, это не любимая «счастливая», но придется довольствоваться ею. Нажав клавишу «Ввод», Куинн встала из-за стола и направилась к лестнице. Надо подняться наверх и быстренько перекусить.

Переделка программы много времени не займет. Куинн хотела как можно скорее закончить работу. Конечно, приятно было бы поболтаться в Квонтико неделю-другую, но сейчас куда важнее показать себя как можно более эффективным работником.

Вернувшись в свою клетушку, она развернула к себе кресло и собиралась уже усаживаться, как вдруг заметила, что оно забито посылками федеральной экспресс-почты. Решив, что произошла ошибка и они предназначаются кому-нибудь из обитателей соседних отсеков, Куинн сгребла пакеты и собралась уже нести их на стол регистрации, как вдруг заметила на верхнем толстом конверте свое имя. Должно быть, забыла в прошлом офисе какие-то бумаги.

Куинн швырнула пакеты обратно, достала из практически пустого ящика вегетарианский сандвич и аккуратно развернула фольгу. Впившись зубами в один конец сандвича, она принялась сражаться с первым конвертом, пытаясь вскрыть его жирными скользкими пальцами. Внутри оказалась одна-единственная папка — Куинн была готова голову на отсечение дать, что прежде никогда этой папки не видела. Может, она имеет какое-то отношение к новой работе?

Девушка открыла папку — но тут же отпрянула, умудрившись втянуть внутрь вместе с воздухом кусочек зеленого перца и чуть не задохнувшись. С трудом откашлявшись, Куинн оглянулась по сторонам — не видит ли кто. Никто за ней не наблюдал. Вокруг вообще никого не было. Обитатели соседних клетушек, как правило, уже в двенадцать уходили на ленч. Обрадовавшись отсутствию свидетелей, девушка робко взяла открытую папку и положила себе на колени.

Фотография, прикрепленная к аккуратной стопке других документов, была совсем небольшой, но вполне светлой и четкой. Изображенная на ней женщина лежала на полу, раскинув ноги в стороны. Обнаженное тело было жестоко изрезано, так что несчастная буквально плавала в луже собственной крови.

Куинн захлопнула папку и торопливо вытащила конверт из мусорной корзинки, куда успела уже его зашвырнуть. Прочесть нечеткий, написанный под копирку обратный адрес оказалось довольно трудно, поэтому девушке пришлось сунуть его прямо под настольную лампу. «Нью-Йорк. Полицейская криминальная лаборатория».

— О черт! — выдохнула Куинн, поскорее задвигая папку и остальные, еще не распечатанные пакеты под стол и снова оглядываясь, не видел ли кто. Чтобы получше скрыть пакеты от любопытных глаз, она даже поставила одну ногу на стопку.

Во рту вдруг пересохло. Куинн отпила глоток почти остывшего чая, лихорадочно пытаясь понять, что же произошло. Наверное, кто-то крупно ошибся. Ну да, конечно, иных объяснений и быть не может. Дурацкая ошибка — только и всего.

Вытащив распечатку с описанием алгоритма поиска в системе CODIS из ящика, девушка склонилась над столом, сравнивая цифры в нем с номером полученного досье.

Они совпадали.

— Черт, — снова прошептала она. Но нет, все же возможность ошибки исключить было нельзя. Всякое бывает. Куинн поспешно вскрыла следующий конверт. И следующий.

Уже через минуту распечатка снова вернулась в ящик стола, а Куинн сидела, поставив ногу на стопку из пяти самых настоящих досье. Досье, которые она не имела ни малейшего права заказывать. Если все это дело всплывет, ее запросто могут уволить, а то и чего похуже. А она-то думала, что эти досье — просто-напросто плод электронного воображения CODIS!

Куинн долго сидела за столом, с трудом делая вид, будто преспокойно ест сандвич. Остальные сотрудники уже начали возвращаться в офис. Что же теперь делать? Отослать папки назад? Это, пожалуй, выход — вполне возможно, никто ничего и не заметит. Хотя ФБР наверняка получило уведомление о запросе досье, едва ли кто-нибудь и в самом деле обратит на них внимание. В конце каждого месяца такие уведомления просто-напросто подшивают в архив, и никто больше их не проглядывает. Ведь так?

Куинн задумчиво грызла ноготь на большом пальце, пытаясь найти выход из идиотского положения, в которое завело ее упрямство, как вдруг в голову пришла новая мысль. Что значат эти пять досье? Неужели и правда негодяй, который совершил эти ужасающие преступления, вышел сухим из воды, а все благодаря лености программистов «СТД»?

Грызя ноготь, девушка думала о фотографии, которую успела увидеть, о номерах досье и скрытой в дебрях настроек CODIS странной подпрограмме. Собственно говоря, худшее уже произошло: она не только заказала пять досье, но и открыла их. А раз так, можно и проглядеть их по-быстрому — хуже не будет. Надо ведь убедиться, что это компьютерная ошибка — сбой программы, связанный с нераскрытыми преступлениями. Конечно, убедиться просто необходимо!

Куинн снова достала папки из-под стола и повернулась спиной к двери, всем телом загораживая их от постороннего взгляда.

Столько лет она сладко грезила, как бы сделаться настоящим агентом ФБР, — и вдруг осознала, что ни разу в жизни не видела настоящего досье, ну разве что по телевизору. И вот теперь, пролистывая различные отделы папки, Куинн пыталась разобраться, как там все устроено, и на ходу вбирала кое-какую общую информацию. Мертвая женщина на полу оказалась некой Шэннон Дорси — двадцать пять лет, биолог, работала на «Доу кэмикал». Куинн на несколько мгновений остановилась на другой фотографии Шэннон — похоже, этот снимок взяли из университетского ежегодника. Очень хорошенькая, тонкое личико обрамлено длинными черными волосами, огромные черные глаза. Улыбка казалась чуть высокомерной, но все равно излучала тепло. Куинн глубоко вздохнула и снова открыла первую страницу досье, заставляя себя смотреть на совсем другое изображение Шэннон.

Фотография была цветной, а не черно-белой, как обычно показывают в детективных фильмах. Тело молодой женщины ровным слоем покрывала коричневая корка запекшейся крови. Перечеркивающие его линии казались почти черными. Бежевый ковер, на котором она лежала, стал алым и, должно быть, еще не просох до конца — на нем отражалась вспышка фотоаппарата.

Женщина была совершенно обнажена, руки были привязаны к софе у нее над головой чем-то не похожим на обычную веревку, ноги — прикручены к столику. Изо рта торчало приклеенное скотчем полотенце, из-за которого в эти ужасные последние минуты несчастная осталась совсем немой и беззащитной.

Куинн потребовалось некоторое время, но в результате она все-таки отыскала описание места преступления и провела пальцем по списку подробностей. Вешалки. Шэннон связали проволокой, из которой делают вешалки. Почему-то этот факт подействовал на Куинн даже сильнее самой фотографии. Волосы у нее на затылке встали дыбом.

Причиной смерти послужила потеря крови — коронер высказал предположение, что использовалась бритва и что жертва была еще жива, когда убийца поочередно то резал, то насиловал ее.

На глазах у Куинн навернулись слезы. Она невольно попыталась представить, через какие муки прошла несчастная. Была ли она рада наконец-то умереть? Что испытывала перед концом — страх или благодарность за избавление?

Девушка яростно встряхнула головой, прогоняя слезы и пытаясь снова сосредоточиться на менее душераздирающих аспектах досье. Шэннон умерла в своем собственном доме одиннадцатого ноября девяносто первого года, около десяти часов утра. Вокруг в это время было практически безлюдно: дети разошлись по школам, а родители — в основном представители среднего класса — на работу. Полиция допросила всех известных сексуальных преступников на двести миль вокруг, но мало-мальски подходящего подозреваемого так и не отыскала.

Дойдя до рапорта об обнаруженных под ногтями жертвы частицах кожи, Куинн снова испытала выброс адреналина. Система CODIS, на тот момент лишь два года как запущенная в работу, не нашла таких образцов ДНК ни в досье осужденных преступников, ни в материалах нераскрытых преступлений. Перечитав этот отрывок еще раз, Куинн задумчиво прикусила губу. Не может быть... просто не может быть...

Но следующая папка, судя по всему, подтверждала теорию. Она была тоньше первого досье. Материалы собраны отделением полиции Аллентауна, штат Пенсильвания. В этом досье рассказывалась история Кэтрин Таннер, двадцатисемилетней специалистки в области компьютерного дизайна. Еще одна темноволосая красавица — да вот умерла она совсем иной смертью. Погибла в восемьдесят девятом году, не вписавшись в поворот и упав вместе со своей машиной в ущелье.

Куинн пролистала фотографии обгорелой машины и остановилась на отчете коронера. Судя по состоянию легких, женщина погибла при аварии и не вдыхала огня и дыма. Проглядывая отчет дальше, Куинн начала помаленьку испытывать облегчение. У этих двух смертей не было практически ничего общего, а это поддерживало теорию, что связывал их только какой-то необъяснимый сбой программы.

Девушка обнаружила это только в самом конце. Одна-единственная фраза в нижнем абзаце: «На передней (но не задней) части тела наблюдалось множество узких порезов, которые, возможно (а возможно, и нет), могли быть результатом столкновения и (или) последующего пожара».

С трудом сглотнув, Куинн продолжала пролистывать досье, пока не дошла до рапорта о посланных на анализ в ФБР пробах ДНК. В стороне от места аварии полиция нашла осколки окна с пассажирской стороны — непонятно, как они могли туда попасть. На одном из осколков обнаружились следы крови, не принадлежавшей жертве. Они-то и были отправлены для прогонки через базу CODIS. Результат, естественно, отрицательный.

Над третьим досье Куинн чуть помешкала, отнюдь не уверенная, что хочет знать — а что там внутри. Наконец собравшись с духом, она открыла папку и почти немедленно ощутила, как на лбу выступает холодный пот.

Лайзу Иган, аспирантку Университета Джонса Хопкинса, нашли мертвой на полу ее собственной гостиной в январе девяносто второго года. Горло ее было перерезано каким-то крайне острым инструментом. Других повреждений или следов сексуального насилия не обнаружилось.

Чем, впрочем, это досье действительно выбивалось из общего ряда, так это наличием подозреваемого. Расследующий дело полицейский, детектив Рой Ренквист, был более или менее убежден, что нашел убийцу — семнадцатилетнего физика-вундеркинда, работавшего в университете. Однако, несмотря на всю свою уверенность, Ренквист так и не смог добыть достаточно доказательств, чтобы подозреваемый предстал перед судом присяжных.

Куинн засунула папку под стол и вытащила последние две. Они оказались более свежими — девяносто пятый и девяносто девятый годы — и на первый взгляд совсем другими. Оба дела касались пропавших без вести, тела́ ни в том, ни в другом случае обнаружены не были. В обоих случаях женщины, пусть молодые и красивые, были бедны и не слишком-то образованны. Обе жили с мужчинами, которые уже привлекались к ответственности за жестокое обращение со своими сожительницами. В досье девяносто пятого года (исчезла жительница Оклахомы) посланный на проверку образец ДНК был взят с кровавого пятна на ковре. Один из сотни образцов. Полиция не придала ему особого значения, тем более что CODIS его не опознала. Естественным подозреваемым в деле казался сожитель пропавшей девушки, но, как выяснилось, ровно за день до исчезновения он попал в серьезную аварию и провел две недели в больнице со стальным стержнем в ноге. Убедительное алиби.

Исчезновение в Орегоне в девяносто девятом году проходило по сходному сценарию. Неидентифицированный образец ДНК был взят из одного-единственного волоса, найденного на диване, а главным подозреваемым стал кавалер пропавшей. Основываясь на отсутствии у него алиби, имевшихся на его счету данных о жестоком обращении с женщинами и длинном полицейском списке прочих правонарушений, его привлекли к суду. Однако поскольку ни самого тела, ни хоть каких-либо свидетелей не оказалось, в конечном итоге мужчину признали невиновным.

Куинн перелистала подшитое к делу досье на сожителя пропавшей девушки. Множество приводов за преступления, связанные с насилием против личности, несколько отсидок. Девушка помедлила, читая описание драки в баре, после которой он провел в заключении вторую половину девяносто первого года и большую часть девяносто второго. Она дважды перечитала это место. Да, он физически не мог бы оказаться причастным к смерти Лайзы Иган...

— Ну как, продвигаетесь?

Куинн обернулась. Вид у нее, наверное, стал испуганный, потому что Натан Шейл усмехнулся:

— Прошу прощения. Не хотел вас пугать.

— Ничего-ничего, со мной бывает, — отозвалась Куинн, надеясь таким образом объяснить и легкую дрожь в голосе. Она развернула кресло к Шейлу, тщательно следя за тем, чтобы папки не выпадали из-под стола. — Я уже почти все сделала, Нат. Программа фактически завершена, и завтра я буду готова просмотреть ее вместе с вами — убедиться, что все так, как вы хотели.

— Ух ты! Уже? Здорово.

— Да. В общем, задача была не из трудных, — промолвила Куинн, с трудом сосредотачиваясь на беседе. — Конечно, возможно, вам захочется внести какие-либо поправки, да еще нужно будет обучить весь персонал, как пользоваться...

— Фантастика!

На миг Куинн показалось, что он вот-вот войдет в отсек, и она инстинктивно отодвинулась назад, загораживая спрятанные под столом папки. Однако Шейл развернулся и зашагал к лестнице.

— Сообщите мне, как только будете готовы, Куинн. Не терпится увидеть, что у вас получилось.

ГЛАВА 17

Куинн потянулась к стопке книг у кровати и выбрала из них ощетинившийся множеством закладок томик. Открыв книгу на одной из таких закладок, девушка пробежала глазами главу, посвященную различным типам преступников, совершающих убийства на сексуальной почве, снова обращая особое внимание на сексуально озабоченных садистов. Кажется, более чем подходит.

Отшвырнув книгу на пол, Куинн оглядела раскиданные по всей кровати справочные материалы. Снятые прямо на месте преступления фотографии мертвых тел, портреты знаменитых серийных убийц, распечатки взятых в тюрьме интервью с Тэдом Банди, Чарльзом Мэнсоном и Дэвидом Берковичем, пространные рассуждения на тему психологии убийцы. Отдел техподдержки расследований в Квонтико просто ломился от подобного рода литературы, и Нат Шейл с охотой поддержал интерес новой подчиненной к этой проблематике, одолжив новой сотруднице гору источников.

Куинн подтянула тренировочные чуть повыше и зябко обхватила тело руками. Четыре часа назад она начинала свои изыскания в обычной ночной одежде: трусиках и старой футболке с эмблемой Мэрилендского университета. Однако чем сильнее она углублялась в дебри жутких подробностей самых кровавых убийств в Америке, тем больше мерзла, так что в итоге пришлось надеть тренировочный костюм и шерстяные носки. Девушка в сотый раз вгляделась в щель открытой двери — не шевельнется ли что на кухне или в гостиной. От побуждения в очередной раз проверить, заперты ли окна и двери, она с трудом, но отказалась. Избыток воображения и недостаток сна — опасное сочетание.

Куинн переложила несколько книг на пол и сосредоточилась на одном из досье, которые она украдкой вынесла из Квонтико в груде литературы. Из всех пяти дел только в этом имелся вполне четкий подозреваемый — пресловутый семнадцатилетний вундеркинд из Университета Джонса Хопкинса. Открыв папку, девушка вытащила чуть пожелтевшую копию статьи из школьной газеты и в третий раз за ночь уставилась на нее.

В восемьдесят шестом году двенадцатилетний Эрик Твен был принят в Нью-Йоркский университет на гуманитарное отделение. Но, несмотря на успехи, по каким-то не вполне ясным причинам бросил учебу уже через год. В статье всего лишь кратко предполагалось, что он «разочаровался в искусстве».

Куинн попыталась припомнить, чем сама-то занималась в художественном классе в этом возрасте. Седьмой класс. Небось рисовала цветными карандашами лошадей и заставляла отца наклеивать эти рисунки на холодильник.

Уйдя из Нью-Йоркского университета, Твен вернулся к родителям, типичным представителям рабочего класса, хотя с ними он тоже не слишком ладил, и продолжал работать самостоятельно. А в промежутках между занятиями живописью и скульптурой вдруг полюбил читать труды по квантовой механике, единой теории поля и теории гравитации. Это маленькое увлечение заставило его самого записать кое-какие свои идеи в области ядерного синтеза.

Он послал их в физический журнал, который выписывал, надеясь получить какой-нибудь отклик от издателей. Вместо этого издатели взяли и сразу опубликовали статью, без единой поправки. По результатам этой статьи Эрик Твен в зрелом возрасте тринадцати лет получил степень по физике — даже ни разу не посетив занятия. Годом позже он был зачислен в штат Университета Хопкинса, где преподавал и проводил собственные исследования.

Первый допрос Твена в полиции носил чисто рутинный характер — его главным образом спрашивали, не слышал ли он, что у Лайзы Иган водились враги, например, какой-нибудь озлобленный бывший любовник. Впрочем, на стенограмме этого разговора полицейский по фамилии Ренквист записал кое-какие возникшие у него соображения. Эрик заметно нервничал, был рассеян, выражался все больше обиняками, в общем и целом производил впечатление человека неуравновешенного и явно чувствовал себя не в своей тарелке.

Куинн потянулась за стоявшей на столике чашкой чаю, вспоминая читанную как-то статью в психологическом журнале о гениальных детях. Интересно, не приводился ли там в пример и Эрик Твен? В целом та статья произвела на нее отталкивающее впечатление: маленькие дети во взрослой одежде, с не в меру богатым словарным запасом, недетской манерой выражаться и безжизненной, механической аккуратностью. Точно куклы у чревовещателей. Да, вот кого они ей больше всего напомнили.

Первый допрос заставил Ренквиста приглядеться к юному физику повнимательнее. Алиби Твена на вечер убийства казалось довольно шатким: он находился у себя в квартире, занимался с одним из студентов. Впрочем, по данным полиции, конкретно этот студент буквально боготворил молодого преподавателя и охотно солгал бы ради него.

Куинн устроилась поудобнее и перелистала страницы дальше. Самые веские подозрения против Твена возникли, когда стало известно, что он солгал о своих отношениях с убитой. На допросе в полиции он в конце концов признался, что водил с двадцатитрехлетней Иган тесную дружбу, выходившую за рамки чисто профессиональных отношений. А неделю спустя заявил, что и спал с ней.

После этого откровения все расследование вертелось почти исключительно вокруг Твена. Он отказался предоставить полиции образцы ДНК, постулируя факт, что все равно его ДНК наверняка во множестве найдется в квартире девушки, а возможно, и на ее теле. Потом, по совету своего адвоката, он отказался также пройти тест на детекторе лжи.

Несмотря на долгое и утомительное расследование, полиция так и не смогла собрать достаточно веских улик, чтобы привлечь Твена к суду. В итоге детектив Ренквист практически отказался от дальнейших действий. Лично он был глубоко убежден в том, что Твен убийца, но не менее глубоко — в том, что все равно его не осудят.

Последняя запись в деле была сделана год назад и сообщала, что Твен переехал из Мэриленда в округ Колумбия.

Куинн отпила остывшего чая и прочла последний адрес Твена. Меньше двадцати миль отсюда.

Откинувшись на спинку кровати, она позволила листкам соскользнуть на колени и снова вгляделась в старую вырезку из газеты. Фотография Эрика Твена была не слишком хорошего качества, но все же можно было даже прочесть надпись на футболке. Там изображался Млечный путь со стрелкой и надписью: «Вот ты где». Встрепанные волосы парня спадали на уши и шею. Подросток склонялся над узким столом, уставленным бесчисленными склянками и мензурками.

Куинн долго смотрела на фотографию, словно пытаясь залезть изображенному там человеку в голову, понять, отражается ли в глазах то, что отличало его от всех остальных людей. Гениальность, жестокость, ненависть — хоть что-то. Но чем дольше она смотрела, тем меньше видела. Он выглядел самым обычным мальчишкой. Лицо в прыщах, на зубах пластинки для исправления прикуса — вот и все.

Отложив газету к остальным бумагам, она принялась вносить в и без того уже распухший от пометок блокнот новые записи, вычеркивая сделанные ранее умозаключения, которые теперь казались слишком натянутыми, и записывая новые догадки относительно детства и юности Твена.

На первый взгляд все сходится — место жительства, характер и личные качества, среда, в которой он вырос, то, что полиция так и не сумела найти доказательств...

Или не сходится?

Куинн сползла по спинке кровати и вытянулась среди покрывавших постель бумаг и книг. Черт возьми, да что, собственно, ей известно? Она провела за чтением — точнее, за проглядыванием — нескольких книг и материалов о серийных убийцах четыре часа. Что это такое по сравнению с годами обучения и жизненного опыта настоящих специалистов? И даже специалисты первыми признаются, что знают ничтожно мало и зачастую жестоко ошибаются.

Все это — лишь результат сбоя в программе. Неужели? Система почему-то объединила между собой несколько совершенно не связанных друг с другом смертей, в которых было совсем мало общих деталей. Может, всему виной вечные усовершенствования и доделки, вносимые в государственные базы и программы? Или спецы из «СТД» во время проверки программы почему-то внесли фантомные последовательности ДНК прямо в материалы реальных дел, а потом не смогли убрать их. Причин может быть миллион.

Но что, если все это не сбой в компьютерном обеспечении? Что, если и правда кто-то зверски убивает молодых женщин? Какой бы малоправдоподобной ни выглядела эта идея, но вероятность все же нельзя было сбрасывать со счетов. Сможет ли она, Куинн, просто-напросто взять и забыть об этом? Девушка вперилась взглядом в белый потолок, обдумывая трудный вопрос.

Ответ пришел быстро. Она достаточно хорошо знала себя, чтобы понять: нет, не сможет. Особенно после того, как прочла про всех этих женщин, видела фотографии их живых и улыбающихся — а потом представила, что они должны были пройти перед смертью.

Она снова потянулась за чаем и сделала глоток, не ощущая ни вкуса, ни того, горячий он или холодный. До начала рабочего дня осталось чуть меньше семи часов. Убрав с постели все книги и бумаги, Куинн потянулась было к выключателю, но передумала. После всего, что она сегодня прочла, лучше спать со светом.

ГЛАВА 18

Тени становились все длиннее.

Несмотря на это более чем очевидное наблюдение, Куинн Барри не тронулась с места. Она так и сидела, не отрывая взгляда от ветрового стекла. От качки и страха ее все сильнее тошнило.

Место, куда она приехала, оказалось не обычным маленьким жилым райончиком, каких много. Строго говоря, вообще не похоже было, чтобы в ближайших окрестностях кто-то жил — ни сейчас, ни в последние годы.

Судя по всяким архитектурным излишествам и украшениям притулившихся вокруг кирпичных строений, возведены они были не менее семидесяти пяти лет назад — до того, как практичность одержала окончательную победу над эстетикой. А судя по тому, в каком небрежении разукрашенные строения находились, добрую половину этих семидесяти пяти лет они так и простояли пустыми и заброшенными.

Куинн наклонилась вперед, оглядывая просевшие крыши, ржавые двери и битые стекла старого промышленного района. Взгляд ее медленно сместился вправо, ища хоть какие-то следы человеческого присутствия, но не находя их — пока не наткнулся на дом прямо напротив машины.

На первый взгляд он ничем не отличался от остальных домов. Однако при ближайшем рассмотрении стало ясно, что стены и крыша у него вполне целые, равно как и высокие узкие окна. Дом был обнесен каменной оградой, из которой торчали заржавевшие, но все еще весьма внушительные железные колья. Когда-то эта ограда и эти колья, надо полагать, обеспечивали вполне надежную защиту, ныне же от ворот остались лишь погнутые петли на столбах.

Что действительно выделяло именно этот дом из ряда его соседей, так это металлическая дверь — не ржаво-бурая, как можно было ожидать, а ярко-синяя, с металлическим отливом. На ней желтой краской был нарисован странный геометрический символ фута три в ширину.

Куинн на миг затаила дыхание, потом медленно выдохнула. Пора принимать решение. Идея, казавшаяся не самой мудрой и при свете дня, теперь, когда солнце коснулось края горизонта и по земле начала разливаться тьма, граничила просто с безумием.

Весь день девушка не столько работала, сколько делала вид, что работает. Голова у нее была так занята CODIS и пятью досье, что на текущую задачу не оставалось никаких сил. После многочасовых раздумий пришлось признать, что вариантов, как поступить, всего три — и ни один из них Куинн не радовал.

Самым очевидным выходом казалось просто вернуть втихаря досье на место и забыть обо всем случившемся. Тогда можно целый год работать как одержимая, лезть вон из кожи и надеяться, что Луи не поставил на ее личном деле большой жирный крест. При таком раскладе у нее есть вполне реальный шанс в конце концов поступить в агенты. Но сможет ли она забыть? Хотя и маловероятно, чтобы пять смертей действительно были как-то связаны между собой, случались в этом мире вещи и еще более странные. Что она почувствует, если через много лет окажется, что все оно так и было — что еще несколько женщин погибло, оттого что Куинн больше волновалась о своей карьере, чем о справедливости?

Другой выход состоял в том, чтобы отнести эти пять досье новому боссу и все ему рассказать. Девушке не потребовалось много времени на то, чтобы найти в этом плане весьма существенные недостатки. Если — как оно скорее всего и будет — ее страхи окажутся высосанными из пальца, начальство раз и навсегда запомнит, что она незаконно заказала секретные досье. Если ей крепко повезет, за решетку она, конечно, не угодит, но уж о мечте стать агентом придется забыть раз и навсегда.

Основной итог состоял в том, что надо узнать наверняка. Если она сумеет получить твердые доказательства того, что Эрик Твен виновен во всех этих преступлениях, она сможет с чистой совестью отнести досье Нату и не бояться за свои позиции. Что ей тогда сможет сделать ФБР? Уволить за то, что она выследила серийного убийцу, о существовании которого они даже не подозревали? Никогда! Им придется выдать ей медаль и посмотреть на нарушение правил сквозь пальцы.

Куинн открыла дверцу автомобиля и быстрыми шагами пересекла разбитую асфальтовую дорогу. Вступив под своды арки в ограде, она невольно притормозила и только с большим трудом заставила себя идти дальше. Оказавшись на середине просторного двора, она все же остановилась, потрясенно разглядывая высокие и замысловатые скульптуры, которыми этот двор был заставлен.

Казалось, их сделали из всевозможного валявшегося в округе хлама — серых и бурых листов искореженного металла, острых обломков старых машин, ржавых цепей, что тихо позвякивали на ветру. Иные из этих странных скульптур вздымались на высоту добрых пятнадцати футов, черными гротескными силуэтами вырисовываясь на фоне пламенеющего неба. Простояв здесь пару минут, девушка снова двинулась вперед, стараясь отделаться от неприятного чувства, будто все это — жутковатые надгробия и она идет по кладбищу.

Если не считать яркого пятна двери, ничто более не наводило на мысль, что в этом доме могут жить люди. Девушка почти минуту простояла на крыльце, набираясь храбрости. Все будет хорошо, внушала она себе. Она ведь придумала себе вполне безопасное прикрытие, легенду. Ей ничего не грозит. Ведь правда?

Наконец, подняв руку, она замолотила в дверь так, что та прямо затряслась. Почему-то, Куинн сама не знала почему, звук успокоил ее, и она еще несколько секунд стучала, чтобы, если кто был внутри, ее непременно услышал.

Прошла минута, за ней другая. Ответа не было. Девушка уже почти совсем решила, что дома никого нет, как вдруг дверь сама собой задребезжала и шевельнулась. Куинн попятилась, а дверь медленно скользнула вперед. Скрежет металла о металл постепенно потонул в звуках льющейся из щели музыки.

Возникший на пороге человек оказался совсем не тем, кого она ожидала увидеть. Его длинные, почти черные волосы были завязаны в свободный хвост, который, как подумала Куинн, наверное, тянется через всю спину. Надетый прямо на голое тело — ни футболки, ни рубашки — старый джинсовый комбинезон позволял хорошо рассмотреть мускулистые руки и широкие плечи незнакомца — одно плечо, к слову сказать, было украшено черной татуировкой: сложный геометрический узор, похожий на тот, что на двери. Впрочем, при ближайшем рассмотрении оказалось, что это замысловатый и тесно сплетенный узор — из разных животных и птиц, в этаком индейском стиле. Да и сам незнакомец чем-то напоминал индейца: резкие черты лица, смуглая, скорее не от загара, а от природы, кожа. Правда, возможно, эта смуглость объяснялась тонким слоем пыли, покрывавшей все лицо незнакомца.

— Ух ты! Секретный агент.

— Прошу прощения? — Куинн с трудом сдержала удивление в голосе.

Незнакомец слегка прищурился, разглядывая нежданную гостью. Взгляд его скользнул по лицу девушки, чуть помедлил на толстых очках в роговой оправе, спустился вниз, на бесформенный свитер и длинную юбку, и наконец остановился на теннисных туфлях, которые девушка решила надеть для сегодняшнего «выхода в свет».

— Ко мне тут не часто заходят в гости. Особенно красивые женщины.

Лицо и голос незнакомца были совершенно нейтральны. Слова явно не подразумевали попытки флирта или хотя бы даже комплимента. Просто наблюдение.

Куинн открыла висевшую на плече сумочку, отыскала свой значок и подняла его.

— Я из ФБР, сэр. Ищу Эрика Твена.

— Эрика Твена, — тихо повторил незнакомец. — А что вам от него надо?

— Боюсь, это касается только его. Он дома?

Незнакомец задумался, и в этот краткий миг нерешительности Куинн узнала в нем растерянного мальчика с газетной фотографии.

— Эрик Твен — это вы.

— То, что от него осталось.

— Мне бы хотелось...

— У вас есть ордер?

— Нет, я просто...

— Тогда всего хорошего.

Он начал закрывать дверь. Не успев даже подумать как следует, Куинн метнулась вперед и загородила проем. Этот импульсивный маневр привел к тому, что она оказалась в каких-то шести дюймах от человека, который почти наверняка перерезал горло своей подружке и, вполне вероятно, изнасиловал, замучил и убил еще множество молодых женщин.

Он не намного выше ее, отметила Куинн, стараясь смотреть на Твена так же пристально и твердо, как и он на нее. По правде говоря, она вся закоченела от страха, но мужчина, кажется, перепутал этот страх с решимостью. Он бросил короткий взгляд на дверь, а потом просто-напросто развернулся, зашагал прочь и скоро скрылся за поворотом коридора. Куинн не шелохнулась. Быть может, все бросить и уйти? Убежать к машине и убраться отсюда подобру-поздорову, да как можно скорее? Но она знала, что не сможет так поступить. Уж если ставить на кон все свое будущее, то следует делать это на основании чего-то посерьезнее компьютерной распечатки и нескольких досье из полицейского архива.

Кое-как ей удалось достичь компромисса между разумом и разыгравшимися нервами. Да, она войдет в дом, но дверь закрывать не станет. На всякий случай.

По мере того как девушка шла по широкому коридору, мелодия звучала все громче — стена непривычной, сбивающей с толку музыки с явными элементами стиля кантри, на котором росла Куинн. Однако элементы эти были искорежены почти до полной неузнаваемости... К тому времени как девушка вошла в холл, музыка уже так грохотала, что заглушала все остальные звуки.

Помещение, где оказалась Куинн, было около сотни футов шириной и сорока вышиной — в основном сплошной кирпич и стекло, хотя в стенах еще оставались заложенные когда-то давно трубы и куски механизмов. Они были ярко раскрашены в стиле примитивизма и составляли поразительный контраст с развешанными по стенам огромными картинами.

— Можно посмотреть? — Ей пришлось перекрикивать музыку.

— Мне казалось, у вас нет ордера.

— Я имела в виду картины. — Она пыталась держаться как можно увереннее и спокойнее, не выдавать волнения и тревоги. Обычный рутинный визит — и, разумеется, за спиной у нее стоят все силы ФБР. Вот что она должна демонстрировать каждым своим движением.

Похоже, уловка сработала. Твен махнул рукой в знак разрешения и отвернулся от гостьи.

Куинн прошлась по периметру комнаты, стараясь не выпускать Твена из поля зрения и во все глаза высматривая что-нибудь подозрительное. Если верить прочитанным вчера книгам, убийцы этого типа часто сохраняют какие-нибудь сувениры на память. Нижнее белье, украшения, части тела. А что может быть спрятано здесь?

Картины оказались и в самом деле весьма примечательными. Продолжая обход комнаты, девушка чувствовала, что понемногу увлекается ими все сильнее и сильнее. Эксцентричная смесь разных стилей, слитых в одно невероятное целое. Сюжеты были совсем просты, а чаще обходилось и вовсе без сюжета — просто женщина, ребенок, пейзаж. Зато манера исполнения! К примеру, та картина, перед которой Куинн стояла сейчас, начиналась с левой стороны полотна в стиле Пикассо, незаметно переходила в подражание Матиссу, а кончалась Рембрандтом.

— Это все ваши? — прокричала девушка.

Твен повернулся к ней, бросив свое занятие, несколько мгновений сощуренными глазами смотрел на Куинн, а потом нажал что-то на столе. Музыка стала заметно тише.

— Что?

— Это все ваши?

Он кивнул.

— Просто потрясающе, — заявила девушка и двинулась в дальнюю часть комнаты. Немного помедлила перед наисовременнейшим компьютером, по сторонам от которого висели две классных доски. Судя по всему, ими ни разу в жизни не пользовались, зато стены по обеим сторонам от компьютера были густо исписаны какими-то математическими символами.

— А у вас имя хоть есть? — спросил Твен, возвращаясь к столу, за которым сидел, и снова принимаясь за работу. Со стороны было похоже, что он рисует прямо на столе.

— Имя? Прошу прощения, сэр. Я Куинн Барри.

Когда он крутанулся на стуле, чтобы посмотреть на нее, Куинн резко остановилась. Их разделяло десять футов. В руке у него оказался не карандаш, а острый нож для резьбы по дереву, очень похожий на скальпель.

— Что с вами?

Он был необыкновенно хорош собой — иначе не скажешь. Гладкая, ровная кожа, полные губы, белоснежные зубы, темные волосы, сверкающие в лучах заходящего солнца. Пускал ли Твен в ход эту физическую привлекательность, чтобы заманивать жертв?

— Мисс Барри? Может, дать вам стакан воды или еще чего-нибудь? — спросил он.

Она ободряюще улыбнулась:

— Прошу прощения. Спасибо, но со мной все хорошо. Так вы художник или физик?

— Да, по сути дела, разницы и нет.

Он положил нож на стол рядом с собой, и Куинн снова шагнула вперед. Узор на крышке стола был еще практически не определен — лишь серия изящных линий.

— Не хочу показаться грубым, мисс Барри, но зачем вы пришли?

— Просто убедиться, что вы все еще живете по этому адресу, и наладить с вами связь.

— Наладить связь, — повторил он. В голосе его не было любопытства, лишь глубокая печаль.

— Да, сэр. На основании новых фактов мы собираемся пересмотреть дело о смерти вашей ассистентки Лайзы Иган.

Она внимательно следила за реакцией Твена. Человек, сумевший в тринадцать лет получить степень по физике, сумеет понять: прямое вмешательство ФБР означает, что полиция сумела связать смерть Иган со смертями других молодых женщин.

— Вы ведь хотите, чтобы ее убийца предстал перед судом, верно? — спросила Куинн, когда он ничего не ответил.

Он смотрел не на нее, а куда-то через плечо девушки, в глубь комнаты.

— Убийца. Это ведь по идее я, да? Неуравновешенный психопат, который убил женщину, с которой спал. Перерезал ей горло от уха до уха — просто так, без причины. Слишком уж сильно прислушивался к голосам у себя в голове, так?

— Мы... нас интересует правда.

Губы Твена чуть заметно изогнулись, но Куинн не стала бы описывать эту гримасу словом «улыбка».

— Вы уж извините, однако десять лет общения с такими, как вы, заставляют меня усомниться.

— Вы ведь солгали о ваших с ней отношениях, — напомнила Куинн.

Внезапно вид у Твена стал еще более отстраненным, как будто он медленно погружался в себя.

— Да. Солгал.

Девушка вдруг поняла, что ей уже трудно остановиться. Этот человек завораживал ее — он и опасность, которую Твен собой представлял.

— Позволите ли спросить почему?

— Почему я солгал?

— Да.

Она почти видела боль в его глазах. Бесподобная иллюзия.

— Лайза была мне другом, когда я больше всего на свете нуждался в друзьях. Но она беспокоилась, что наши отношения могут стать известны окружающим — я ведь был тогда еще слишком юн. Она даже шутила иногда, что в Мэриленде это просто подсудное дело. Как бы там ни было, она умерла. И я решил уважать ее желание сохранить наш роман в тайне. И поэтому копы решили, будто человек, с которым я был в момент ее смерти, лжет, и назначили меня на роль убийцы... — Голос его ненадолго оборвался. — Не знаю, зачем я вам все это рассказываю.

— Вы поэтому и живете здесь?

— Я пытался жить в других местах — раньше, когда я еще думал, что могу жить. — Он бросил обвиняющий взгляд на Куинн. — Но куда бы я ни поехал, кто-нибудь непременно узнавал о моем прошлом.

— Значит, вы живете один?

Он кивнул.

— Ренквист и прочие ваши коллеги об этом позаботились.

Девушка узнала фамилию полицейского из Балтимора, который возглавлял расследование гибели Лайзы Иган. Насколько она могла понять, вмешательство ФБР в это дело было минимальным — маленькая консультация, не больше.

— А где вы работаете сейчас, мистер Твен?

Он скрестил руки на груди и прислонился к стене, явно пытаясь решить, охота ему или нет участвовать в этом импровизированном допросе. Куинн уже думала, не перегнула ли палку, когда он наконец ответил:

— По-прежнему в Хопкинсе. Ну разумеется, больше не преподаю. Мы пришли к соглашению: пока я представляю руководству интересные математические исследования и не приближаюсь к кампусу ближе чем на милю, они продолжают выплачивать мне зарплату. По большей части я контактирую с ними по электронной почте.

— Понятно.

Она вытащила из-под свитера блокнотик и сделала вид, будто что-то записывает.

— Что ж, спасибо за сотрудничество, мистер Твен.

— У вас все?

— Думаю, да... Ой, еще кое-что.

— Да?

— Нельзя ли мне перед уходом воспользоваться вашей ванной? Очень уж до вас далеко добираться...

Он пожал плечами и указал на дальний угол комнаты.

— Спасибо, — поблагодарила девушка, стараясь пятиться от него не принужденно, а с самым естественным видом. Лишь отойдя на некоторое расстояние, она посмела повернуться к нему спиной.

Войдя в ванную комнату, Куинн заперла за собой дверь и чуть живая привалилась к ней спиной. У нее словно заряд кончился. Сделав несколько глубоких вдохов и выдохов, она снова и снова повторяла себе, что держалась очень хорошо, просто замечательно — лучшее представление в жизни. Чуть успокоившись, подошла к раковине и без труда — спасибо, что у Твена такие длинные волосы — отыскала несколько волосков с еще не отпавшими луковичками на конце.

Спрятав их в маленький полиэтиленовый пакетик, она запихнула его за пояс юбки, а потом для правдоподобия нажала на кнопку смыва воды в туалете. Но не успела взяться за ручку двери, как вдруг с необычайной ясностью представила себе, как Эрик Твен стоит перед выходом с одежной вешалкой в одной руке и ножом для резьбы по дереву — в другой. Куинн во второй раз за день примерзла к месту. Сердце так и выскакивало из груди.

«Соберись!»

Она вернулась к раковине и плеснула воды себе в лицо. А когда, вытираясь, бросила взгляд в зеркало, поразилась, как покраснели у нее глаза.

Обыскав на скорую руку ванную, Куинн все равно не нашла для самозащиты ничего более смертоносного, чем зубная щетка, так что в конечном итоге просто подошла к выходу и, набрав в грудь побольше воздуха, рывком распахнула дверь.

Твен даже не сдвинулся с прежнего места.

Куинн выдохнула, налепила на лицо непринужденную улыбку и с самым уверенным видом двинулась по старинному паркету.

— Вы не агент ФБР, — не поднимая головы, сказал вдруг Твен, когда она подошла ближе к нему. — Тогда что вы тут делаете?

— Прошу прощения?

— Неправильное удостоверение, — пояснил он. — И они все одеваются как гробовщики.

Она-то надеялась обойтись без этого вопроса.

— Технически я исследователь. И, как уже говорила, я приехала сюда, только чтобы уточнить ваш адрес и выяснить коекакие детали.

— Как вас угораздило попасть на такую работу?

— Мне казалось, это будет очень увлекательно.

Он откинулся так, чтобы видеть ее, и стал вертеть нож в пальцах с ловкостью, которой позавидовал бы любой профессиональный фокусник.

— И что, увлекательно?

— Вы и не представляете как.

Он задумчиво кивнул, а девушка направилась по коридору к выходу, от души надеясь, что дверь еще открыта.

— Думаю, кто-нибудь из наших агентов свяжется с вами в ближайшие пару недель.

Твен не ответил.

Куинн гнала машину без остановки, пока не оказалась в добрых десяти милях от Эрика Твена. Наконец, поравнявшись с каким-то офисом, на тротуаре возле которого висел фирменный почтовый ящик федеральной экспресс-почты, она остановилась, выключила мотор и уронила голову на руль. Получилось! Она смогла выполнить задуманное. И — если не считать легкой панической атаки в ванной — держалась очень хорошо. Ну, во всяком случае, не так уж плохо. Видели бы ее те парни из Квонтико!

Куинн спрятала пакетик с волосами Эрика Твена в заранее подписанный конверт и высунулась в окошко, чтобы кинуть конверт в ящик.

Ну, вот и все. Через несколько дней она будет знать ответ.

ГЛАВА 19

— Так вы еще не закончили?

Ричард Прайс огляделся по сторонам. Огромная лаборатория была битком забита всевозможными механизмами из титана, стали и углеволокна. По большей части принципы работы и назначения всех этих штуковин составляли для него тайну за семью печатями. Десять лет назад его степени магистра по физике худо-бедно хватало на то, чтобы понять суть проекта и даже внести кое-какой вклад в его реализацию. Однако теперь он давно уже смирился с мыслью, что приглядывает за чем-то таким, что безнадежно выходит за пределы его понимания.

— Тестирование-то? — переспросил доктор Марин, подходя к компьютеру и набивая какие-то новые команды. — Ну разумеется.

— И сколько еще?

— Самое большее — три недели.

— И что вы ожидаете найти?

Марин снова повернулся лицом к нему. Он едва заметно улыбался, однако Прайс различал в этой улыбке тень снисходительного пренебрежения.

— Ожидаю найти проблемы, Ричард. Компьютерный прогресс за последние несколько лет придал нашим симуляциям реализма, однако остается еще слишком много неизвестных факторов, не позволяющих добиться полной точности. Нынешний макет должен окончательно показать нам, на какой стадии мы сейчас находимся.

Прайс не дал нетерпению вырваться наружу.

— И на какой же, доктор Марин?

— Ах, если б я знал...

— Полно, доктор. Вы задаете мне загадку не по зубам. Я и прошу-то хоть приблизительной оценки...

Марин склонился над торчащим из стены компьютером. Среди всех этих достижений технологии он чувствовал себя как дома.

— Это вам не проблема по части бухгалтерии или кадров, Ричард. Вы хоть представляете, сколько движущихся частей сразу я должен увязать воедино? Сбой в любом месте системы может вызвать задержку — на час или на год. Не знаю.

Прайс постарался, чтобы голос его звучал более раболепно. Необходимость унижаться перед таким ублюдком доставляла ему почти физическую боль, но ведь это ради дела...

— Доктор, я не хочу связывать вам руки, но мне нужно хоть что-то. Мы должны поддерживать огонь, чтобы деньги продолжали поступать.

Марин вскинул руки:

— Ну разумеется, Ричард. Мои извинения. Думаю, мы обнаружим, что с бортовыми компьютерами уже почти все в порядке. Могут возникнуть еще кое-какие проблемы с электрогенераторами, но их мы скорее всего сумеем решить довольно быстро. Если и возникнут настоящие сложности, то, думаю, с чем-нибудь до смешного рутинным и обычным. Например, с отладкой механических систем, чтобы не дребезжали.

— Но это ведь возможно наладить?

— Безусловно. Это уже не архитектура, это плотницкие работы. И тем не менее все равно долгие и непростые.

— Деньги?

Марин покачал головой.

— На завершение этой серии у нас хватит. Если все пойдет хорошо, девяносто миллионов сенатора Уилкинсона не понадобятся нам до тех пор, как мы не приступим к созданию рабочей модели.

4 – 2983

— Сроки?

— Я бы сказал, что эта фаза тестирования завершится месяца через два. Еще год — на улаживание всевозможных проблем, которые мы обнаружим в ходе проверки. Затем... ну, затем уже вам с сенатором решать, как быть дальше.

Краешком глаза Прайс заметил, что у входа в лабораторию маячит Брэд Лоуэлл. Даже с такого расстояния видно было: дело у него неотложное.

— Благодарю вас, доктор. Дадите мне знать, если что-нибудь изменится?

— Конечно же, Ричард.

— Тогда, с вашего разрешения...

Марин вежливо кивнул и заспешил в глубь лаборатории, явно стремясь поскорее выбросить из головы низменные вопросы управления проектом и поскорее вернуться к машинам и теориям.

— Одну минуту, сэр, — промолвил Лоуэлл, отводя Прайса в тихий уголок лаборатории. — У нас тут возникла ситуация, о которой вы должны непременно узнать.

Прайс кивнул, поощряя Лоуэлла продолжать.

— Нам позвонил наш друг из ФБР.

— И?..

— Та девушка... она начала докапываться.

— Куинн Барри? Вы же сказали мне, что отделались от нее.

— Ее перевели с проекта CODIS на малозначительную работу в Квонтико.

— Так что она такого натворила, что меня это должно беспокоить?

Лоуэлл выпрямился и расправил плечи — подобный маневр у него всегда предшествовал дурным новостям.

— Заказала досье из разных штатов.

— Черт! — выругался Прайс чуть громче, чем следовало бы, и тут же огляделся по сторонам, не слышал ли кто из снующих по лаборатории техников. — И сколько?

— Пять, сэр. Все, в которых есть искомые образцы ДНК.

— И она их получила?

— Насколько мы знаем, да, сэр.

— Проклятие! Она занимается этим самостоятельно? Или при поддержке кого-нибудь из Бюро?

— Одна, сэр. Наш друг уничтожил все свидетельства того, что она заказывала досье.

— Вы уверены? Уверены, что она действует в одиночку?

— Да, сэр.

Прайс пробежал рукой по коротко стриженным волосам и почувствовал, как с губ срывается свистящий вздох. Вот как начинаются роковые провалы — с досадных и незначительных мелочей. Новое программное обеспечение для ФБР и двадцатичетырехлетняя программисточка. Камешек, брошенный в озеро. А по воде пошли круги.

— Сэр? — Голос Лоуэлла вырвал его из задумчивости. — Могу ли предположить, что мы должны решить эту проблему?

Отвечая, Прайс уставился в голую стену.

— Наш друг из ФБР сознает, какую опасность представляет эта особа?

— Да, сэр.

— И понимает, какие меры нам придется принять?

— Да, сэр.

Легкий кивок стал Лоуэллу ответом. Большего ему и не требовалось.

ГЛАВА 20

Низкие тучи превратили и без того безлунную ночь в море тьмы, затопившее машину Куинн Барри. Лучи фар едва-едва прорезали это непроглядное море, освещая тихую сельскую дорогу, но для девушки это было совершенно не важно. Она ездила по этой дороге сотни раз. Могла бы проехать здесь с закрытыми глазами.

Неделю назад она уже предвкушала тихие выходные на отцовской ферме, теперь же просто дождаться не могла, когда же наконец туда попадет. После шести лет жизни в городе темпы жизни родного дома казались приятно медленными и размеренными. Она попросит отца не будить ее до полудня, а потом встанет и испечет блинов, а может, и подоит коров. И будет думать, думать, думать.

Проблема с Дэвидом — главная причина, по которой девушка вообще замыслила эту поездку, — теперь казалась далекой-предалекой, как и тот душевный покой, что обыкновенно снисходил на Куинн, когда машина ее неторопливо плыла по просторам Виргинии. А во всем виноват, разумеется, Эрик Твен. Она сбежала из служившего ему домом старого склада двадцать четыре часа назад, но ее до сих пор трясло. Нет, даже сильнее, чем тогда, потому что реальность кошмара, в который она ввязалась, постепенно доходила до сознания.

Так, ну и во что же конкретно она ввязалась? Хотелось бы ей знать! Чем дольше Куинн обдумывала необъяснимую кривизну программы CODIS, тем меньше понимала. Она выдвигала сотни всевозможных причин, но ни одна из них не выдерживала испытания здравым смыслом.

Шанс, что пять разных сбоев в программах пяти разных штатов выявят пять преступлений, имеющих вполне определенное сходство, был не более одного на миллиард. А вероятность, что спецы из «СТД» использовали в качестве тестовой реальную последовательность ДНК — что им хватило на это глупости, — была и того ниже. Даже не рассчитаешь.

Протянув руку, девушка включила радио на волне кантри. Салон автомобиля заполнил голос Хэнка Уильямса, но даже он не мог прорваться в голову Куинн и выгнать мрачный вывод, который она упорно старалась оттеснить за границы сознания: что все пять преступлений были самыми что ни на есть реальными и модификацию в программу внесли специально, дабы скрыть связь между ними.

Вопреки всем доказательствам эта гипотеза казалась просто немыслимой. Чего добивается ФБР, замалчивая факт, что двадцатишестилетний затворник, профессор Университета Хопкинса, а по совместительству еще и художник, бегает почем зря по стране и убивает женщин? И если в создании подпрограммы был замешан какой-нибудь достаточно высокий чин из ФБР, что это означает для нее, для самой Куинн? Уж верно — ничего хорошего. Внезапный перевод в Квонтико вдруг начал выглядеть не столько игрой случая, сколько намеренной попыткой избавиться от нее. И если так, то имело смысл отослать ее туда, где за ней будет кому следить. Знают ли уже в ФБР, что она заказала эти досье?

— Нет! — вслух произнесла она, но голос ее потонул в звуках музыки.

У нее просто-напросто паранойя. Все это — самый обычный сбой в программе, а в ФБР о нем даже и знать не знают. Однако скоро узнают. Частная компания, проводящая анализ ДНК, куда она отправила волосок Твена, пришлет результат завтра, самое позднее — в понедельник. И тогда у нее, Куинн, окажутся на руках все необходимые доказательства, чтобы сохранить работу и отправить Твена на всю оставшуюся жалкую жизнь расписывать стены в тюремной камере.

Куинн опустила стекло, и в машину ворвался свежий холодный воздух. Девушка вспоминала визит в дом Твена — запахи дерева и старого кирпича, яркие краски и музыку, красоту и обезоруживающую мягкость этого человека. Как ни стыдно признать, но это оказалось так захватывающе, так возбуждающе — находиться в непосредственной близости от существа столь блестящего и опасного в одно и то же время. Играть с ним в кошки-мышки и все же сбежать.

Машина внезапно дернулась, заставив девушку на миг повиснуть на ремне безопасности и грубо вырвав из сладких мечтаний, в которых ее ставили в пример другим курсантам, готовящимся в агенты ФБР. Куинн нажала на педаль акселератора, и автомобиль выровнял ход, но ненадолго. Не прошло и минуты, как пришлось остановиться на скошенной траве, росшей вдоль обочины дороги.

— Великолепно! — пробормотала Куинн, вытаскивая из ящичка для перчаток фонарик и выходя в густую мглу. Судя по звуку, бензин не поступал в мотор. Открыв капот, она сунула голову внутрь, проверяя топливопровод и видимую часть инжектора. Все в порядке. Куинн снова уселась на водительское место и попыталась завести машину, но безуспешно. Девушка готова была поклясться: машина ведет себя так, точно у нее кончился бензин. Да вот такого просто не могло быть — Куинн заправлялась по дороге на работу, и датчик показывал, что осталось еще больше четверти бака. Девушка снова вылезла из машины и, горестно пытаясь вспомнить, сколько отдала за надетые сегодня блузку и юбку, села на траву и скользнула под днище машины. Пара легких ударов по баку — и самые печальные подозрения подтвердились. Пустой.

— Ну и что все это значит? — вслух произнесла Куинн, поднимаясь и отряхиваясь. На обычную мелкую пакость не похоже: едва ли хулиган, ворующий бензин из машин, рискнул бы так развлекаться на стоянке у Академии ФБР.

Всунувшись в машину, Куинн нырнула под приборную доску и направила луч фонарика на датчик топлива.

Он выглядел совсем новым.

Она пролезла чуть дальше, чтобы разглядеть получше. Ну да — датчик выглядел так, точно его только что установили. Да при этом еще и топорно.

— Какого чер...

Звук мотора стал слышен за мгновение до того, как Куинн омыли лучи фар. Вынырнув из-под приборной доски, девушка увидела, что рядом с ее машиной останавливается старый пикап. Водитель опустил стекло с пассажирской стороны и высунулся наружу:

— Проблемы, мисс?

Куинн пожала плечами, слушая его лишь вполуха. Ни один механик к ее машине в жизни не прикасался — она всегда делала все сама и была твердо уверена, что сроду не заменяла никаких датчиков.

— Да, кажется.

Водила широко улыбнулся и выскочил на дорогу:

— Позвольте на минуточку.

Куинн безропотно отдала ему фонарик и, все еще пытаясь осмыслить происходящее, следила, как мужчина осматривает мотор.

— Угу! — сказал водитель, поворачиваясь к ней и вытирая руки об и без того грязные джинсы.

Звук его голоса вернул ее к реальности.

— Что?

— Карбюратор.

— Простите?

Он махнул рукой и как-то неопределенно показал на машину девушки.

— Уж я-то в машинах разбираюсь, — в типично сельской медлительной манере проговорил он. — У вас карбюратор засорился. Ничего серьезного, но вам отсюда самой не выбраться.

И он шагнул к своему пикапу, оставив Куинн растерянно таращиться на машину, в которой просто вообще не было никакого карбюратора, не говоря уж о засорившемся.

Повернувшись к странному водителю, девушка заметила, что к ним с другой стороны приближается вторая машина. Водитель посмотрел туда, но совершенно не обратил внимания, когда та остановилась в сотне ярдов от них.

— Знаете, что я вам скажу? В двадцати милях отсюда есть городишко. Я вас туда подброшу.

Ладони у девушки вдруг вспотели. Она незаметно стала откручивать гайку, которая удерживала домкрат рядом с моторным отсеком. И сама услышала нервозность в своем голосе, когда ответила:

— Спасибо, но я уже позвонила в сервис. Они будут тут через минуту.

Водитель улыбнулся, и девушка заметила, как он быстро скосил взгляд в сторону второго автомобиля, проверяя, на месте ли он.

— Ну, язви его, не могу же я бросить вас здесь. Почему бы не оставить им записку?

Гайка открутилась, и ладонь Куинн сомкнулась на холодной стали домкрата.

— Честное слово, ничего со мной не случится.

— Боюсь, вынужден настаивать, — сказал водитель, внезапно теряя свою сельскую манеру растягивать слова. Он попытался схватить Куинн за руку, и девушка взмахнула домкратом. Удар пришелся нападавшему в плечо и был достаточно силен, чтобы тот потерял равновесие и упал навзничь. Девушка потрясенно смотрела на его лицо, на миг залитое светом фар, и тут услышала резкий визг шин — это машина, стоявшая на противоположной стороне, сорвалась с места и стремительно понеслась к ним.

Куинн застыла рядом с поверженным врагом, сжимая в руке домкрат, но абсолютно не представляя, что же делать дальше. Воспользовавшись ее замешательством, водитель выхватил из кармана джинсов пистолет.

На сей раз домкрат опустился ему прямо на грудь — полновесным, отчаянным ударом, в который Куинн вложила все силы и весь свой вес. За ревом приближающейся машины она почти не слышала, с каким свистом воздух вышел из груди водителя, с каким стуком отлетел в сторону пистолет.

Времени не было. Девушка метнулась к открытой дверце своего автомобиля, выхватила оттуда тяжелый рюкзак и ринулась в обход зашедшегося кашлем врага к водительской дверце его пикапа. Мотор в нем еще работал, и Куинн послала пикап вперед ровно в ту секунду, как вторая машина остановилась рядом. Несколько мгновений вторая машина уменьшалась в зеркале заднего вида, а потом начала стремительно нарастать.

Куинн почувствовала тяжелый удар — это автомобиль сзади врезался в легкий кузов пикапа. Ладони девушки были совсем скользкими от пота, и тем труднее ей оказалось выровнять машину. Автомобиль сзади чуть приотстал и начал разгоняться снова. На этот раз удар явно задумывался более сильным — она наверняка разобьется.

В последний момент Куинн резко увеличила скорость и крутанула руль, посылая пикап вбок, на обочину. Машина проломилась через живую изгородь и, подскакивая, рванулась прочь через свежескошенное поле. Преследователи попытались было повторить этот трюк, но колеса легкового автомобиля заскользили, забуксовали, и он потерял скорость.

Куинн упорно гнала старенький пикап вперед, на полном ходу кое-как огибая возникающие из тьмы препятствия. Снова обернувшись, она увидела, что преследующая ее машина остановилась. На миг свет фар вдруг мигнул — как будто кто-то прошел спереди, перегораживая луч. Нагнув голову, девушка все так же летела вперед, пока наконец, подпрыгнув на ухабе, не вылетела снова на грунтовую дорогу, а там вжала педаль газа в пол до отказа.

Куинн оттолкнула пустой контейнер еще на несколько футов вперед и втиснулась между ним и огромнейшим бензобаком. Теперь пикап был надежно спрятан за старой закрытой заправкой в пятидесяти милях от места, где Куинн оторвалась от погони. Девушка забралась было обратно в кабину, но там на нее вдруг напала клаустрофобия, так что Куинн прихватила рюкзак и устроилась в открытом кузове, прислонившись спиной к откидному борту и прижимая рюкзак к себе, чтобы хоть немного согреться.

Все было спланировано заранее. Теперь никаких сомнений уже не оставалось. Каким-то образом неизвестные враги знали, куда она собирается. Они откачали у нее бензин с таким расчетом, чтобы машина заглохла на самом пустынном участке дороги между Квонтико и отцовской фермой, и они же заменили датчик топлива, чтобы хозяйка автомобиля не заметила подвоха.

Куинн внезапно поняла, что вся дрожит. Кто же эти таинственные враги? И что от нее хотят? Наверняка это связано с CODIS — а с чем же еще? Во всех остальных отношениях ее жизнь совершенно ничем не примечательна. Кем бы ни были эти люди, но они явно не хотят, чтобы общественность узнала про тайную подпрограмму. И как они связаны с Эриком Твеном? Неужели по каким-то своим причинам защищают его? Только зачем? Зачем?

С трудом взяв себя в руки и чуточку успокоившись, девушка вылезла из грузовика и тихонько побрела к телефону-автомату, что висел на стене бензозаправки. Глубоко вздохнув, набрала номер. Лишь бы Дэвид снял трубку!

— Алло? — Голос молодого человека звучал невнятно и сонно.

— Дэвид!

— Куинн? Где тебя черти носят? Всю неделю не могу тебе дозвониться!

— Дэвид, послушай...

— Черт возьми, сколько сейчас времени?

— Дэвид! Хоть раз заткнись и послушай.

— Боже правый! Ну что?

— По-моему, я попала в беду. Мне нужна твоя помощь.

— О чем ты говоришь?

— Помнишь то место, где мы бегали по утрам, когда только познакомились?

— Ты имеешь в виду...

— Не называй!

— Куинн, да что у тебя стряслось?

— Боюсь, нас могут подслушивать.

— Ты боишься, нас подслушивают? Да что...

— Можешь встретиться там со мной? Через два часа?

Она услышала, как Дэвид чем-то шелестит, — должно быть, включает свет.

— Ну ладно, думаю, успею.

— Только смотри, чтобы никто тебя не выследил.

— Выследил? Куинн...

Девушка повесила трубку и бегом кинулась обратно к грузовику. Она и так уже слишком долго здесь просидела. Ее ищут.

ГЛАВА 21

Куинн двинулась через парк решительно и твердо, но постепенно ее начали одолевать сомнения. С каждым шагом шорох гравия под ногами становился все тише, все неувереннее. В конце концов девушка остановилась на перекрестке, где беговая дорожка, по которой она шла, встречалась с другой. Дыхание вырывалось изо рта Куинн быстрыми пушистыми клочками пара, подсвеченного далекими, еле пробивающимися сквозь плотную стену деревьев огнями Вашингтона.

Куинн никак не могла осознать, что же такое происходит вокруг нее. И чем больше размышляла об этом, тем сильнее охватывала ее мания преследования. Она снова и снова пыталась убедить себя, что действует иррационально, что позволила страху занять место логики и здравого смысла. Пыталась — но не могла.

Чтобы разобрать, сколько времени, пришлось поднести часы почти вплотную к лицу. Пятнадцать минут четвертого. Дэвид уже должен ждать ее. Дэвид — единственный человек во всем мире, который знал, что она собирается навестить отца. Дэвид, которого она застала роющимся в ее бумагах в тот самый день, как ее перевели с прежней работы. Дэвид, вдруг воспылавший желанием проводить с ней как можно больше времени, именно когда она обнаружила ошибку в CODIS.

«Прекрати немедленно!»

Куинн велела себе идти дальше, но ноги точно приросли к месту. Ей вдруг вспомнилось, как Дэвид обменялся с ней машинами под предлогом надуманной неполадки с тормозами. Уж не для того ли, чтобы обыскать ее автомобиль? Установить там «жучок»?

Она встряхнула головой. Ну все, впору смирительную рубашку надевать. Но хотя сама Куинн понимала всю смехотворность своего поведения, она сошла с дорожки на мокрую траву, где было не слышно шагов, и поднялась на холмик, откуда открывался вид практически на весь парк.

Дэвид уже был на месте, — она знала, что он придет. Стоял в кругу света под высоким уличным фонарем. Тщательно следя за тем, чтобы оставаться в тени, Куинн пробралась к шеренге таксофонов и, спрятавшись за ними, осмотрела окрестности.

Вроде никого видно не было. Лишь деревья да пустые тропинки, пересекавшие парк во всех направлениях. Ни звука, ни шевеления, только Дэвид нетерпеливо переминался с ноги на ногу, поджидая ее.

Нет, это просто глупо, эмоции туманят ей разум, искажают восприятие. После недавней ссоры с Дэвидом она трактует решительно все не в том свете. Ну да, пусть он и не герой без страха и упрека, но и не из тех, кто бросит друга в беде. Он может реально помочь. Он работает на влиятельных людей, у него обширные связи. Он вполне мог бы передать досье в руки людей, способных принять какие-то меры и при том не бояться расправы.

— Давай же, Куинн! — прошептала она себе.

Безнадежно — она не поддавалась самовнушению. Девушка снова взглянула на Дэвида, а потом на ряд таксофонов. Пожалуй, это идея. Надо ему позвонить. Так она будет чувствовать себя увереннее.

Отыскав в рюкзаке какую-то мелочь, она по памяти набрала номер мобильного телефона Дэвида и увидела, как молодой человек вдруг дернулся и начал шарить по карманам желтовато-коричневого плаща.

— Алло?

— Дэвид...

— Куинн! Где ты, черт побери? Я торчу под дождем уже добрых полчаса.

Он опустил голову и нервно зашагал по самому краешку светлого круга, в котором стоял.

— Дэвид, прости, я задержалась... боюсь... боюсь, я не смогу прийти.

Она видела, как он ускорил шаг, но с такого расстояния не могла различить ни выражения его лица, ни иных примет его настроения, которые она научилась уже так хорошо понимать.

— Куинн, ты шутишь? Поднимаешь меня посреди ночи, заставляешь тащиться невесть куда — и все понапрасну? — В голосе его появились те снисходительно-властные нотки, на которые он неизменно срывался, когда выделывался перед сослуживцами. Сощурившись, девушка подалась вперед, силясь разглядеть выражение скрытого тенью лица — и все так же безуспешно.

— Дэвид, прости, мне очень жаль.

Он заговорил быстро — так быстро, словно пытался удержать ее на связи, не дать повесить трубку. Властные нотки сменились сочувственно-озабоченными.

— Я сделал все, как ты просила, убедился, что за мной не следят. Ты сказала, что попала в какую-то беду. Куинн, скажи мне, что происходит. Я хочу помочь тебе. Ты же знаешь, иначе не стала бы мне звонить.

Что-то во всем этом было явно не так. Куинн сознавала, что страх туманит ей голову, но все равно тут было что-то не так. Дэвид почти молил. Молил, чтобы она позволила ему помочь. Слишком уж это не в его характере.

— Прости, что разбудила тебя, Дэвид. Мне нужно кое о чем подумать. Я перезвоню попозже.

Он остановился, прикрывая свободное ухо рукой, чтобы лучше слышать.

— Куинн, погоди...

Она повесила трубку и повернула прочь, твердя себе, что приняла верное решение. Лучше перестраховаться, чем потом пожалеть. Так всегда говорил ее отец. Но конечно, отец скорее всего признал бы, что есть и иные варианты...

— Ч-черт!

Голос принадлежал Дэвиду — с досады он так заорал, что слышно было на весь парк. Девушка оглянулась. Он лихорадочно потрясал телефоном, словно в припадке совершенно детского раздражения. Наконец, успокоившись, молодой человек начал набирать чей-то номер, нисколько не беспокоясь о том, что только половина четвертого утра. Минутой позже он уже снова кружил в свете фонаря и что-то очень настойчиво, но неслышно твердил в трубку.

Разговор длился не дольше минуты, а потом Дэвид устремился через парк к улице.

— Повторить?

Куинн отвернулась от экрана компьютера и посмотрела на молодого официанта.

— Ночное бдение? — осведомился он, доливая чая ей в чашку.

Интернет-кафе находилось всего лишь в паре кварталов от Джорджтаунского университета, и посещали его почти одни студенты. Куинн выглядела еще достаточно юной, чтобы с легкостью сойти там за свою, потому-то и выбрала именно его.

— Прошу прощения? — переспросила она.

Официант кивнул в сторону монитора:

— Забыли подготовиться к экзамену?

Девушка улыбнулась ему улыбкой, которую за последние курсы успела довести до совершенства. Вежливо, но отстраненно.

— Да. У меня он в восемь. Сами знаете, что это такое.

Официант понял намек и двинулся к следующему из тех немногочисленных посетителей, которых жестокая судьба забросила сюда в столь ранний час.

— Удачи!

— Спасибо.

Куинн огляделась, чтобы удостовериться, что никто не смотрит на нее, и напечатала адрес: www. DNAsses-sment*. Связь была медленной, и девушка успела нервно откусить кусочек от лежавшего рядом с клавиатурой рогалика, прежде чем страница полностью загрузилась.

Нажав на графу результатов, она почувствовала, как сердце начинает биться чуть быстрее — не потому, что у нее имелись хоть какие-то сомнения, а потому, что она сама не знала, что делать с той информацией, которую этот результат подтверждал. Куда обращаться? Уж явно не в ФБР. И не к Дэвиду. В прессу? В местную полицию? Куинн впечатала в белую строку посреди экрана выбранный пароль и нажала кнопку ввода. Наверняка ведь есть, есть человек, к которому можно пойти и все рассказать. Надо только понять, кто это.

Пока компьютер переваривал пароль, девушка снова посмотрела на рогалик, но не смогла заставить себя его даже ко рту поднести. Недосып, адреналин и кофеин уже начинали сказываться на пищеварении, хотя обычно по крепости желудка Куинн могла бы посоперничать со страусом.

Когда экран вновь вспыхнул жизнью, она торопливо пробежала взглядом всяческие необязательные предисловия, пока не наткнулась на образец ДНК, полученной из волоса Эрика Твена. А наткнувшись, долго и внимательно смотрела на него, даже не удосуживаясь сравнить с ДНК убийцы, нацарапанной на листке из блокнота.

Ничего общего.

ГЛАВА 22

Весь день ветер мало-помалу набирал силу, а теперь к нему присоединился противный мелкий дождь, и вскоре свитер девушки промок насквозь, а легкая юбка прилипла к ногам. Куинн сильнее вжалась спиной в крошащуюся кирпич-

* Оценка ДНК (*англ.*).

ную стенку. Металлическая крыша глухо задребезжала. Девушка покосилась наверх. Пожалуй, выдержит — если ветер не усилится еще пуще.

Она стояла здесь уже несколько часов и понятия не имела, сколько еще предстоит ждать. Минуты? Дни? Вокруг царило полное запустение. Безлюдье. Единственным источником звуков был ветер. Куинн выглянула из маленькой ниши, в которой пряталась, снова пытаясь зацепиться взглядом хоть за что-нибудь интересное в ветхих строениях и высящихся вокруг горах мусора. Надо найти что-нибудь отвлекающее, чтобы не заснуть, а то она уже пару раз начинала клевать носом...

Она сама не знала, что именно первым привлекло ее внимание, но что-то вдруг рывком вернуло ее к действительности. Девушка дернулась вперед и вытянула шею, стараясь разглядеть что-нибудь такое, чего еще минуту назад тут не было.

Сначала эти попытки ничего не давали. Однако потом сквозь завывание ветра отчетливо прорезался гул мотора. Куинн вскочила на ноги и двинулась по неровным булыжникам мостовой, держась под прикрытием старой стены, что тянулась почти на тридцать ярдов к дороге. Как оказалось, за время ожидания ноги так затекли, что идти было трудно, но все же она успела к концу стены даже с запасом. Прямо перед ней дорогу пересекали старые, давным-давно заброшенные рельсы. За много лет асфальт между шпалами растрескался и отвалился, оставив ряд глубоких рытвин.

Маленькая серая «хонда», приблизившись к переезду, поневоле притормозила: ехать тут приходилось крайне осторожно и медленно. Куинн немного выждала, пропуская машину, а потом рванулась, подбежала к ней сзади, быстрым движением отворила дверцу, швырнула вперед рюкзачок, а сама нырнула следом.

— Боже правый!

Автомобиль остановился так резко, что девушку мотнуло вперед. Она сползла на пол и больно ударилась плечом о приборную доску.

— Какого черта вы тут делаете?

Куинн увидела перед собой потрясенное лицо Эрика Твена.

— Езжайте вперед.

Он не шелохнулся.

— Вы там совсем все с ума посходили, да? Сборище психопатов! Знаете что, Куинн Барри? Читайте по губам: «Я не убивал Лайзу».

— Эрик, пожалуйста...

— Постойте! — Лицо его вдруг потемнело, он чуть пригнулся, оглядываясь по сторонам. — Почему это вы валяетесь на полу? — Он наклонился, пристальнее вглядываясь в запотевшие окна. — Они тут, да?

— Эрик, ради всего святого...

— Привела с собой отряд захвата? Хотите меня убить?

Куинн приподнялась и схватила его за руку.

— Эрик, никто не собирается тебя убивать! Слово даю! А теперь — гони!

Он еще пару секунд поколебался, но потом снял машину с экстренного торможения и переехал через рельсы.

— Что вам от меня надо? Почему бы вашим людям не оставить меня в покое раз и навсегда?

Вместо ответа она приподнялась и осторожно выглянула в заднее окно. Ничего. Значит ли это, что она в безопасности, или лишь то, что врагам хватает ума не показываться ей на глаза?

— Эрик, послушай меня, ладно? Только слушай внимательно. Я получила неопровержимые доказательства — анализ ДНК, — что тот, кто убил твою ассистентку, убил еще по меньшей мере четырех других женщин, а скорее всего и больше.

— Что? О чем ты?

— О том, что теперь я точно знаю: это не ты.

Твен провел рукой по длинным волосам, откидывая их с лица. Вид у него был ошарашенный.

— Эрик? Ты как?

Он словно бы вдруг так ослаб, что не мог жать на педаль газа, и машина снова поехала медленнее.

— Нет, нет! Не останавливайся! — Куинн положила руку ему на колено и настойчиво сжала.

— Я... ох... — На миг он прикрыл рот рукой. — Прости. Не думаю, что ты поймешь, просто... просто я так долго живу с этим. Мне не по себе... Все закончилось? Все и правда закончилось?

Куинн снова повернулась к заднему окну и, удовлетворенная тем, что сзади никого не видно, выпрямилась на сиденье. Эрик Твен посмотрел на нее. То ли ей померещилось, то ли глаза у него действительно смягчились. Или сама она стала смотреть на него иными глазами?

— Спасибо, — пробормотал он срывающимся голосом. — Спасибо.

— Не благодари меня.

— Почему? Ты и представить не можешь, что это такое. Когда все кругом уверены, что ты...

— Я ведь не настоящий агент ФБР, помнишь?

— И что?

— Я обнаружила это сама по себе.

На лицо его вновь начало возвращаться то подозрительное выражение, которое Куинн заметила еще в первые секунды знакомства.

— Эрик, я сама не очень-то понимаю, что происходит, но у меня есть причины считать, что ФБР не хочет, чтобы это стало известно. Они покрывают...

Эрик снова ударил по тормозам. Девушку швырнуло вперед, но на этот раз она успела выставить руки и смягчить удар.

— Поверить не могу, что позволил тебе сыграть со мной такую шутку, — сердито заявил он. — Убирайся.

— Что ты делаешь? Не останавливайся. Я...

Он перегнулся через нее и распахнул пассажирскую дверцу:

— Вон!

— Эрик, у меня есть доказательства...

— О, ну так это совсем иное дело. У тебя есть доказательства? — Он прислонился спиной к своей двери и в упор разглядывал девушку. — Ты хоть представляешь, со сколькими такими вашими буйнопомешанными я имел дело за все эти годы?

— Я не буйнопомешанная!

— Ты, верно, считаешь, будто Кеннеди убили пришельцы из космоса, да?

— Ну разумеется, нет!

— Или что ЦРУ создало СПИД, чтобы покончить с гомосексуалистами?

— Да нет же! Послушай, я...

— Психопатка.

— Что?

— Так ведь и есть. Ты психопатка. Думаешь, верно, что на самом деле Лайза не умерла. Ее взял под землю кротовый народец или еще кто-нибудь.

Куинн подалась вперед и взяла обе руки Эрика в свои. Он не сопротивлялся, лишь прищурился.

— Послушай, — начала девушка. Она не смотрела на Эрика, а изучала окрестности — не видно ли чего подозрительного. — Ты видел мое удостоверение. Я и правда работаю на ФБР. А на заднем сиденье у тебя лежат полицейские досье, доказывающие то, о чем я говорю. Все, что я прошу, — это полчаса твоего времени.

— И с какой стати мне тратить на тебя свое время?

— Потому, что ты хочешь знать, кто убил Лайзу. И потому, что тебе все равно нечем заняться.

ГЛАВА 23

Вылезти из машины оказалось труднее, чем Брэд Лоуэлл ожидал. Когда правая рука на перевязи и отчаянно болит от каждого неловкого движения, даже самая обычная бытовая задача становится не такой уж простой. Ухватившись здоровой рукой за ремень безопасности, Лоуэлл стиснул зубы и, отпихнувшись, почти выпал на аллею перед домом Ричарда Прайса.

Он шел гораздо медленнее обычного — не столько из-за ранений, сколько для того, чтобы выгадать время и еще раз мысленно прокрутить ответы на вопросы, что наверняка задаст ему Прайс. Утренний телефонный разговор был необычайно краток и закончился выразительной «просьбой» о встрече. До сих пор Лоуэлл бывал в новом доме босса всего один раз — и уж явно не при таких обстоятельствах, как нынешние. Он понятия не имел, какого приема ждать. А что еще хуже — кажется, его это и не волновало.

Лоуэлл нерешительно постучал и шагнул назад, оправляя пиджак. Через миг дверь отворила девочка-подросток:

— Полковник Лоуэлл! Боже мой, что с вами стряслось?

Он обезоруживающе улыбнулся и посмотрел на хорошенькое, гладкое личико шестнадцатилетней дочери Прайса.

— Учил одного из моей малышни кататься на велике, Рейчел. Боюсь, я слегка потерял форму.

Она жестом пригласила его войти.

— Да уж, похоже на то. Как вы?

— Говорят, выживу и даже снова смогу ездить на велосипеде.

— Не сомневаюсь, ваша малышня будет рада это услышать. Папа за домом.

Лоуэлл решительно зашагал через холл в просторную кухню, где раскатывала тесто пухленькая женщина лет сорока.

— Брэд?

— Он свалился с велосипеда, мама, — сообщила Рейчел, грациозно опускаясь на один из выстроенных вдоль стены стульев.

Лоуэлл философски пожал плечами.

— Доброе утро, Конни.

Та покачала головой и вернулась к прерванному занятию.

— Староваты мы уже для таких вещей, да?

— Сегодня я и правда чувствую себя стариком, — согласился Лоуэлл, выходя через стеклянную дверь на лужайку за домом. Прайс читал газету, сидя в кресле-качалке рядом с недостроенным бассейном. Он пристально взглянул на приближающегося Лоуэлла, но ни словом не прокомментировал его увечья.

— Поговорим у меня в кабинете, — только и сказал он.

— Кажется, я выразился достаточно понятно, Брэд.

Лоуэлл прикрыл за собой дверь, а Прайс сел за стол.

— Да, сэр.

— Хватит с меня вашего «да, сэр». Говорите начистоту, как, по-вашему, отнесся я к вам — с достаточным сочувствием или нет?

Как ни готовился Лоуэлл, а все ж не знал, что и ответить.

— Вы очень поддержали меня, сэр. И я очень ценю...

Он не знал, стоило ли это говорить. Взгляд Прайса не смягчился.

— Разве я несправедлив к вам, Брэд? Так ли уж странно с моей стороны удивляться, что вы с двумя помощниками не смогли справиться с одной девчонкой двадцати четырех лет от роду? — Он показал на руку Лоуэлла. — Что вы позволили ей так изувечить вас?

Однако Лоуэлл не сдавал позиций, какими бы шаткими они ни выглядели со стороны, и все так же молчал.

— Я жду.

И снова Лоуэлл оказался в совершенно идиотской ситуации — до чего же трудно было нащупать точную грань между объяснениями и оправданиями.

— Сэр, мне кажется, она знала, что машину испортили нарочно.

— И каким же это образом она узнала?

— Не знаю, сэр. Из-за временных ограничений мы не успели как следует составить на нее досье. Но насколько нам известно, перед тем как поступить на службу в ФБР, она работала автомехаником.

Как и ожидал Лоуэлл, лицо Прайса залилось краской. Это он настаивал на особой срочности, он одобрил весь план действий в целом — и он же не позволил Лоуэллу взять на операцию больше людей.

— Так это все моя вина, да, Брэд?

Судя по тону Прайса, Лоуэлл слегка пережал.

— Сэр, я не утверждал ничего подобного, я...

— Довольно!

Лоуэлл оглянулся на дверь: Прайс так кричал, что наверняка его домашние все слышали.

— Что, черт возьми, мы наделали, Брэд? На карту поставлено слишком многое — мы не можем позволить себе вляпаться в такое дерьмо.

— Я понимаю, сэр.

— А что там с ее приятелем? Вы говорили, она выходила с ним на связь?

— Дэвид Бергин, сэр. Она договорилась встретиться с ним.

— И?..

— Не пришла. Перезвонила ему и сказала, что не может встретиться.

— Почему?

— Мы думаем, она подозревает, что он как-то замешан во всей этой истории, сэр.

Прайс шумно выдохнул и откинулся на спинку кресла.

— А он сам что думает?

— С ним-то проблем нет — солдат без страха и упрека, да к тому же чертовски честолюбив. Мы сказали ему, что расследуем, не замешана ли она в шпионаже...

— И он купился?

— На то, что она замешана в чем-то дурном? Нет. Хотя нам это только на руку: он будет из кожи вон лезть, чтобы помочь нам ее найти и тем самым дать ей возможность оправдаться. И будет держать язык за зубами: если станет известно, что женщина, с которой он встречается, находится под следствием... Скажем так: он понимает, как это может сказаться на его карьере.

— Отлично. Так какие меры мы приняли?

— Сэр, мы держим под наблюдением ее отца и три наиболее перспективных, с нашей точки зрения, контакта из числа ее знакомых. За остальными потенциальными контактами мы следим с помощью приборов. Кроме того, проводим более детальное исследование ее окружения и, основываясь на том, что сумеем узнать, расширим область слежки.

— А пресса?

— Делаем все, что можем, чтобы отслеживать ее, но, как вы знаете, это не так-то просто.

Оба собеседника чуть-чуть помолчали. Лоуэлл смотрел на своего босса. Аура спокойной властности и полного контроля над происходящим, которая всегда окружала его, сейчас слегка рассеялась, позволив Лоуэллу заглянуть внутрь, за нее. В первый раз за все годы знакомства он различал у Прайса проблеск самых обычных эмоций и слабостей, тех, что отравляют жизнь обычным людям. И это его тревожило.

— Что там с досье? — наконец спросил Прайс.

— Мы полагаем, они все еще у нее.

Прайс поджал губы и кивнул.

— Так вы говорите, что и понятия не имеете, где она и что сейчас делает?

Лоуэлл слегка распрямил плечи, но ничего не ответил.

— Брэд, отныне это наиважнейшая наша задача. Назначаю вас ответственным за то, чтобы найти эту девушку и... и разобраться с угрозой, которую она представляет для нас и всего проекта. Если вам понадобятся дополнительные ресурсы, немедленно свяжитесь со мной. На данный момент нет ничего — ничего! — важнее этого. Более никаких оправданий я принимать не намерен. Вы поняли?

— Да, сэр.

Лоуэлл знал, что это означает — он может идти, но не тронулся с места.

— Ну что еще? — спросил Прайс.

— Сэр, я вынужден задействовать практически всех людей, что находятся в моем распоряжении. Тем самым не остается ресурсов для...

— Об этом я позабочусь, — оборвал его Прайс.

— Да, сэр. Благодарю вас, сэр.

ГЛАВА 24

— Отсчет начат, — заявил Эрик Твен, направляя машину в пустой уголок придорожной зоны отдыха. — Твое время пошло.

— Что? Опаздываешь на свидание? — язвительно спросила Куинн, но тут же пожалела о своей несдержанности. — Прости, Эрик. Это я зря. Просто совсем не спала...

Автомобиль остановился перед группой пустых столиков для пикников. Эрик погрозил девушке пальцем:

— У тебя осталось девять минут тридцать секунд. И если только обмолвишься о Джимми Хоффе или доне Корлеоне, домой будешь добираться на попутках.

Куинн знала: она заслужила такое обращение. До сих пор она выступала не слишком-то здорово. Но теперь все будет иначе. Она вытащила из кармана фэбээровское удостоверение и протянула ему:

— Удостоверение настоящее. Я работаю программистом в здании Эдгара Гувера. По крайней мере работала до прошлой недели.

Эрик Твен повертел в руках маленькую пластиковую карточку, придирчиво сравнивая фотографию на ней с лицом девушки.

— Кто знает, где ты ее раздобыла. Но я еще слушаю.

— Я работала над поправками к одной из частей CODIS — Комбинированной индексной системы ДНК. Знаешь, что это такое?

Он покачал головой.

— В каждом отдельном штате имеется своя база данных, где содержатся образцы последовательностей ДНК, взятые у местных преступников и на месте преступлений. А система ФБР — что-то вроде центра анализа и синтеза для этих баз, чтобы каждый штат имел доступ к данным по всей стране.

— Кажется, я что-то об этом слышал, — промолвил Эрик, возвращая ей удостоверение. — Полицейские берут кровь у осужденных и подозреваемых, чтобы использовать их образцы ДНК в качестве опознавательных примет, как отпечатки пальцев. Когда расследовали убийство Лайзы, хотели, чтобы и я им кровь сдал.

Куинн припомнилось, что она прочла в досье.

— Но ты отказался.

Эрик пожал плечами.

— Не хочу показаться вульгарным, да только я же в самом деле спал с ней. Думаю, отсюда с неизбежностью следует вывод: они найдут мою ДНК повсюду. Восемь минут. На твоем месте я бы перешел к сути проблемы.

— Тогда зачем каждую минуту меня перебивать? А теперь слушай внимательно. Отсеивание при помощи ДНК подозреваемых и отслеживание осужденных — только часть программы. Я работала с подпрограммой, которая называется «Судебный индекс».

— А это еще что такое?

— Она распределяет и собирает образцы ДНК с тех преступлений, где подозреваемых просто нет. Таким образом можно связать друг с другом преступления, которые на первый взгляд не имеют ничего общего.

Эрик вроде бы понимал, о чем речь, так что девушка продолжила:

— ФБР просило меня модифицировать индекс для работы с кое-каким новым программным обеспечением — слишком дешевым, чтобы стоило ради этого обращаться к первоначальному подрядчику. И когда я выполнила задачу, мой новый поисковый механизм выдал пять результатов, которых прошлые поиски не обнаруживали.

— Под «результатами» ты подразумеваешь пять нераскрытых преступлений, которые прежде считались не связанными между собой?

— Именно. В пяти случаях — все касаются убийства или исчезновения пяти разных молодых женщин — на месте преступления найдена одинаковая ДНК. Одной из этих женщин и была Лайза Иган...

Куинн замолчала, пытаясь найти в непроницаемом лице Эрика Твена хоть какой-то намек на то, верит ли он ее словам или же она тратит время попусту.

— Итак, ты хочешь сказать, — медленно начал Эрик, — что Лайза стала жертвой неизвестного серийного убийцы, а ФБР ничего не заметило из-за сбоя в системе поиска? — Он стиснул кулак, прижал костяшки пальцев к губам и так и говорил сквозь них. — Если ты пытаешься убедить меня, будто правительство в целом и правоохранительные органы в частности полностью некомпетентны, тебе не придется особо трудиться. Но если все, что ты мне сейчас рассказала, — правда, то тебе стоило бы потолковать со своим начальством, а не сидеть бог ведает где вместе со мной.

Куинн открыла было рот, но вдруг замялась. Все, что она знала об Эрике Твене, исходило из не слишком-то тщательно собранного полицейского досье и нескольких газет десятилетней давности. Можно ли доверять этому человеку? И ведь никак не поймешь, не выяснишь... Девушка знала лишь одно: если у кого-то на белом свете и есть причина помогать ей, так только у Твена. Неизвестный убийца Лайзы Иган не только отнял у Эрика женщину, с которой тот был близок, но и сломал ему жизнь.

— Это не сбой, — промолвила она, нагибаясь к заднему сиденью и вытаскивая из рюкзака стопку бумаг.

Она протянула их Эрику, и тот немедленно принялся перелистывать страницы.

— Последовательности ДНК, которые ФБР использует в качестве маркера, зашифрованы цифрами...

Слушает ли он? Эрик листал бумаги все быстрее и быстрее, на такой скорости едва ли возможно было не то что понять, а хотя бы прочесть отчеркнутые девушкой фрагменты.

— Отмеченные мной строчки раскиданы по всей программе — намеренно скрыты. Это все довольно-таки запутанно, но...

— Сортировка, — сказал Эрик, добравшись до последней страницы.

— Прости?

— Тип «если — то». — Он ткнул пальцем в первую страницу. — Вот тут. Если цепочка ДНК включает символы «восемь — запятая — одиннадцать», то программа перескакивает на следующий встроенный кусок. — Он перелистнул еще несколько страниц. — Теперь тут. Если цепочка включает символы «семь — запятая — девять — точка — три», программа снова делает скачок. Последний кусок сравнивает их последовательность. Если она соблюдена в точности, компьютер просто-напросто игнорирует ее.

Куинн уставилась на него, вся во власти новых подозрений. Невозможно, немыслимо — как он мог понять это без предварительной подготовки?

Должно быть, ей не удалось скрыть страх, потому что, снова взглянув на нее, Эрик чуть наклонил голову вправо:

— Я довольно хорошо секу в математике, не забыла?

Она закусила нижнюю губу, хотя после секундного размышления решила поверить ему — по двум причинам. Во-первых, она ведь понятия не имеет, на что способен, а на что не способен человек, овладевший дифференциальным исчислением в первом классе. А во-вторых — запасного плана у нее не было.

— Ты совершенно прав.

— Значит, ты утверждаешь, что эти вот строки программы заставляют систему пропускать конкретно данную последовательность ДНК? Но когда ты перепрограммировала ее, твой поиск уже не включал этого обходного пути. — Он плюхнул стопку бумаг на колени девушке. — И какие выводы ты из всего этого делаешь?

— Сама толком не знаю, — честно призналась Куинн. — Единственное, в чем я уверена, так только в том, что стоило мне это обнаружить, как меня мгновенно перевели на новое место и вызвали разработчиков, чтобы довести задачу до конца. Им потребовался всего день на то, чтобы «отладить» систему так, чтобы она не выявляла этого набора результатов.

Эрик потер подбородок, глядя, как некое юное семейство бредет к столику прямо перед их автомобилем.

— Ага, я так понимаю, что тут-то мы и добираемся до собственно сверхсекретно-заговорщической части.

— Ты мне не веришь? — почти с вызовом спросила девушка.

— Прости, Куинн, но за время расследования убийства Лайзы Иган я встречал агентов ФБР куда больше, чем мне бы хотелось. Да, я отнюдь не ярый их поклонник, но одного у них не отнять: они так и пышут жаждой справедливости. А ты пытаешься меня убедить, что они намеренно защищают какого-то психа, который разгуливает по всей стране и убивает людей. Нет, лично я в этом ничего подобного не вижу. — Он показал на распечатку у нее на коленях. — Это скорее всего лишь недочищенные следы какого-то теста, который они сами и проводили.

— Вот и я так подумала, — кивнула она. — Из соображений секретности CODIS выдает в ответ на запросы лишь очень ограниченную информацию: номер дела и адрес криминальной лаборатории, где проводился анализ ДНК. Поэтому я заказала досье по этим делам.

— Решила, что их на самом деле не существует. Что они вымышленные.

Куинн снова кивнула.

— И?..

Она опять потянулась за рюкзаком и водрузила его на сиденье между ними.

— А как, по-твоему, я тебя нашла? Пять полицейских досье — и пять убитых или бесследно пропавших женщин. Реальные досье, реальные люди. Причем связывает эти пять случаев не только одинаковая ДНК.

Эрик протянул руку к одной из папок, коснулся ее, но не открыл. Глаза его затуманились, несколько мгновений он словно бы находился где-то далеко от места, где они сидели.

— Ты подумала, это я, — наконец произнес он.

Куинн почувствовала, что краснеет.

— У всех остальных было алиби, — пробормотала она.

Манеры Эрика еле заметно переменились. По одному ему ведомым причинам он словно бы начал хоть немного верить ее словам.

— Итак, без поддержки ФБР — на свой страх и риск — ты вломилась в жилище человека, который, по твоему мнению, убивает женщин потехи ради, и начала задавать ему всякие вопросы...

— Прости, Эрик. Я...

Он поднял руки:

— Не извиняйся. Не знаю, Куинн, я все еще не исключаю вероятности, что ты просто чокнутая, но в храбрости тебе не откажешь. В смысле... — Внезапно он замолчал, и по губам его расползлась понимающая улыбка. — Так ты ведь почти ни о чем меня не спрашивала... Просто слонялась по дому и... Ванная! Ты охотилась за образцом ДНК!

Куинн уставилась в пол.

— Я так понимаю, ты нашла то, что искала.

Она кивнула, не поднимая глаз.

— Я отослала два твоих волоска в лабораторию, которая делает анализ ДНК. Не совпало.

— Угу. Что ж, как ни жаль, но это еще ничего не доказывает. В смысле найденная CODIS связь между этими пятью делами все равно может быть лишь каким-то недочетом в системе. А обнаруженная тобой подпрограмма — просто коряво сделанной поправкой. Такое встречается сплошь да рядом.

Куинн подняла голову и внимательно посмотрела на своего собеседника. Теперь он ничем не напоминал того человека, с которым она повстречалась несколько дней назад. Взгляд его оставался все таким же внимательным, но уже не угрожающим, а просто пытливым. Точеные черты лица, казавшиеся ей такими хищными, вдруг утратили прежнюю резкость. Девушка знала: все эти перемены произошли лишь в ее воображении, однако теперь это не имело никакого значения. Все равно у нее не было ни времени, ни возможности прочесть мысли Эрика Твена. Оставалось только рискнуть.

— Прошлой ночью кто-то пытался меня убить.

— Что?

К его чести, Эрик подавил усмешку почти сразу же, как она появилась у него на губах.

— Знаю, ты мне не поверишь, но это правда. Кто-то испортил мою машину с таким расчетом, чтобы она заглохла на безлюдной дороге в южной Виргинии. А потом ко мне подъехал какой-то незнакомый тип и наставил на меня револьвер.

— И как же тогда ты спаслась?

— Стукнула его железякой и уехала на его пикапе.

Казалось, услышанное Эрика не порадовало.

— Куинн... Ну подумай. Ты уверена, что он и правда угрожал тебе револьвером? Может, ты была просто слегка не в себе от всей этой истории, вот тебе и показалось невесть что? В смысле — ну почем тебе знать, что машину испортили нарочно? Может, она просто сломалась.

Куинн стиснула зубы и сощурилась. Эрик заметил выражение ее лица и, поняв намек, вовремя остановился.

— Я выросла на ферме, — ледяным тоном отчеканила девушка. — Могу с закрытыми глазами разобрать свою машину и собрать ее заново. Уж поверь мне на слово.

Вообще-то изначально она собиралась рассказать ему и про Дэвида, но теперь понимала, что это было бы ошибкой. Судя по всему, Эрик и так уже считал ее полоумной. Кроме того, девушка никак не могла решить для себя, права ли была, подозревая Дэвида, или нет. Тогда она совсем не соображала, но теперь начала подумывать: а вдруг такая мнительность — лишь реакция на события бурной ночи?

— Прости, Куинн. Даже не знаю, что тебе сказать...

Она начала запихивать досье обратно в рюкзак.

— Понимаю. Все, чего я прошу, — это пара часов. Если после того, как ты проглядишь эти досье и еще кое-какие материалы, ты еще будешь думать, что я чокнулась...

— Эй, погоди. Я вовсе не думаю...

— Еще как думаешь. И если через два часа не передумаешь, можешь просто встать и уйти. Ну что ты теряешь?

ГЛАВА 25

В маленькой комнатке без единого окна не слышалось ни звука. Лишь изредка шелестели страницы — это Эрик перелистывал досье. За целый час Куинн не произнесла ни слова, даже практически не пошевелилась — лишь изредка поднимала голову, ловя взгляд Эрика, когда он время от времени на секунду отрывался от бумаг и смотрел в ее сторону.

Он читал, вынимая из папок листок за листком. Четвертое досье подходило к концу, и столик, за которым сидели молодые люди, был устелен бумагой. Статьи из газет, результаты анализов ДНК, жуткие фотографии, полицейские рапорты. Цинизм и подозрения, явственно начертанные на лице Эрика, когда он приступал к чтению, казалось, слабели от страницы к странице.

Куинн заметила, что к концу четвертого досье скорость Эрика замедлилась, и невольно посочувствовала молодому человеку.

Теперь нетронутой оставалась только одна папка — досье с материалами о гибели Лайзы Иган. И о жизни Эрика Твена.

Он словно бы еще не был готов читать это последнее дело, и Куинн заколебалась: не стоит ли нарушить повисшее меж ними молчание и заговорить с Эриком, не дать ли ему предлог оттянуть неприятную необходимость? Но все же решила промолчать. Он должен дочитать до конца и принять решение. Станет он помогать ей или нет?

Эрик оторвался от чтения и откинул голову на спинку кресла. Дыхание его замедлилось, все тело обмякло — он словно бы спал с открытыми глазами.

Через пару минут молодой человек вышел из транса и, снова выпрямившись, вытянул несколько листов желтоватой линованной бумаги, заложенных между страницами последнего досье.

— Эрик, стой! — Куинн вскочила с кресла и рванулась через стол к Твену.

Внезапное движение и крик заставили молодого человека вздрогнуть, но не замедлили его реакции. Он отодвинул свое кресло назад и выдернул бумаги из рук девушки, едва она успела ухватиться за краешек.

— Что-то не то? — спросил он, отодвигая кресло еще немного и продолжая разворачивать листы. — Что-то, чего я не должен видеть?

— Да ничего особенного! Честное слово! — Куинн вышла из-за стола и поспешила к Эрику.

— Эрик Твен, — прочитал вслух молодой человек, телом защищая бумаги, когда девушка перегнулась у него за спиной и попыталась отвести его руки в сторону.

— Эрик, пожалуйста. Я забыла, что это здесь лежит. Я просто...

Он выскочил из кресла и, отбежав на безопасное расстояние, быстро проглядел первую страницу.

— Полагаю, это твой почерк? Мой психологический портрет, составленный Куинн Барри?

— Эрик, да ладно тебе. Просто досужие размышления. И теперь они явно никакого значения не имеют.

— Что, не хочешь узнать, хорошо ли справилась с задачей?

Куинн с убитым видом опустилась в кресло. Да, кажется, после такого друзьями они точно не станут!

— Итак, на чем я остановился? Ах да, на себе самом.

Девушка опустила голову на руки.

— «Эрик Твен, — снова провозгласил он. — Ай-кью такой высокий, что толком и не измеришь. Поступает в университет в возрасте двенадцати лет. Должно быть, чувствует себя неуютно среди старшеклассников. Надеется, что в колледже дело пойдет лучше. Становится только хуже. Все вокруг завязывают дружбу или романы, а он нет. Он чужак. Вступает в отрочество в обстоятельствах, когда вокруг нет ни единой девушки его возраста».

— Эрик, ну хватит. Не добивай меня!

— Нет-нет. До сих пор у тебя вышло просто здорово, — возразил он и опять взялся за чтение: — «Начало тысяча девятьсот восемьдесят девятого года. Ему пятнадцать. Берет в ассистентки Лайзу Иган. У них завязывается роман».

Куинн дернулась, когда он повернул листок, читая надпись, нацарапанную на полях.

— «Слишком молод для садиста-насильника. Впрочем, он уже много лет живет в мире взрослых».

Эрик покосился на девушку.

— Я, знаешь ли, всегда был развит не по годам. Итак... «Иган старше, она доминирует в отношениях, его это обижает, — должно быть, то же относится и к сексу. Недовольство и обида нарастают. Он убивает Кэтрин Таннер в июне восемьдесят девятого, — наверное, его первое убийство. Таннер похожа на Иган и получила такое же хорошее образование. Убив ее, он чувствует, что избавился от власти, которую Иган получила над ним, и, вероятно, может осуществить давно подавленные сексуальные фантазии. Следующая жертва — очередной слепок с Лайзы, но убийство даже не скрыто — он становится злее и чувствует себя более уверенно. Наконец он собирается с духом убить Лайзу, но в отличие от предыдущих это убийство не спланировано заранее и не обдумано. Он испуган, теряет голову и чуть не попадает в тюрьму». — Эрик ухмыльнулся, перелистнул страницу и продолжил: — «А может, и нет. Не очень-то он годится на роль садиста-насильника. Может, злость копилась в нем совершенно безотносительно к Иган? Из-за общей недоступности окружающих женщин? Несмотря на катарсис, испытанный от убийства женщины, которая имеет над ним власть, он в отличие от Эда Кемпера...» — Эрик оторвал взгляд от листка. — Эда Кемпера?

— Он... ну... в общем, расчленял студенток колледжа, потому что ненавидел свою мать, — пробормотала Куинн. — В результате перерезал ей горло и выкинул в бак для мусора. А потом пошел и сам сдался властям.

— Чудненько... «Он еще теряется в женском обществе — молодые физики не записные угодники... — Этот пассаж удостоился очередной ухмылки. — Тоскует по той безграничной власти над женщинами, которую обретает в момент убийства. В девяносто пятом году — а может, и раньше — берется за старое. Теперь более расчетлив. Уже не вблизи от дома, и жертвы больше не копии Лайзы. Отныне жертвы выбираются с таким расчетом, чтобы свести к минимуму вероятность обнаружения и ареста...»

Куинн слышала, как Эрик тщательно складывает листы, но сидела, почти уткнувшись головой в колени.

— Весьма впечатляюще, — заметил Твен, усаживаясь рядом с ней.

— Не знаю, как мне и просить прощения, — выговорила она, не отнимая рук от лица.

— Ты не сделала ничего такого, за что требовалось бы извиняться. Вполне разумная гипотеза. Хочешь знать, в чем ты ошиблась?

Девушка тихонько вздохнула.

— Конечно.

— Лайза. Она была чудесной — очень красивой и очень умной. С ней я чувствовал себя человеком, а не только ходячим калькулятором. Все детство я провел в обществе воспитателей и психиатров, которые из кожи вон лезли, лишь бы проникнуть мне в голову. И не потому, что я им так нравился, а потому, что у них имелись на мой счет всякие теории, которые им хотелось доказать. Или же они хотели написать про меня очередную статью. И после того как я пятнадцать лет служил им лабораторной крысой, ни одному из них не удалось и близко понять, что и как у меня устроено. Одна Лайза понимала.

Звучавшая в его голосе искренняя боль заставила Куинн наконец поднять голову.

— Мои родители меня побаивались, другие дети считали уродцем, мир искусства хотел использовать меня на полную катушку, а большинство ученых только и ждало, чтобы я провалился. Одна Лайза в моей жизни стоила того, чтобы жить.

Куинн порывисто потянулась к нему и накрыла его руку ладонью, но Эрик словно бы не заметил. Он смотрел сквозь собеседницу, не видя ее.

— Даже забавно. И прошло-то всего десять лет, а мне уже трудно представить ее. Как будто все остальное взяло и вытеснило образ Лайзы. Теперь я только и помню те неприятности, которых хлебнул после ее смерти...

— Да ты и знал-то ее сколько? Два года? И провел последние десять лет, расплачиваясь за это. Тебе пришлось жить под гнетом подозрений, пришлось покинуть дом...

Эрик резко выдохнул через нос. Возможно, это был горький смешок, но Куинн точно не поняла.

— Я не смог выносить все эти взгляды, понимаешь? Если я зарабатывался допоздна, женщины находили любой предлог, чтобы не оставаться со мной наедине в лаборатории. А потом еще и тот сукин сын из Балтимора, полицейский...

— Ренквист?

Эрик кивнул.

— Он не давал мне прохода, снова и снова приставал с одними и теми же вопросами, нашел поводы обзвонить всех людей, с которыми я хоть как-то поддерживал отношения. Все свое время тратил на попытки подловить меня — вместо того, чтобы искать негодяя, убившего Лайзу. И по сей день единственные друзья, что у меня остались, — это люди, которые знали меня до того, как все это произошло, и не поверили, что я виновен. Но таких очень немного.

Он замолчал, глядя на досье, что лежало на полу между ними. Куинн убрала руку, думая, что Эрик вот-вот потянется к нему, однако Твен не спешил брать папку. Вместо этого он снова откинулся на спинку кресла и задумчиво посмотрел на собеседницу.

— Ну, довольно нытья. А как насчет тебя?

— В смысле?

— Теперь ты знаешь историю всей моей жизни, самые потаенные уголки моей души, а я про тебя — вообще ничего.

Девушка пожала плечами:

— Да мне и рассказывать-то особо нечего. Моя жизнь была далеко не такой интересной, как твоя.

Эрик молчал, словно приглашая ее продолжать.

— Я выросла на маленькой молочной ферме в Западной Виргинии. А как окончила колледж, свалила оттуда со всей скоростью, как только могла.

— Почему?

— Очевидно, ты никогда не был на маленьких молочных фермах в Западной Виргинии.

— Хотела на мир взглянуть и себя показать?

— Можно сказать и так. Попав в Вашингтон, устроилась на работу программистом. А через год перешла на канцелярскую работу в ФБР, потому что хотела стать агентом.

— Правда? По-моему, стиль у тебя совсем не фэбээровский.

— Я бы справилась не хуже других, — защищаясь, проговорила Куинн.

— Вообще-то это задумывалось как комплимент. Чего ради ты вздумала идти в агенты?

— Я ведь уже говорила — мне показалось, это потрясающий способ зарабатывать на жизнь.

— Поэтому ты и не отослала досье назад?

Девушка медленно покачала головой.

— Возможно, отчасти и поэтому, не знаю... Нет, в основном из-за того, что людей до сих пор кто-то убивает.

Судя по всему, такой ответ Эрика вполне удовлетворил.

— Замужем?

Куинн покачала головой.

— Бойфренд есть?

— Уже нет.

Эрик принялся постукивать по нижней губе кончиком карандаша, но глаз с девушки не спускал. Он просидел так почти пять минут, прежде чем Куинн почувствовала, что больше не может этого выносить, и не нарушила тишину.

— Так что ты обо всем этом думаешь? Теперь-то ты мне веришь? Или по-прежнему считаешь чокнутой?

— Чокнутой не считаю. Хотя вынужден признать, что все это у меня в голове как-то не сходится. Наверняка существует какое-то простое объяснение, которое ты пропустила...

— Например?

Эрик вытащил из кармана резинку и забрал в хвост длинные волосы, обрамлявшие его лицо.

— Не знаю. Ты сидела над досье куда дольше моего. У этих женщин было что-нибудь общее, кроме того, что все они примерно одного возраста и типа сложения?

— У всех? Нет. Нет, ничего такого я не обнаружила.

— Выходит, ничто не указывает на то, что их убили по каким-то логическим соображениям. Жертв выбирали наобум. Какой-то маньяк.

— Возможно, ответ кроется там. — Она кивнула на последнее досье, чувствуя себя виноватой за то, что понуждает Эрика читать и его. — Ты знаешь это дело, как никто. Может, ты сумеешь найти связь. Увидеть что-то, чего не увидела я. И не увидела полиция.

— Не знаю. Прошло уже столько лет, — промолвил Эрик, наклоняясь. Он подобрал досье и медленно провел рукой по картонной обложке, но не открыл его.

Куинн поднялась и направилась к двери.

— Пойду проверю, не удастся ли раздобыть нам с тобой по чашке кофе.

Твен любил Лайзу Иган — это было видно по тому, как он говорил о ней. Куинн становилось почти физически плохо из-за того, что она заставляет его смотреть на ужасные фотографии ее мертвого тела, переживать заново самое болезненное время в жизни. Тут зрители ни к чему.

ГЛАВА 26

Почти весь экран компьютера занимало длинное математическое уравнение, однако доктор Эдвард Марин не видел его. И не ощущал. Прежде они для него были живыми. Они дышали, пели, нашептывали свои секреты, лучились красотой и эмоциями. А теперь они были мертвы. Безжизненные символы, которые более не имели никакого смысла.

Он повернулся и посмотрел на главную исследовательскую лабораторию, что виднелась сквозь северную, стеклянную, стену его кабинета. И она тоже утратила смысл, словно съежилась и поблекла — стерильная пещера, набитая бестолковыми механизмами, похитившими десять лет его жизни. Десять загубленных, потраченных понапрасну лет. Как он только допустил это? Как позволил так долго держать себя в заточении?

Тихий гул принтера нарушил его размышления. Доктор Марин резко развернулся в кресле навстречу источнику шума.

Она вернулась. Лабораторный халат скрывал стройное, сильное тело, хотя этот досадный факт до известной степени уравновешивался тем, как белая ткань разительно контрастировала со струящимися по спине девушки черными волосами. Сегодня на девушке были джинсы и серые теннисные туфли.

В самом начале она редко приходила по субботам. Но теперь он пользовался любым предлогом, чтобы вызвать ее, — данные, которые надо собрать, проблемы с компьютером, срочная памятка, которую необходимо напечатать и разослать адресатам. Все, что угодно, лишь бы снова видеть ее на фоне пустынной лаборатории. Вдвоем, наедине...

— Я уже почти закончила, доктор Марин, — пропела девушка, соблазнительно оглядываясь через плечо. — Положить вам на стол?

— Нет, Синтия, я возьму оттуда.

Он наблюдал, как она плавно шагает к нему. Легкая, почти первобытная грация ее походки лишь подчеркивалась всей окружавшей девушку современнейшей технологией.

Несмотря на неординарный ум Синтии, суровая правда заключалась в том, что она была еще слишком молода и неопытна, чтобы работать ассистенткой доктора Марина, и это время от времени разочаровывало. Но такие мелкие неприятности меркли на фоне всех преимуществ, что даровала ее молодость. Эта маленькая идеальная грудь, мускулистые ноги, плоский живот. Все лишь слегка обрисовано и никогда не является взору полностью, скрывается порхающим вокруг тела халатиком.

Он взял у нее распечатку, вслушиваясь в легкий звук, с каким бумага скользнула по гладкой коже.

— Еще что-нибудь, доктор?

Девушка отступила на полшага назад. И эти полшага вновь показали ему близость конца.

Когда он взял Синтию на работу, она благоговела перед ним. И со временем он имел возможность наблюдать, как благоговение сменяется влечением, почти влюбленностью. Эта стадия достигла своего апогея месяцев шесть назад: мимолетные, вовсе не необходимые по работе прикосновения, едва заметная застенчивость, смущение, когда она знала, что он смотрит на нее, неловкие попытки завязать разговор, когда сказать, в общем, и нечего.

Теперь все эти сигналы исчезли, сменившись смутной нервозностью. Марин сильно подозревал, что она сама не знает, почему и отчего это произошло. Скорее всего дело тут в знаменитой женской интуиции. И это его тревожило. Хотя все же и приводило в восторг, возбуждало.

— Еще пара мелочей, Синтия, — промолвил он, не желая отпускать ее так рано. — Я...

Механическое жужжание телефона прервало его. Ассистентка сняла трубку:

— Кабинет доктора Марина... Да, он здесь... Хорошо, сэр, я ему передам.

— Мне звонили? — спросил Марин, когда она положила трубку.

— Генерал Прайс хочет видеть вас, доктор.

Он с насмешливой важностью покачал головой:

— Великолепно! Надеюсь, встреча будет стоить того, чтобы убить на нее остаток дня.

Девушка улыбнулась, но слабо и неискренне, лишь из вежливости.

— Ну ладно. — Марин встал с кресла и неохотно зашагал к двери. — Вот что я вам скажу — на сегодня тогда довольно. Идите и хорошенько развлекитесь. Увидимся утром в понедельник.

Марин не припоминал, чтобы когда-либо прежде видел приемную Ричарда Прайса пустой. Обычно она была битком набита бюрократическими трутнями, смиренно ожидающими аудиенции у своего владыки. Сегодня же отсутствовала даже высохшая старая секретарша, столь ревностно охранявшая покой хозяина.

— Прямо-таки странно видеть вас здесь, Ричард. Разве вам не полагалось бы проводить время с любимой и замечательной семьей?

Прайс выглядел как обычно: серый костюм, красный галстук, белая сорочка. Люди вроде него жить не могут без униформы — не одной, так другой. В ней они чувствуют себя в безопасности, как часть чего-то целого. И черпают в том свою властность.

— Садитесь, доктор.

В приглашении эта самая властность как раз и звучала, хотя Прайсу еще хватало ума не пережимать. Марин кивнул в знак согласия и присел, предоставляя Прайсу иллюзию контроля над ситуацией. Он очень рассчитывал, что встреча выйдет в худшем случае весьма интересной, в лучшем же — крайне занимательной.

Несколько мгновений Прайс сидел молча, не глядя на Марина. И наконец заговорил:

— Вы не придерживаетесь нашего соглашения.

Марин никогда не мог до конца определиться, кто внушает ему большее отвращение. Политики с их тщательно спланированным ханжеством или солдафоны с ханжеством спонтанно-возмущенным? Он позволил себе отобразить на лице намек на улыбку. Они не говорили на эту тему почти десять лет. Прайсу нравилось делать вид, будто всего этого просто не существует, будто он — истинный патриот. Без сомнения, старый святоша ночи напролет философствовал на темы «нужд многих», «допустимых потерь» и прочих клише, коими ему подобные прикрывают свои амбиции.

— Мы не можем позволить более никаких несанкционированных действий.

— Несанкционированные действия, — негромко повторил Марин. Слова эти слетали с языка так отстраненно, так безлично и малозначаще.

Генерал Прайс все же посмотрел прямо на него, упершись ладонями в стол, словно готовясь отразить воображаемую атаку.

— Доктор, это не игра. Мы с вами пришли к соглашению, и вы дали слово чести, что будете выполнять его.

Чести!

— Действуя у нас за спиной, — продолжал Прайс, — вы поставили нас в трудное положение. Один раз заставили форсировать события. Во второй едва не погубили и нас, и себя.

Все это было очень тонко, но сочетание тона и выбранных выражений таило в себе угрозу. Прекрасная и, судя по всему, шустрая Куинн Барри все еще не попалась в руки Брэда Лоуэлла и его банды подхалимов. Ну разумеется, Марин все про нее знал. Провозившись столько времени с системой коммуникаций Прайса, он все про всех знал. Знал, что она получила досье на пятерых из числа его молодых женщин, что она обнаружила внесенные «СТД» поправки к CODIS, что она спаслась от бездарных и неуклюжих попыток Лоуэлла ее захватить — и не один раз, а целых два.

Нельзя было выбрать более подходящего времени. Марин от души надеялся, что еще получит возможность встретиться с этой молодой женщиной, прежде чем дело дойдет до финала.

— Разве мы не обеспечивали вас всем, чего вы просили? — осведомился Прайс, так же опираясь о стол. — Разве не давали вам все, в чем вы нуждались?

Марин не ответил. Как мог человек со столь ограниченным интеллектом и воображением хотя бы приблизительно понять? Они не обеспечивали его ничем. Ничем.

Прошло уже более десяти лет, но воспоминания все еще оставались болезненно яркими и живыми. Полиция действовала быстрее, чем он ожидал. Копы нагрянули в его дом, начали задавать вопросы. Поначалу разговоры о Лайзе Иган были достаточно невинными, но скоро приобрели совсем иной характер.

Ее смерть стала для него настоящей трагедией — она была так прекрасна, так совершенна. И он так долго ждал ее. Он все еще слышал стук, громко прозвучавший в ее уютном, полном женских запахов жилище. Тогда он был еще относительно неопытен и, к мгновенному своему удивлению, потерял власть над ней. И в ужасе увидел, как она набирает в грудь воздуха, готовясь закричать на весь университет. Чувство глубокой потери, которое испытал он, когда тонкая кожа и крепкое горлышко разошлись под ножом, нельзя было описать никакими словами.

Она и по сей день всегда оставалась с ним — куда в большей степени, чем остальные. Он просыпался по ночам, тоскуя по ней — по навсегда утраченной возможности. Что могла бы открыть она ему из того, что не открыли прочие?

— Помните, доктор, где бы вы оказались без моей помощи. Полиция шла за вами по пятам. Когда бы не я...

— Я был бы уже мертв, — договорил Марин рассчитанно нейтральным тоном, не позволяющим даже догадываться, благодарен ли он Прайсу за вмешательство или же взбешен. Генерал замялся, словно бы не зная, как отвечать.

В конечном итоге предложение Прайса оказалось западней. Марин сознавал это с самого начала, но тогда у него не было выбора. Он не мог допустить, чтобы все кончилось вот так. Бесславно.

Когда Прайс заговорил снова, голос его обрел былую уверенность, — Марин заранее знал, что так оно и будет.

— Не вдаваясь в детали, доктор, должен сообщить вам, что мы в крайне опасном положении. И мне надо знать: могу ли я рассчитывать на ваше сотрудничество?

Прайс упрощал его задачу — даже слишком упрощал. Генерал так хотел — так отчаянно хотел — верить ему. Марин на миг поиграл с мыслью, а не заставить ли умолять себя, но знал — овчинка выделки не стоит. Развлечение окажется бессмысленным и невероятно нудным. Он и без того скоро поставит Прайса на колени.

— Можете, генерал. Даю вам слово.

Не успел Марин выйти за дверь, как на столе генерала зазвонил телефон. Прайс не сразу снял трубку, а выждал, пока посетитель вышел в приемную и направился обратно в лабораторию.

Все прошло лучше, чем он ожидал. Высокомерие Марина сегодня как-то попритихло — даже нехарактерно для него. Любит он пыжиться, но в конечном итоге свое место знает и потерять боится. Инстинкты Прайса подсказывали: больше хлопот с доктором Марином не будет. Во всяком случае, в ближайшее время.

Удостоверившись, что звонок идет по секретному каналу, зарезервированному для Брэда Лоуэлла, Прайс снял трубку. Может, удача еще не покинула его и сейчас он услышит хорошие вести?

— Еще не нашли?

Он надеялся на немедленный ответ, но Брэд отозвался лишь через несколько секунд.

— Нет, сэр.

— И что мы имеем на данный момент?

— Наше наблюдение пока не обнаружило никаких контактов, сэр.

— Но оно покрывает все?

— Да, сэр. Хотя мы пока не смогли обнаружить Эрика Твена. Мои люди обыскали его дом и не нашли там никаких указаний на то, чтобы он собирался куда-то уехать надолго. Там установлено постоянное дежурство.

Прайс вытащил из коробки на столе сигару и нервно впился в нее зубами.

— Могла она связаться с ним?

— Основываясь на той информации, что у нее, по нашим сведениям, имеется, я бы счел такой вариант маловероятным, сэр. Скорее она подозревает Твена.

Прайс немного помолчал, обдумывая ситуацию.

— Необходимо найти его, Брэд. Нельзя рисковать и оставлять хоть что-то на произвол случайностей.

— Я понимаю, сэр. Мы делаем все, что в наших силах.

— Держите меня в курсе любой — любой! — новой информации.

— Разумеется.

— И, Брэд...

— Сэр?

— Вы же понимаете, что с Твеном ничего случиться не должно. Его надо защищать любой ценой.

ГЛАВА 27

Над пенопластовой чашкой вился аппетитный дымок, хотя первый же глоток обнаружил, что кофе по вкусу скорее похож на результат неудавшегося химического эксперимента. Куинн надорвала еще один пакетик с сахаром и высыпала содержимое в чашку. Теперь стало чуть-чуть получше: кофе напоминал переслащенный результат неудавшегося химического эксперимента. Ну и к черту, на самом деле ей вовсе и не хотелось пить. Она и за кофе-то пошла лишь потому, что ей требовался предлог для бегства.

Она бросила взгляд на выпуклое зеркало, в котором отражались слегка искривленные ряды всяческих полуфабрикатов у нее за спиной. Мужчина, стоявший чуть сзади, передвинулся, делая вид, будто рассматривает пакетик чипсов, а на самом деле занимая позицию, чтобы лучше видеть Куинн.

Накрыв свои две чашки крышечками, она понесла их к прилавкам у задней стенки. Если не считать кассирши, совсем молоденькой девушки с такой вздыбленной прической, словно она собиралась ветер ловить, во всем магазине, кроме них и того мужчины, никого вообще не было. Куинн зашла за стойку с ненатурально яркими сластями и осторожно взглянула на подозрительного посетителя.

Короткая стрижка, очки в проволочной оправе и приличный, но совершенно немодный серый костюм. Вот он поднял голову и принялся выискивать ее взглядом — и сердце у Куинн так и подпрыгнуло.

Сумасшествие какое-то! Мужчины таращатся на нее с тех пор, как ей минуло четырнадцать. У нее просто развилась самая настоящая паранойя. Нельзя так распускаться!

Куинн взяла пакет пончиков и по пути к кассе нарочно прошла как можно ближе к воображаемому преследователю. Он с явным усилием отвел взгляд.

— Все? — спросила кассирша за стойкой.

— Кажется, да.

Мужчина снова смотрел на Куинн — на сей раз даже и не скрываясь. Девушка видела его отражение в зеркале над стойкой.

— Сдачи не надо, — промолвила Куинн, бросая через прилавок десятку и торопливо сгребая свои покупки. И выскочила за дверь — мужчина и шевельнуться не успел.

Она шла со всей скоростью, как только могла, следя лишь, чтобы походка не сбивалась на трусливый бег. Но было уже слишком поздно — гонки с надвигавшейся ночью не выиграть. Почти все немногочисленные машины на этой пустынной улочке уже включили фары, ослепляя девушку и наводняя узкий переулок, по которому она шла, непроницаемыми тенями.

Добравшись наконец до ступеней библиотеки, она поймала себя на том, что почти бежит. Запыхавшись, взлетела на крыльцо и нырнула внутрь. Стеклянные двери в сумраке превратились в зеркала, и Куинн на мгновение замерла, вглядываясь в отражение улицы. Тот человек не пошел за ней. Обернувшись, она увидела, что переулок и крыльцо были совершенно пустынны.

— Держи себя в руках, ради Бога! — сказала она, достаточно громко, чтобы заслужить суровый взгляд от дамы за стойкой выдачи литературы. Куинн виновато улыбнулась и поспешила в зал, где оставила Эрика.

— Ну как? — спросила она, тихонько прикрывая за собой дверь и подталкивая ему по столу одну из чашек. Усевшись, Куинн увидела, что последнее досье лежит перед Эриком на столе и открыто, но вопреки ожиданиям не увидела на лице молодого человека боли. Лицо у него было решительное и сосредоточенное: сжатые губы, прищуренные глаза. Рассеянность и отстраненность, характерные для него до сих пор, исчезли напрочь, развеялись без следа.

— Эрик?

Он захлопнул папку, вскочил на ноги и принялся расхаживать по маленькому зальчику взад и вперед.

— Сукин сын!

— Что?

— Он даже не пытался найти, кто на самом деле виновен!

— О ком ты?

— Да о Рое Ренквисте! — рявкнул Эрик. — Гнуснейший ублюдок, каких я только встречал, и, кажется, тупейший...

— Послушай, Эрик, не то чтобы я его защищала, но у него были все основания заподозрить тебя. С точки зрения статистики...

— Вот только не надо о статистике, Куинн! Уж в чем, в чем, а в ней я смыслю. Если кто-то режет тебя на куски цепной пилой, немалый шанс, что это сделал тот, кого ты любишь, так ведь? Ну ладно, согласен. И признаю, что отчасти сам виноват в том, что стал таким удобным подозреваемым. — Он ткнул пальцем в сторону папки. — Но это... классический образец мышления, давшего миру темные века. Сперва сделать вывод, а потом подогнать под него доказательства. Немыслимо, просто немыслимо! Все линии следствия, не связанные непосредственно со мной, просто-напросто отсекались на корню. Он так цеплялся за все дерьмо, что обо мне накопал, что даже не слушал, чего я там говорю. Сидел себе да изобретал способ прижать меня к ногтю.

Эрик все же перестал вышагивать по залу и рухнул в кресло, хоть отчасти дав выход гневу.

— Неудивительно, что они никого не поймали. Тип, который убил Лайзу, мог бы дать в газеты объявление с полным признанием — Ренквист бы и ухом не повел.

Куинн положила папку на колени и пролистала, избегая смотреть на фотографии мертвого тела Лайзы Иган.

— Так, ты говоришь, тут ничего полезного нет? Ничего, что помогло бы нам?

— Абсолютно ничего хоть мало-мальски внятного.

Девушка переворачивала страницы, на миг останавливаясь на результатах анализов и кратких версиях и толком даже не вчитываясь. Наверняка же здесь есть, есть хоть что-то, что можно выцарапать, что можно пустить на пользу дела. Кто-то, кому она может довериться.

— И что мы имеем в итоге?

— Не знаю, — ответил Эрик. — Но Лайза мертва. Ровно так же, как час назад.

— Эрик...

Он словно не слышал.

— Эрик. Ну пожалуйста, посмотри на меня.

Когда он выполнил ее просьбу, лицо у него чуть помягчело.

— Я понимаю, что, по сути, ты ничегошеньки обо мне не знаешь. И не знаешь, чему верить. И все же я прошу твоей помощи.

У него был такой вид, будто он вот-вот встанет и уйдет. Куинн мысленно умоляла его не делать этого, и на сей раз, кажется, получилось. Молодой человек глубоко вздохнул и поудобнее устроился в кресле.

— Ладно. Итак, что мы знаем? — спросил он.

— А?

— Всегда начинай с того, что ты знаешь.

Не скрывая облегчения, Куинн вытащила из рюкзака несколько чистых листков и ручку.

— Хорошо. Что мы знаем? Мы знаем, что некто — один человек или несколько — насилует, мучает и убивает молодых женщин по всей стране. И еще мы имеем компьютерную систему ФБР, нарочно искривленную так, чтобы покрывать этот факт.

Эрик словно бы снова ускользал в себя.

— Эрик! Ты еще здесь?

— Да. Ну хорошо. Так что мы можем уверенно предположить?

Вот это был уже вопрос потруднее.

— Что тут замешаны по меньшей мере двое.

— Почему?

— Те люди, которые на меня напали.

— А, ну да.

Куинн пропустила мимо ушей скрытый в этом коротком замечании скептицизм и продолжила:

— По крайней мере один из них очень умен и ловок, причем располагает большими возможностями. Им удалось не только исказить CODIS, но и пронюхать про мой визит к отцу, устроив так, чтобы мой автомобиль заглох в самой безлюдной части дороги. Отсюда также напрашивается вывод, что они имеют доступ к стоянке в Квонтико.

— Так, ты думаешь, они агенты ФБР, — заключил Эрик.

Девушка вытащила ручку изо рта и крупными буквами вывела на листе перед собой: «НЕИЗВ». — «Неизвестный».

— Так что мы о нем знаем? МО варьируется от убийства к убийству, что типично для преступника, усовершенствующего свой сценарий, но мы можем со всей вероятностью предположить, что почерк один и тот же...

— Что-то я за тобой не успеваю.

— МО — это «modus operandi», то, как именно преступник совершает свое преступление, всякие скучные подробности. Ну, например, проникает ли он обычно в помещение через окно или через дверь, носит ли перчатки. А «почерк» — это то, что именно он делает. Вот это обычно не очень меняется, потому что он делает то, что его возбуждает, иначе ему никакого смысла совершать преступления нет. В данном конкретном случае он их связывает, насилует и режет ножом, бритвой или чем-то в этом роде.

— Где ты всего этого набралась? Ведь вроде говорила же, что программист.

— Я... ну... прочла.

Эрик чуть заметно нахмурился, но ничего не сказал.

— Думаю, следует предположить, что всю картину в целом мы не видим. Едва ли убийство восемьдесят девятого года было первым.

— Почему ты так решила?

— Лаборатории отдельных штатов только недавно получили финансирование на ДНК-анализ старых дел. Так что на данный момент процесс доведен как раз до восьмидесятых годов. Возможно, тот факт, что первые наши доказательства по ДНК относятся как раз к этому периоду, — это простое совпадение, но я так не думаю. Полагаю, наш тип будет прослеживать, как продвигаются дела в этом направлении.

— При условии, что тогда брались образцы ДНК.

— Верно. Убийство восемьдесят девятого года он пытался скрыть. Если он поступал так же и раньше, если маскировал преступление под несчастный случай или просто скрывал все следы, то в базе данных никаких данных не окажется.

— То есть ты имеешь в виду, что с таким же успехом этот тип мог убить сотни женщин?

Почему-то эта цифра, услышанная от Эрика, вдруг потрясла девушку. Куинн потребовалось несколько секунд на то, чтобы прийти в себя.

— Если взглянуть на первые смерти, видно, что убийца выбирал себе жертвы излюбленного типа. Около двадцати пяти лет, с высшим образованием, физически привлекательные. Должно быть, для него это крайне важно. Он воплощает свои фантазии, а жертва для него вместо актрисы. Наверное, по типу восприятия он визуал.

— Ты вычитала это все в своей книге?

Девушка нервно откашлялась.

— Ну, не то чтобы вычитала... так, проглядела. И не одну книгу, а две.

— Две книги? А-а-а. Ну ладно, в таком случае продолжай, пожалуйста.

— Эй, давай без этих штучек. — В голосе девушки послышался гнев. — Если ты думаешь, что на моем месте справился бы лучше...

Эрик поднял руки вверх:

— Полегче, Куинн. Нет, не думаю. Не думаю, что на твоем месте справился бы лучше.

— Хорошо же. Скорее всего это белый мужчина. Сомневаюсь, чтобы он начал убивать раньше двадцати пяти, так что сейчас ему лет тридцать пять, а может и больше. Надо полагать, он доминирующего типа личности, вероятно, большой эгоцентрик и, когда хочет, умеет быть очень обаятельным. Определенно интеллект выше обычного уровня, наверняка — высшее образование. Скорее всего он хранит от убийств какие-то сувениры, чтобы дома вновь мысленно переживать произошедшее. Это может быть что угодно — фотографии жертв, может, даже видео. Одежда, украшения, части тел — хотя на это в наших данных ничто не указывает. Еще, вероятно, он коллекционирует садомазохистскую порнографию.

Оторвав взгляд от блокнота, она увидела, что Эрик позеленел.

— Эй, ты как, ничего?

— Вполне.

— Ну ладно. За тот временной период, о котором у нас имеются данные, он становился все нетерпеливее и безрассуднее. В восемьдесят девятом он еще берет на себя труд сделать так, чтобы смерть девушки казалась несчастным случаем. Но в девяносто первом уже не делает этого — либо не может, либо не считает нужным утруждаться. Потом, в девяносто втором, ему не дают довести дело до конца. Еще одно указание на то, что он становится небрежен. Возможно, утратил контроль над ситуацией. А может, решил, что, напротив, слишком хорошо ее контролирует и что ему нужен элемент риска.

— Но потом все меняется, — перебил ее Эрик. — Помнишь о «катарсисе», испытанном мной, когда я убил свою подружку?

Куинн поморщилась. Эрик цитировал ее «профиль преступника».

— Думаю, внезапная помеха могла сильно напугать его. Возможно, достаточно сильно, чтобы он резко сменил метод...

— Хотя ты не уверена...

Девушка пожала плечами.

— Три первых преступления были совершены в местах, расположенных в нескольких часах езды друг от друга и, вероятно, недалеко от его дома. Большинство убийц такого сорта предпочитают действовать на знакомой территории, где чувствуют себя уверенно. Может, он решил, что копы подобрались слишком близко, и расширил область действий.

— Ну ладно, согласен. А как насчет выбора жертвы? Ты говорила, такие убийцы предпочитают для своих игрищ совершенно определенный тип жертв. А последние три женщины не получили высшего образования, да и выглядят совсем иначе, чем три первые...

— Но они примерно того же возраста и типа сложения.

— Да. Однако мог ли он изменить своему типу? Хотя бы настолько?

— Не знаю. — Куинн медленно покачала головой. — Есть определенная логика в том, чтобы сменить тип жертв на тех, кто уже сам по себе в зоне риска и для кого найдется естественный подозреваемый.

— Правда, психи ведь по определению нелогичны.

Куинн откинулась на спинку кресла и отшвырнула ручку на стол.

— Я и не пытаюсь выдавать себя за эксперта.

— И все же ты явно немало об этом думала. Полагаю, все это к чему-то ведет?

— Не знаю.

— Да знаешь, знаешь, просто не говоришь.

Видно, она слишком много времени провела с Дэвидом и его дружками-неандертальцами. Куинн не привыкла к тому, что мужчины так легко читают ее мысли.

— Ко мне мы, я так понимаю, не возвращаемся?

— Нет, не возвращаемся. Соедини то, что я тебе только что сказала, с тем, как эту всю историю заминают.

— Ах да. Эти твои таинственные агенты ФБР.

— У тебя есть идея получше?

— Я вовсе не критикую...

Девушка тихонько вздохнула:

— Прости, я и правда устала.

— Так куда тебя это приводит, Куинн? К какому-то неизвестному из ФБР, который располагает достаточными возможностями, чтобы запрограммировать CODIS на обход его ДНК, да?

— Если хорошенько подумать, эта теория идеально подходит и ко всему остальному, что нам известно, — заметила девушка. — Любой агент ФБР имеет доступ к информации о женщинах из группы риска по полицейским отчетам. Так что он мог знать, где найти две последние жертвы.

— И имел доступ к стоянке в Квонтико, чтобы испортить тебе машину.

Она кивнула.

— Ну же, Куинн, не томи. Кто наш убийца?

Было очень трудно произнести это вслух. Но других объяснений придумать она не могла.

— Мой прежний босс. Луи Крейтер.

Эрик приподнял брови, но ничего не сказал.

— Это ведь он устроил мой перевод, — торопливо принялась объяснять девушка. — Он с самого начала участвовал в создании CODIS, он вполне мог следить за мной в Квонтико, не буду ли я по-прежнему интересоваться этим делом. Он белый мужчина и более или менее подходящего возраста и склада характера. Это он избавился от подрядчиков со стороны и стал единолично контролировать ход работ...

Эрик смотрел на нее, постукивая себя по передним зубам, на сей раз ногтем. Что-то такое в этом молодом человеке еще внушало Куинн смутную тревогу. Несмотря на все, что она знала о нем из досье, ей казалось, будто он наблюдает за ней сквозь двустороннее зеркало. Воспринял ли он то, что она говорит, всерьез или втихомолку потешается над ней, тянет время, просто потому, что больше заняться нечем?

— Ну ладно, — наконец произнес Эрик. — Допустим, ты права. Как тогда он завербовал бы себе помощников? Если предположить, что твой босс сидел во второй машине, кто же пытался тебя схватить?

Хороший вопрос — и как раз из тех, на которые у нее вразумительного ответа не было.

— Соучастник? Известно несколько прецедентов, когда садисты-насильники работали в группе. А может, он просто чего-то наврал и привлек агента якобы для помощи по какому-то совсем другому делу?

Такая версия, кстати, могла бы объяснить и участие во всем произошедшем Дэвида — если она не окончательно сошла с ума и он действительно замешан.

Эрик покачал головой:

— Только не соучастник. Тогда бы им пришлось писать подпрограмму, чтобы спрятать и его ДНК, а ты нашла лишь один обходной путь. И не другой агент. Убийца не пошел бы на такой риск сверх необходимости. Он бы просто разделался с тобой сам, в одиночку. Черт возьми, да ты ведь почти идеально вписываешься в типаж его жертв!

Этот факт с самого начала маячил на краю сознания Куинн. До сих пор ей удавалось с грехом пополам отгонять видения о том, как псих с ножом склоняется над ней, обнаженной, привязанной к полу. Но со временем отгораживаться становилось все сложнее и сложнее...

— А как насчет просто преступников? — раздумчиво проговорил Эрик. — Тех, кого он в свое время отпустил и которые теперь у него в долгу. Ты ведь сказала, он практически целиком и полностью контролирует CODIS, да? Что, если он просто время от времени утаивает какие-то улики, а потом пускает в ход старый добрый шантаж?

— Наверное, вполне возможно.

— Отлично. Тогда давай позвоним программистам, которые создавали систему, и спросим, не велел ли Крейтер вставить им туда эту маленькую подпрограммку. Вуаля! Вот тебе и ответ.

Куинн набрала в рот кофе и заставила себя проглотить. В холодном виде он не стал ничуточки лучше, но сахар и кофеин все равно должны оказать свое действие.

— Не выйдет. Даже если бы я и знала, кто именно создавал программу, с какой стати они стали бы обсуждать со мной секретный правительственный контракт? Особенно если Крейтер велел им этого не делать, — а он наверняка велел.

Эрик нахмурился, явно соглашаясь с ее логикой.

— Почему-то я заранее уверен, что еще пожалею, что задал этот вопрос, — произнес он. — Но что, по-твоему, нам в таком случае делать?

ГЛАВА 28

— Скажи, все это кажется тебе полным идиотизмом? Потому что мне еще как кажется.

Эрик Твен сдвинулся чуть вбок, чтобы получше воспользоваться тем жалким прикрытием, что предоставляло им это место. Молодые люди стояли под навесом, где Луи Крейтер держал свой автомобиль. Навес этот, в свою очередь, располагался в самой гуще довольно-таки населенных пригородов в тридцати минутах езды от Вашингтона. На счастье, этот мини-гараж находился чуть ниже уровня улицы, да к тому же там был припаркован автомобиль. Правда, гнусная «мазда-миата», так что укрытие выходило не бог весть какое.

— Я же тебе говорила, — Куинн продолжала исследовать сделанную из дерева и стекла дверь кухни, — Луи уехал в Атланту, на конференцию.

— Да мне плевать, пусть он хоть... — Эрик вдруг осознал, что почти кричит, и поспешно перешел на шепот. — Мне плевать, пусть он хоть вышел на околоземную орбиту. Он агент ФБР, и можешь мне поверить — у этих парней нет чувства юмора, когда дело касается подобных вещей. Если ты так уверена в его виновности, почему бы нам просто не позвонить и не вызвать кого следует?

Девушка оглянулась. Выражение ее лица разобрать было невозможно — на него падали пересекающиеся полосы света и тени от уличных фонарей.

— Кому звонить-то, Эрик? В создании CODIS участвовало множество очень влиятельных лиц. А вдруг я ошибаюсь и Луи не тот, кого мы ищем? А вдруг мы свяжемся не с тем, с кем надо? Я только и говорю, что имеет смысл точно во всем убедиться.

Она переключилась на бумажный пакет у своих ног и высыпала оттуда содержимое себе на ладонь.

— Так вот что ты купила в скобяной лавке? Куинн, право... нам надо поговорить.

Она не обратила на эти призывы ни малейшего внимания и, налепив на стекло присоску, принялась деловито орудовать вокруг стеклорезом.

— Черт! — выругался себе под нос Эрик, оглядываясь на улицу. Вокруг все было так же пусто, как и минуту назад, но вдалеке двигались какие-то смутно различимые фигуры. Должно быть, собачники вышли на прогулку. Любители воспользоваться сумерками и выпустить питомцев порезвиться на соседской лужайке. Впрочем, в непосредственной близости никого не было, и в эту сторону вроде бы никто не шел. Наверное, даже местным собачникам хватает ума ограничить свои невинные шалости владениями тех, кто ходит на работу без кобуры на поясе.

К тому времени как Эрик убедился, что в ближайшие несколько минут их никто не побеспокоит, Куинн уже просунула руку в маленькое отверстие в стекле и отодвинула задвижку. Через миг девушка стояла в темной кухне и выжидающе смотрела на своего спутника.

— Ну что, идешь?

Молодой человек не тронулся с места, глядя на открытую дверь. Пусть он и оказался достаточно глуп, чтобы зайти так далеко, еще не поздно развернуться и уйти. Куда как лучше, чем стоять тут под навесом, дожидаясь, пока какая-нибудь старушка с пудельком заметит его и вызовет полицию. Когда Эрик наконец шагнул вперед, Куинн повернулась и исчезла в глубине дома.

Кухня, куда вошел Эрик, блистала чистотой и опрятностью. На виду ничего, кроме корзинки со всякими моющими средствами. Сквозь сумрак виднелся краешек гостиной — удивительно необжитой с виду.

До Эрика в полной мере дошла вся нелепость ситуации. Он прислонился к холодильнику, отказываясь идти дальше. Последние десять лет он что было сил старался избегать копов — и вот, полюбуйтесь, позволил уговорить себя вломиться в дом полицейского. И кому позволил-то? Женщине, судя по всему, недавно сбежавшей из психушки для особо буйнопомешанных.

— Умно. Очень умно, — пробормотал он ровно в ту минуту, когда Куинн выглянула из-за угла и настойчиво поманила его к себе. Эрик вздохнул и двинулся вслед за ней на второй этаж.

Девушка остановилась посреди коридора и показала на маленькую ванную.

— Начни здесь. Мы ищем обрезки ногтей, волосы, на которых остались луковки, — все, из чего можно получить ДНК.

Эрик без малейшего энтузиазма кивнул и щелкнул выключателем на стене. Внезапно вспыхнувший свет ударил ему по нервам еще сильнее, хотя вроде бы ставни на окнах были закрыты надежно.

Раковина сияла почти стерильной чистотой. Здесь явно ничего не найдешь. Эрик опустился на колени — но лишь затем, чтобы обнаружить, что и ванна выглядит точно так же. Свернув шею набок, он заглянул за унитаз, но тут сзади тихонько подкралась Куинн.

— Эрик!

Он резко выпрямился, треснувшись при этом головой о край унитаза, от чего в неистово бегущую по жилам кровь тут же поступила новая порция адреналина.

— Боже! — прошептал Эрик, хотя шепот прозвучал тут едва ли не громче крика. — Совсем спятила?

Присев на край ванны, он потер затылок, буквально чувствуя сквозь волосы, как наливается и растет здоровенная шишка.

— Взгляни! — Полностью игнорируя его смятение, девушка гордо протянула «Пентхаус». — А я тебе что говорила — коллекционирует порнуху.

— Ты сказала — садомазохистскую порнуху. А это «Пентхаус».

Куинн распахнула журнал на центральной вкладке, изображавшей красотку в одних лишь кожаных сапожках, восседающую в отнюдь не благопристойной позе.

— Шутишь? Это же сплошная похабщина!

— Да брось ты, Куинн. Согласен, к искусству это не имеет ни малейшего отношения, но данный журнал выписывает добрая половина мужского населения Америки.

Девушка бросила на фотографию последний, полный отвращения взгляд и захлопнула журнал.

— Нашел что-нибудь?

Эрик покачал головой.

— Не думаю, чтобы он вообще пользовался ванной. А у тебя?

— Пока ничего, но найду обязательно. Жаль только, он почти лысый, — добавила она, выходя в коридор. — А почему бы тебе тогда не пошарить у него в кабинете?

— Слушаюсь, мэм, — пробормотал Эрик, уверившись, что она уже не услышит.

— Я все слышала!

Кабинет оказался не слишком-то обустроенным: всего лишь письменный стол с компьютером и одна-единственная книжная полка, да и то полупустая. Эрик немного постоял посреди комнаты, не зная толком, с какого конца браться за эту задачу. Ползать по чужой ванной — это одно, а вот вторгаться в кабинет — уж и вовсе как-то гнусно.

С другой стороны, он не сомневался: молодая женщина, шарящая сейчас в соседней комнате, все равно его не выпустит, пока не убедится, что они перевернули тут каждый камень. Эрик пожал плечами и уселся перед компьютером. Быстрый поиск на жестком диске не выявил ни следа порнографии, а браузер не показывал никаких недавних хождений на сайты «только для взрослых».

В чулане было столь же аккуратно и убрано, как и везде в доме, что позволило Эрику сразу добраться до самого интересного. Но в чеках и документах, что он пролистал, не обнаружилось ни счетов от какого-нибудь «Дворца наслаждений госпожи Инги», ни фотографий или видеокассет. Никакого женского белья. Никаких украшений. Осмотр стопки старых календарей тоже не дал ровным счетом ничего. А чего, собственно, он ждал? Записки на память: «Замучить до смерти молодую женщину, 4 часа дня. По дороге домой не забыть забрать белье из прачечной»? Идиотизм — вот что такое их затея.

Эрик как раз пролистывал паспорт Луи Крейтера, когда снизу ему померещился какой-то шорох. Он попытался убедить себя, что это причуды расшалившегося воображения, однако шорох повторился, и на сей раз куда отчетливее и слышнее. Резко сглотнув, Эрик выпрямился, бесшумно прокрался вниз по ступеням и осторожно заглянул на кухню.

Уборщица была испанкой, лет пятидесяти с небольшим. Эрик тут же вспомнил, что видел метелку для пыли, которую она сейчас держала в руке, в корзинке со всякими моющими средствами. Одно хорошо — покамест женщина и не подозревала, что в доме есть посторонние, а просто сметала себе пыль, покачиваясь под несущиеся из наушников звуки музыки. А что плохо — она намертво перегораживала все выходы из дома.

Да уж, просто замечательно!

* * *

Куинн и взгляда не оторвала от пола, пока Эрик тихонько не прикрыл дверь, запершись с ней в этой крохотной ванной комнате.

— Что ты делаешь? — спросила она, удивленно глядя на единственный выход. Вид у нее вдруг стал неуверенный. Может, даже чуточку испуганный. Так ей и надо!

— Нашла что-нибудь?

— Ну, в общем, да. Несколько волосков, — нерешительно произнесла она. — Впрочем, не очень-то удачных. А почему ты загораживаешь дверь?

Пропустив вопрос мимо ушей, Эрик остался стоять на прежнем месте.

— Я выяснил, почему тут всюду такая чистота.

— Правда?

— К нему горничная приходит.

— Откуда ты знаешь?

— Она там, внизу. Пыль вытирает.

Куинн вскочила:

— Ты что? Какая горничная станет работать в такой поздний час?

— Такая, как там, внизу.

Взгляд девушки так и заметался по комнате, а потом она растерянно провела рукой по коротким светлым волосам.

— Окно, — наконец заявила она. — Уходим через окно.

— Отличная идея. Так точно не привлечем к себе никакого внимания, — саркастически заметил Эрик.

Куинн набрала полную грудь воздуха, задержала дыхание, а потом медленно выдохнула.

— А что, если она поднимется сюда? Надо срочно сваливать! Где она? Как ты думаешь, мы можем выскользнуть за дверь незамеченными?

Эрик покачал головой:

— Никаких шансов. Внизу все слишком на виду.

Куинн несколько секунд грызла ноготь на большом пальце.

— Ты, Эрик, не стесняйся, если придумаешь, как бы нам выбраться, так сразу и говори. Ты вроде ведь самый умный, да?

Он нахмурился, оторвал спину от двери и, пройдя мимо девушки, взял с полки бутылку шампуня.

— Поверить не могу, что ты меня на это подбила.

Куинн последовала за ним вниз по лестнице. Вид у нее был встревоженный и стал еще встревоженнее, когда Эрик жестом велел ей оставаться на месте. Сам же он скользнул за угол и бесшумно подкрался сзади к уборщице, которая сейчас грациозно обмахивала метелочкой полку с фарфором.

Одним быстрым движением Эрик сорвал с нее наушники и зажал рукой рот. Второй рукой он вдавил ей в спину бутылку с шампунем.

— Не двигайся!

Она замерла. Задеревенела на месте. Явно эта женщина умела делать, что сказано.

— Я тебя не трону, поняла? Но ты должна выполнять все, что я скажу, и молчать. Ни звука.

Уборщица никак не отреагировала, так что Эрик повторил то же по-испански. Последовал короткий кивок.

Чувствуя, как по лицу женщины катится пот, он отвел ее к чулану.

— Открой дверь, — велел он снова по-испански.

Она вроде бы поняла и повиновалась, но с явным трудом. Рука у несчастной так тряслась, что горничная не могла ухватиться за ручку.

— Не поворачивайся, — предупредил Эрик, аккуратно заталкивая ее в чулан. — Сейчас я закрою дверцу. А ты досчитаешь до пятисот. Поняла?

Он знал: надо пригрозить, что иначе он застрелит ее или что-нибудь в том же роде. Но не мог заставить себя это выговорить.

— Uno, dos...* — начал он.

Она присоединилась к счету, и Эрик закрыл дверь, оставив ее в темноте.

— Правильно ли я понимаю, что это игра в молчанку? В наказание? — спросила Куинн. Она сидела за рулем «хонды»

---

* Раз, два... (*исп.*)

Эрика и как раз свернула с ответвления в тихий пригород на большую и шумную улицу.

Эрик скрестил руки на груди и сделал вид, что не слышит.

— Ну ладно, Эрик, я же извинилась...

— Да ты, верно, ни на какое ФБР и не работаешь, — зло бросил он. — А эту свою карточку вытащила из коробки конфет, что тебе принесли вместе с лекарствами.

— Удостоверение самое настоящее, Эрик, правда.

— Ну, тогда, может, ты и правда агент. И пытаешься спровоцировать меня на преступление, за которое сможешь засадить.

— Ну брось. Ты же сам знаешь, что это неправда. Не будь таким ребенком.

Эрик разинув рот повернулся к ней.

— Ребенком? РЕБЕНКОМ? Я только что напал на пожилую женщину. Сзади.

Куинн вздохнула:

— Знаю. И мне очень жаль. Очень.

Некоторое время оба молчали.

— Спасибо тебе, — наконец проговорила девушка.

— За что?

— За то, что вытащил нас оттуда.

Гнев Эрика начал потихоньку слабеть. Молодой человек чуть откинулся на спинку сиденья, но руки его все еще были сложены на груди.

— Всегда пожалуйста.

— По крайней мере это было не зря. — Куинн старалась говорить как можно бодрее. — Я добыла несколько волосков. Не бог весть что, но, думаю, сойдет.

— Забудь.

— Что?

Эрик вытащил из кармана паспорт Крейтера и помахал им. Куинн в ужасе воззрилась на него:

— Ты украл паспорт?

— После нападения на уборщицу решил — какого черта, уже без разницы. — Эрик показал на переднее стекло: — Следи за дорогой.

— Зачем?

— Чтобы нам в аварию не попасть.

— Зачем ты украл его паспорт?

Эрик быстро пролистал маленькую книжицу и остановился на странице с двумя четкими штампами.

— Въехал во Франкфурт пятого июля тысяча девятьсот девяносто пятого года. Вернулся в Чикаго двадцатого июля девяносто пятого года.

Куинн потребовалось несколько секунд на то, чтобы осознать, что именно означают эти две даты.

— Последняя девушка...

— ...убита семнадцатого июля, в Оклахоме. Я никогда не забываю дат.

Куинн уставилась на лучи фар, протянувшиеся навстречу ей с другой стороны дороги, и моргнула, прогоняя с глаз расплывающиеся пятна. Как так может быть? Ведь все указывало на Луи...

— А вдруг это фальшивые штампы? — сказала она, приподняв очки и протирая глаза. Прилив адреналина, вызванный сегодняшней безумной авантюрой, начал помаленьку отходить, оставив ее совершенно опустошенной. Она уже и не помнила, когда последний раз спала.

— Да брось ты, Куинн. Зачем бы это ему? Посмотри правде в глаза — Луи Крейтер не тот, кого ты ищешь. Кстати, куда это мы едем?

— Не знаю, — еле слышно прошептала девушка. Что теперь? Она пыталась заставить себя сосредоточиться на этой проблеме и даже не заметила, что рулит прямиком на тротуар, пока Эрик не перегнулся через нее и не перехватил руль.

— С тобой все в порядке, Куинн?

Она яростно встряхнула головой и со свистом втянула воздух, перехватывая управление автомобилем.

— Да. В полном порядке.

Эрик взял ее рукой за подбородок, легонько наклоняя голову девушки так, чтобы можно было заглянуть ей в глаза.

— А выглядишь ты не очень.

— Просто немного устала, только и всего.

Он кивнул, словно бы с искренним сочувствием.

— Почему бы тогда не поменяться со мной местами и не дать мне вести?

Первым побуждением Куинн было воспротивиться, но она внезапно поняла, как это глупо. По своей программистской работе она слишком хорошо знала последствия попыток обойтись совсем без сна. Все будто бы расплывается, тает в тумане, а голова делается легкой-легкой, точно наполненной газом. Скоро она совсем вырубится.

Она подвела машину к обочине и переползла по сиденью вбок, а Эрик, приподнявшись, пересел на водительское место. На миг фары выхватили из тьмы его профиль, а потом девушка прислонилась головой к окну и закрыла глаза.

— Куинн, Куинн, приехали.

Эрик взял с приборной доски ключи от номера и вышел из машины. Он уже прошел полпути через стоянку, когда осознал, что спутница за ним не идет. Вернувшись, он обнаружил, что она все в той же позе покоится на сиденье.

Эрик открыл заднюю дверцу, вытащил рюкзачок Куинн и забросил его на плечо. И уже собирался открыть дверь с пассажирской стороны, как понял, что в таком случае девушка скорее всего просто-напросто вывалится наружу. Пришлось дотягиваться до нее сзади и сажать попрямее.

— Куинн? Проснись и пой. — Он потряс девушку за плечо. — Куинн?

Она дышала медленно и ровно — и не реагировала.

Тихонько вздохнув, Эрик всунулся в машину и поднял Куинн — с удивительной легкостью. Хотя девушка была почти с него ростом, но весила поразительно мало. Пинком закрыв дверь, Твен двинулся назад к отелю, втихомолку гадая, что же такое, черт возьми, он сейчас делает.

Ответ, разумеется, был до смешного очевиден. Идет через парковку, таща на руках женщину, о которой не знает ровным счетом ничего, а на спине — ее сумку, битком набитую крадеными из ФБР досье. Причем шагает непосредственно после разбойного проникновения в дом агента ФБР и нападения на его горничную. Интересно, сколько всевозможных неприятностей может доставить своему ближнему одна-единственная взбалмошная девица в самые сжатые сроки?

К счастью, в лифте никого не оказалось, как и в коридоре третьего этажа. Вот вставить ключ в замочную скважину, отпереть и войти было задачей не из легких — но все же решаемой.

Эрик уложил девушку на кровать и снял с нее очки. Если не считать черных кругов под глазами, она была почти совершенной красавицей. Решительные, прямые черты лица, гладкая, хотя и бледноватая кожа, потрясающая стройная фигурка.

Хватит!

Он крепко зажмурился и отвернулся. Один серьезный роман в жизни у него уже был — и кончился самым ужасным образом, когда ему было семнадцать. С тех пор, разумеется, попадались всякие женщины — но все завершалось не более чем короткими интрижками. Эрик приучил себя не ждать большего. В конце концов они обязательно узнавали о прошлом... Лучше раз и навсегда признать, что его жизнь никогда не будет напоминать рекламку мятной жевательной резинки.

Он закутал Куинн в покрывало, на котором она лежала. И еще раз напомнил себе, что ее внешность — всего лишь случайный набор генетического материала да воздействия внешней среды. Если она красавица — это еще не значит, что она не параноик, не маньячка или не подсадная утка.

Самое умное сейчас было бы свалить. Уйти по-тихому домой — в тюрьму, которую он так долго и так упорно сам себе строил. Назад к картинам, которые никто никогда не увидит, и музыке, которую никто никогда не услышит. Назад к утонченным гурманским блюдам, которые он научился готовить на одного человека. Но он не мог. Пока еще не мог.

Открыв рюкзак Куинн, Эрик принялся копаться в его содержимом, не обращая внимания на папки и стопки распечаток. Кошелек, разумеется, оказался на самом дне. Эрик вытащил его и, бросив беглый взгляд через плечо, чтобы удостовериться, что девушка еще спит, опустошил содержимое кошелька на пол. Кто же ты такая, Куинн Барри?

ГЛАВА 29

Перед глазами покачивались красные символы, но девушка не сразу осознала, что они значат.

8:32

Куинн скинула покрывало и, вытащив запутавшиеся в юбке ноги, перекатилась на спину. Почему она спит прямо в одежде? И почему так темно? Лишь через несколько секунд она заметила пробившийся меж занавесок тонкий лучик света. Еще несколько секунд — и Куинн узнала номер в отеле.

Эрик Твен.

На девушку разом нахлынули события последних дней. Последнее, что она помнила, — как они с Эриком менялись местами в Белтвее. Девушка закрыла глаза и сосредоточилась, но это не помогло. Все, что произошло дальше, терялось во мраке неизвестности.

Она села и огляделась по сторонам. Почему-то кружилась голова. Постель рядом была пуста, только на покрывале лежали до боли знакомые папки. На телевизоре стояли два бумажных пакета, в какие кладут продукты, а луч света от окна поблескивал на вывалившихся из переполненной мусорной корзинки банках из-под колы.

Куинн свесила ноги с кровати и встала. В висках глухо стучало. Где Эрик? Это он ее сюда притащил?

Пройдя сквозь полумрак, она раздвинула длинные, до пола, шторы, за которыми оказалась стеклянная дверь, выходившая на балкончик, откуда открывался вид на Вашингтон, округ Колумбия.

Там в пластиковом кресле сидел Эрик, без рубашки, в одних только джинсах. Не став сразу распахивать дверь, девушка наблюдала, как он закинул босые ступни на перила и продолжал просматривать лежащее у него на коленях досье. Во время их первой встречи она не заметила вторую татуировку — ту, что располагалась на правой лопатке и сейчас проглядывала возле спадавшего на спину длинного хвоста. Черная решетка образовывала какой-то сложный узор, такой непонятный, что Куинн аж заморгала. Впрочем, в узоре ощущалось что-то смутно знакомое... Возможно — что-то из уроков по физике.

Когда дверь отворилась, Эрик повернул голову и молча следил, как девушка усаживается рядом с ним.

— Кофе? — предложил он, протягивая руку к кофейнику, включенному в розетку рядом с его креслом.

— А травяного чая нет?

— Не-а. Был апельсиновый сок, но я все выпил. Хочешь пончик? — Он протянул ей замасленный пакет. — Я тут купил эту твою гадость с шоколадной глазурью и кремовой начинкой.

Она поморщилась и покачала головой.

— Как мы сюда попали?

— Обычным образом. Машина, лифт, коридор.

Куинн уже собиралась спросить о подробностях, но тут Эрик кинул папку на стол и исчез в комнате. Вернулся он с очередным бумажным пакетом в руках.

— У нас есть аж четыре сорта сухих завтраков и мальто-обед.

— Мальто-обед? А это что такое?

— Понятия не имею. На вид — что-то жирное. Я решил, тебе понравится. Большинство моих знакомых программистов придерживаются примерно той же диеты, что и гигантские азиатские тараканы. Вот, держи... — Порывшись в пакете, он вытащил оттуда банан. — Специально для тебя берег.

Она нерешительно приняла подношение. Куинн не привыкла просыпаться в отелях, причем с практически незнакомыми мужчинами. Особенно с теми, кого еще сорок восемь часов назад считала убийцами-психопатами.

— А ты из тех, кто встает вместе с солнцем, да? — поинтересовалась она, не очень успешно пытаясь скрыть смущение за непринужденной беседой.

— Да не то чтобы... Ты знаешь, что сейчас понедельник?

— Что?

— Ну да. Ты вроде как проспала все воскресенье.

— Понедельник! Что же ты меня не разбудил?

— Я пытался. Ты запустила в меня подушкой.

Положив банан на стол, Куинн потерла виски, пытаясь унять боль и заставить мозг работать в нормальном темпе.

— Ты как? — спросил Эрик.

— Расчудесно. И чем ты все это время занимался?

— Перечитывал досье. О да, и еще по телевизору был марафон фильмов с Клинтом Иствудом. Я часть поймал.

— Что-нибудь выяснил? Что ты сейчас обо всем этом думаешь?

— Что то ли бледный всадник, то ли бродяга высокогорных равнин был призраком. А может, оба.

Она смерила его разъяренным взглядом.

— А что еще?

— Да вроде ничего.

Оба помолчали. Эрик смотрел на город, а Куинн пыталась проанализировать события минувшей недели, разобраться, что она знает доподлинно, что можно отнести к вполне правдоподобным догадкам, а что — лишь пустые фантазии.

— Это не обязательно должен быть Луи, — произнесла она наконец. — В создании CODIS участвовала масса народа.

Эрик никак не отреагировал, хотя Куинн знала, что он все слышал. Они ведь сидели в каких-то трех футах друг от друга.

— Все равно, по-моему, мы идем по верному следу, — продолжала она. — Луи был самым очевидным подозреваемым, но...

— Больше мы в дома фэбээровских агентов не вламываемся, Куинн. Не знаю, заметила ли ты, но это у нас плохо выходит.

Она уже открыла рот, чтобы начать оправдываться, однако закрыла его, так ничего и не сказав. Он прав. Кроме того, она ведь даже и не знала толком, кто эти «остальные», — ведь во время создания CODIS сама она еще училась в колледже. Зато, если обращать внимание на хорошие стороны, Эрик сказал «мы». Куинн посмотрела ему в лицо, мечтая, чтобы включилась ее обычная способность безошибочно читать в мужских сердцах. Увы, не включилась, оставалось испробовать более прямые методы.

— Значит ли это, что ты мне веришь?

Он молчал.

— Нет уж, отвечай!

Эрик чуть откинул голову, пытаясь сформулировать ответ. Если верить пособиям по языку тела, признак не особо утешительный.

— Я вижу то, что ты мне показала, и это все кажется вполне настоящим.

— Это не ответ.

— Считаю ли я, что какой-то спятивший агент ФБР и в самом деле режет женщин, пока целая армия сообщников, удерживаемая им при помощи шантажа, покрывает его злодеяния? Не знаю, Куинн. Как-то слишком натянуто получается.

Девушка смотрела на бетонный пол под ногами.

— Все в порядке. Я понимаю.

— Эй, не впадай в депрессию. Я ведь стараюсь смотреть на вещи непредвзято, правда? Как я уже тебе говорил, я очень многим обязан Лайзе. И если у меня есть шанс найти того негодяя, который ее убил, я это сделаю.

Почему-то, непонятно почему, от этих слов на душе у нее стало чуть легче. Девушка по-прежнему практически ничего не знала об Эрике Твене, но по крайней мере она была не одна. Беда к беде тянется, вспомнила Куинн, снова беря со стола банан и начиная его чистить.

— Так каков наш следующий шаг? — спросил между тем Эрик.

Вся правда состояла в том, что она понятия не имела. Куинн была так уверена, что все улики указывают на Луи, что о запасном плане действий даже не думала.

— Не знаю.

Эрик подобрал свалившуюся на пол папку и снова положил ее себе на колени. Куинн узнала досье, касающееся его и Лайзы Иган.

— А как насчет Ренквиста? — спросил он.

— А что Ренквист?

— Пока он приставал ко мне, параллельно явно действовало еще и ФБР. Ренквист изобразил дело таким образом, будто все изыскания — лишь его заслуга, но присутствие фэбээровцев в ходе розыска еще как чувствуется.

— И что?

— А то, что вот если бы ты была убийцей — и агентом ФБР, — то разве не попыталась бы отслеживать это дело?

Девушка с минуту поразмыслила над его словами. А ведь в них и впрямь была своя логика.

— Ты... ты думаешь, что мог встречаться с ним?

— С убийцей-то? Сомневаюсь. Он сам скорее всего не высовывался, но наверняка задавал вопросы, тебе не кажется?

— А ты помнишь фамилии тех агентов?

Эрик покачал головой.

— У меня не слишком хорошая память на имена и лица. Плохо, что они не сообщали мне номера своих удостоверений. Но полагаю, у Ренквиста должны остаться какие-то сведения о них в записях по делу. И может, кто-нибудь из агентов, помогавших ему в расследовании, припомнит коллегу из Бюро, который проявлял к этому делу повышенный интерес. — Он пожал плечами. — Не самый, конечно, удачный план в мире, да ведь такие вещи не по моей части. Если у тебя есть идея получше — а под «получше» я подразумеваю ту идею, которая не толкнет нас снова на скользкую дорожку правонарушителей, — я всецело открыт для предложений.

ГЛАВА 30

Комнатка была уютно-небольшой — не более десяти квадратных футов — и такой же стерильно-белой, как лаборатория. На стенах — ничего. Ни ковра, ни полок. Только невысокий узкий стол с выстроенными в ряд пятью компьютерами да кресло.

Изначально здесь планировали разместить кладовку при офисе, но некоторое время назад Эдвард Марин переделал ее для личных целей. Никто, кроме него самого, не имел сюда доступа, и ни один посторонний не переступил порога этого помещения с тех пор, как рабочие докончили вытребованные Марином поправки и усовершенствования. Даже Ричард Прайс, чей монотонный голос как раз сейчас лился из одного из присоединенных к компьютерам динамиков, ни разу не бывал здесь. Крошечный цифровой замок на двери решительно и бесповоротно отверг бы его код полного доступа, хотя сам Прайс, разумеется, об этом и не подозревал.

Марин нажал на кнопку на клавиатуре. Динамик умолк. Через основную программу «СТД» Марин мог записывать любые телефонные разговоры, ведущиеся с территории комплекса. Фактически мог делать почти что угодно. Но, как всегда, телефонные записи были куда менее интересными, чем письма по электронной почте. Прайс со товарищи так свято верили в свою систему шифровки, — вера, которая в большинстве случаев была бы вполне уместна и разумна. Даже Марину потребовались годы на то, чтобы разобраться в ней.

Его наметанный взгляд сумел с первых же строк распознать всю важность торопливого рапорта Брэда Лоуэлла. Сообщения такой степени срочности и неотложности, как то, что горело сейчас на экране, доктор видел не часто.

Эрик Твен так и не объявился. В доме его был проведен более тщательный обыск, но безрезультатно. Все свидетельствовало о том, что он просто взял и исчез — без каких-либо предварительных приготовлений и сборов.

Несмотря на глупые рассуждения и попытки объяснить это разумным путем, правда была очевидна. Эрик наконец нашел себе женщину вместо той, что отнял у него Марин. Прекрасная и, очевидно, необыкновенно умная Куинн Барри, без сомнения, оказалась весьма интересна и занимательна для них обоих — для Твена и для самого Марина.

Он закрыл глаза и позволил мыслям блуждать как вздумается. Все было так совершенно! И это-то совершенство, понимал он теперь, и оказалось роковой ошибкой. Он проводил годы, планируя, готовясь, организуя. И вот в результате вышло, что лучше бы так не усердствовать. Тем самым он безнадежно притуплял грань непредсказуемости и страха, а ведь это такой важный элемент. Теперь Эрик Твен со своей новой подружкой обещали восстановить утраченное.

Марин очистил экран перед собой и перевел взгляд на компьютер, установленный в дальнем конце стола. Он подсоединил его к камерам системы безопасности комплекса, и теперь там шли в режиме реального времени изображения из коридора административного крыла. По-прежнему ничего.

Словно бы выпав из хода времени, он следил за сменявшимися на экране незначительными людишками, мужчинами и женщинами, приходящими и уходящими, проживающими свои никчемные мертвые жизни. И предавался мечтам. О женщинах, которых он уже взял, о той, что станет следующей. Он улыбнулся. Она выросла в весьма впечатляющую, чтобы не сказать грозную, женщину, но не утратила былой уязвимости, которая всегда так честно отражалась в огромных глазах. Молодой врач, надеющийся получить место хирурга в престижном госпитале. Близка с родителями, но не с сестрой, недавно переехавшей в Небраску. В старших классах всегда входила в число самых популярных девочек. В колледже была членом феминистской организации и играла в хоккей на траве...

Приземистый здоровячок в спортивных шортах и свитере промелькнул на экране и почти сразу исчез из ограниченного поля действия камеры. Марин вскочил, распахнул единственную дверь помещения и выбежал в кабинет.

— Доктор Марин? Сэр?

Его ассистентка Синтия сделала несколько шагов вслед за ним, но быстро прекратила погоню. Сейчас он был настолько сосредоточен на своей цели, что — большая редкость для него — даже не обратил на нее внимания.

— Чарли! — Широко улыбаясь, Марин остановился прямо перед здоровячком, перегораживая ему путь. Тот как раз направлялся к дорожке для бега, окружавшей здания «СТД». Пройдет милю, а всем будет рассказывать, что одолел две, — как всегда. — Как поживаете?

Реакция Чарлза Бэнка была для Марина предметом сдержанной гордости — уже не та почти паника, что во время первой их встречи. Марину, известному своей нелюдимостью, потребовалось три месяца на то, чтобы завязать с этим человеком почти приятельские отношения. В глубине души он подозревал, что жалкий бегунишка бахвалится этим знакомством перед коллегами по работе.

— Отлично, док. А вы как?

Марин наклонился к фонтанчику и отпил — отчасти из рисовки, отчасти потому, что во рту у него вдруг и правда пересохло.

— Неплохо. Кстати, Чарли... знаете... нельзя ли попросить вас об одолжении?

— Разумеется, док. А что вам надо?

— Купил вот своей девушке подарок на день рождения...

Бэнк похлопал Марина по спине:

— Не знал, что у вас есть подружка, хитрец вы этакий.

Марин был готов к такой реакции и застенчиво улыбнулся, стараясь не выдать отвращения, испытанного от прикосновения потной руки.

— Ну да, признаюсь. И такая шустрая — всегда находит подарки раньше времени, куда ни спрячь.

Бэнк рассмеялся и понимающе покачал головой.

— Во всяком случае, вы не возражаете, если я на пару деньков спрячу его у вас в грузовичке?

— Там уж ей его ни за что не найти, верно, док?

Бэнк снова хотел похлопать Марина по спине. Но на сей раз доктор успел отступить, на долю секунды повергнув собеседника в смятение.

— Ну, док, конечно, — повторил Бэнк, не удосуживаясь спросить, почему же Марин не может просто-напросто оставить подарок у себя в кабинете. — Сейчас принесу вам ключи.

Он заторопился прочь, а Марин вытер испарину, скопившуюся на верхней губе. Вот он — последний ключ, что так ему необходим. Он снимет с него копию и повесит на цепочку на шее, вместе с остальными. И каждый раз, задев голую кожу, они будут напоминать ему о том, что должно начаться. Что почти уже началось.

ГЛАВА 31

— Притормози вон там, — велела Куинн, разглаживая вырванную из телефонной книги страницу. — Это оно. Шестьсот сорок три, Кроухарт.

Эрик отогнал старенькую «хонду» в боковую улочку и остановился у тротуара, откуда было хорошо видно дом. Утренний звонок в балтиморскую полицию позволил им выяснить, что детектив Рой Ренквист два года назад вышел в отставку и теперь ведет тихую жизнь, наслаждаясь гольфом и рыбалкой.

— Милое местечко... — с горечью в голосе пробормотал Эрик.

Он был прав. Пустынные сейчас улицы щеголяли новехоньким асфальтом, а дома кругом оказались чуть больше, чем девушка ожидала увидеть. Возле дома стоял «корвет» примерно двухлетней давности.

Куинн вышла из машины, обошла ее и остановилась так, чтобы ее не было видно из дома Ренквиста.

— И как ты собираешься разыграть свою роль? — осведомился Эрик, в свою очередь, выходя и облокачиваясь на заднюю дверцу.

— Точно как с тобой. ФБР начинает пересмотр дела Лайзы Иган на основании недавно всплывших доказательств, что оно может быть связано с другими убийствами. А я проделываю подготовительную работу.

Он кивнул, критически оглядывая старомодный синий жакет и чуть менее старомодную синюю юбку девушки.

— Ну ладно, давай порепетируем.

Куинн откашлялась и извлекла из кармана удостоверение.

— Мистер Ренквист, меня зовут Куинн Барри. Я провожу исследование для ФБР и хотела бы, чтобы вы уделили мне несколько минут и ответили на вопросы об одном из ваших старых дел.

Эрик кивнул. На взгляд девушки — уж как-то слишком мрачно. По пути из Вашингтона в Балтимор, к дому Ренквиста, настроение молодого человека падало просто на глазах. И Куинн не могла его винить. В возрасте, когда обычные мальчишки гоняли в футбол и волновались из-за экзаменационных оценок, Эрик преподавал физику в университете, а в свободное время терпел нападки балтиморской полиции.

Она не противилась, когда он протянул руку и снял с нее очки.

— Роговая оправа. Я не противник этой моды, но, на мой взгляд, фэбээровским стилем тут и не пахнет. Ты без них видишь?

Она кивнула.

— Они только для дальнего расстояния.

— Хорошо. Повернись.

Девушка повиновалась.

— Говорил же тебе.

— Что?

— Что юбка свою роль сыграет. Если тебе представится случай пойти впереди него, не упускай возможности.

Куинн нахмурилась, все еще жалея, что позволила Эрику уговорить ее купить юбку на размер меньше, чем следовало бы.

— Я серьезно. — Эрик вытащил из кармана яблоко и с хрустом откусил. — Этот тип не сказать чтобы очень уж тонкая штучка. Этакий чурбан. А длинные ножки могут далеко увести.

— Буду иметь в виду, — холодно заверила девушка.

Куинн пришлось одержать над собой маленькую победу, чтобы выровнять дыхание, когда, выйдя из-за машины, она направилась к дому Ренквиста. Не то чтобы она так уж нервничала из-за предстоящей встречи со старым копом. Ее больше беспокоило, что и он не знает ничего существенного. Если и этот след оборвется, что предпринять? Никаких идей. Эрик, и без того скептично относящийся к ее рассказам, скорее всего сочувствующе похлопает ее по спине и при первой же возможности от нее отделается. И даже злиться — как ни хотелось бы разозлиться — на него за это она не могла. Ей и самой все происходящее казалось сплошным безумием.

Остановившись перед дверью, Куинн нервно расправила юбку, пытаясь вытеснить из головы мысли о том, каково это — остаться совсем одной.

Легко и изящно!

Взявшись за медную ручку, она пару раз постучала, стараясь, чтобы стук прозвучал как можно увереннее, и повторяя про себя заученное приветствие. За годы работы в полиции Ренквист наверняка сотни раз имел дело с агентами ФБР. Надо проделать все убедительно.

Человек, что отворил дверь, вполне подходил под описание Эрика: зачесанные на один бок короткие черные волосы, внушительное брюшко, жир с которого обещал вот-вот переползти и на физиономию, кривоватый и, судя по всему, не единожды сломанный нос.

При виде Куинн он чуть заметно нахмурился и без единого слова подался вперед, прищурившись и зорко разглядывая гостью.

— Мистер Ренквист? — начала девушка, отработанным жестом лезя в карман за удостоверением. — Меня зовут Куинн Барри. Я провожу...

Рот его растянулся в кривой улыбке — скорее даже ухмылке. Девушка растерянно замолчала, видя в глубоко посаженных глазах полицейского, что ее визит не стал для него неожиданностью. Она нерешительно сделала шаг назад — и в тот же миг он торопливо высунулся и попытался ухватить ее громадной толстой ручищей. Возраст и лишний вес слегка замедлили его реакцию — Куинн рванулась назад, и пальцы Ренквиста соскользнули с ее плеча.

К тому времени как из дома послышался безошибочно узнаваемый треск дерева, девушка уже скинула туфли и что есть сил помчалась прочь. Осмелившись на бегу бросить взгляд через плечо, она увидела, что человек, преследующий ее по пятам, отнюдь не стар и не толст. Парадная дверь дома Ренквиста болталась на петлях, покосившись, почти сорванная отчаянным напором нового преследователя.

Девушка бежала так быстро, как только несли ее босые ноги, но неизвестный стремительно нагонял. Увидев, как рука его тянется в карман, Куинн припустила еще сильнее, не обращая внимания на боль в ступнях.

— Эрик! — завизжала она, молясь всем святым, чтобы он наблюдал за ней. — Эрик!

Внезапная вспышка боли в голове застала ее врасплох. Мир вокруг начал стремительно темнеть, девушка почувствовала, как валится лицом вниз на асфальт. Она тут же попыталась встать, но сил не хватало. Несмотря на отчаянные усилия, ей только и удалось, что перевернуться на спину и приподняться в полусидячее положение. Никакого движения со стороны дома Ренквиста не наблюдалось, и это озадачило девушку, пока в голове у нее не прояснилось настолько, что расплывчатые образы на переднем плане пришли в фокус.

Преследователь почему-то остановился и стоял неподвижно примерно в двадцати пяти ярдах от нее. Куинн отчаянно заморгала, чтобы лучше видеть и хоть немного унять шум в голове. А когда снова открыла глаза, ее ослепил резкий красный свет.

Внезапно две крепкие руки обхватили ее сзади. Девушка почувствовала, как ее тянут куда-то назад. В глазах постепенно прояснялось, и теперь она видела, что преследователь присел на колено в типичной позиции для стрельбы, а от револьвера в его руке тянется красный луч лазера. Куинн скосила глаза вниз, на держащие ее руки Эрика, и увидела на одной из них красную точку.

Точка внезапно исчезла, а человек с револьвером снова припустил в их сторону, все столь же крепко сжимая в руке оружие. Он был уже так близко, что девушка отчетливо различала на его лице отчаянную решимость. Но тут ее вдруг оторвало от земли и зашвырнуло на заднее сиденье автомобиля. Визг шин сорвавшейся с места машины сопровождался тяжелым ударом тела о боковую панель.

Что-то красное снова ударило по глазам, на сей раз уже не слепя. Девушке потребовалось несколько мгновений на то, чтобы осознать — это кровь. Роняя голову на затянутое винилом сиденье, она знала, что приподняться сил уже не найдет. Куинн думала, что умирает, но даже не могла понять, страшно ли ей, так все было смутно и невнятно.

ГЛАВА 32

— Куинн! Куинн, ты меня слышишь?

Она не открыла глаз, лишь плотнее зажмурилась, пытаясь ускользнуть назад, в забытье. Она не знала ни где она, ни сколько сейчас времени. Все, о чем она мечтала, — это провалиться назад в тишину и избавиться от этой дикой безжалостной боли.

— Куинн!

Внезапно, в одно мгновение, она окончательно очнулась и рефлекторно попыталась ударить того, кто был рядом. Но чья-то рука ласково перехватила ее запястье.

— Успокойся. Это я. Ты в безопасности, — произнес знакомый голос. Девушка позволила уложить себя обратно на мягкий матрас.

Нависавшая сверху фигура и обстановка маленькой комнатки, где они находились, постепенно проступали яснее, обретая четкость. Куинн пару раз моргнула и обнаружила, что смотрит прямо в озабоченное лицо Эрика Твена.

— Можешь проследить взглядом? — спросил он, поднимая палец и водя им из стороны в сторону. Сначала задача оказалась девушке не под силу, но когда Эрик стал двигать пальцем чуть медленнее, у нее получилось проследить за ним. Эрик шумно выдохнул и опустился на пол среди разбросанных папок с досье.

Он уронил голову на руки. Длинные слипшиеся пряди упали Эрику на лицо. Куинн потребовалось несколько секунд на то, чтобы увязать это все с другими пятнами у него на руках и одежде. Кровь.

— Эрик... ты... ты не ранен?

Он откинул волосы с лица и взглянул на нее.

— Это не моя кровь.

Девушка на миг застыла и наконец собралась с духом, чтобы бегло оглядеть себя. Она все еще была в той же синей юбке, хотя вместо жакета на ней оказалась белая футболка. И юбка, и футболка были залиты кровью — местами она еще не просохла. Куинн поднесла руку к голове, пальцы ее коснулись повязки.

— О-ох.

— Ты хоть понимаешь, как тебе повезло, Куинн? Пуля лишь задела череп. Наверное, легкое сотрясение ты заработала, но сомневаюсь, чтобы что-то серьезное. Впрочем, я ведь доктор физики, а не медицины.

Девушка ощупала повязку. Он прав. Просто чудо, что она не погибла.

— Что произошло? Как мы спаслись?

— Благодаря бешеной езде и нашему совместному запасу везения на всю оставшуюся жизнь вперед. — Эрик с несчастным видом покачал головой. — Прости, Куинн, это все моя вина. Я чуть было не позволил им тебя убить.

— Твоя вина? О чем ты?

Он показал на стопку листов из досье:

— Да вот оно все, тут. Я-то думал, Ренквист просто придурок — взъелся на меня и слишком туп, чтобы расследовать другие версии... — Его голос на миг умолк. — Но это не случайность, все складывается в конкретный узор. Сукин сын был во всем замешан с самого начала.

Эрик выронил документы и принялся что-то выискивать на этажерке слева от себя. Через минуту он протянул девушке листок белой бумаги и наклонился, чтобы ей было удобнее рассматривать. Куинн во все глаза уставилась на черно-белую фотографию. Лишь через несколько секунд до нее дошло, что на самом деле это лишь карандашный рисунок — но выполненный необыкновенно реалистично.

— Тип, что в тебя стрелял. Это тот же самый? Он пытался схватить тебя на дороге?

Девушка покачала головой.

— Ты уверена?

— Тот был гораздо старше. Может, этот сидел во второй машине...

Эрик вскочил на ноги и принялся расхаживать по комнате, сначала медленно, а потом все быстрее и быстрее, словно вскипающая внутри энергия требовала выхода. Он ткнул пальцем в рисунок.

— Что за чертовщина тут происходит, Куинн? Этот тип пытался убить тебя. Прямо посреди бела дня! Он и правда пытался убить тебя!

Она несколько секунд следила, как он вышагивает туда-сюда, но от непрестанного движения ее очень скоро стало мутить, так что Куинн откинулась и закрыла глаза.

— Я же говорила, они один раз уже пытались. Но ты думал, я все сочиняю, да?

Услышав, что он остановился, она открыла глаза.

— Не знаю, что я там думал, — проговорил Эрик, проводя пятерней по спутанным волосам. — Думал, ты умненькая. Возможно, еще чуть-чуть чокнутая. Думал, что ты — первая из тех, с кем я познакомился за прошедшие десять лет, кто не стал клеить на меня этикетку «маньяк ненормальный». О Господи...

Он снова принялся мерить шагами комнату, поэтому Куинн запрокинула голову и уставилась в потолок, пытаясь отыскать во всем происходящем хоть какую-то логику.

Какими глазами смотрел на нее Ренквист! Как мгновенно попытался схватить ее! И как потом она бежала, а тот, второй, человек с рисунка Эрика, вырвался из-за двери и помчался следом. А потом — боль и потеря ориентации. Руки Эрика, обхватившие ее, и красная точка на одной из них...

— Почему он этого не сделал?

Она услышала, как Эрик снова остановился.

— Почему он не сделал чего?

— Почему не убил меня?

— Череп у тебя больно твердый. Уж явно не потому, что у него было мало желания или он плохо старался.

— Нет. Когда ты схватил меня, он целился в нас из пистолета. Но не выстрелил. А снова помчался к нам.

— Не знаю, — сказал Эрик. — Может, принял меня за ни в чем не повинного прохожего?

Звук открывающейся двери заставил девушку вздрогнуть, нарушив ход ее мыслей. Она рывком села. В дверном проеме замаячило бледное лицо.

— Куинн, не нервничай, — успокоил ее Эрик, протягивая руку. — Это Тони. Он мой друг.

Тони даже не смотрел на девушку, сначала поблуждав взглядом по полу, а потом снова уставившись на Эрика.

— Как она? Ничего?

— Похоже на то, — отозвался Эрик.

— Вам что-нибудь нужно?

— Кажется, пока нет. Спасибо.

Тони наклонил голову набок и снова скрылся за дверью, закрыв ее за собой.

— Где мы? — спросила Куинн, удостоверившись, что тот ушел.

— В Балтиморе. В доме Тони.

Она попыталась выбраться из постели, но мышцы все еще отказывались подчиняться приказам.

— Надо скорей убираться. Они нас выследят...

Эрик присел и ласково положил руку ей на колено.

— Не волнуйся, ладно? У нас еще есть время. Тони начал работать в лаборатории реактивного движения только после того, как я переехал в округ Колумбия. Мы познакомились на одной конференции несколько лет назад. Вместе играем в сетевые игры да изредка перебрасываемся электронными письмами. Кроме очень ограниченного числа людей из числа физиков, никто даже и не знает о нашей дружбе.

Девушка так и осталась сидеть, свесив ноги с кровати и пытаясь решить, что же делать.

— Доверься мне, — произнес Эрик. — Ненадолго, но пока мы в безопасности. И нам нужно время, чтобы сообразить, что делать дальше. Бежать отсюда сломя голову и без какого бы то ни было плана не только глупо, но еще и крайне рискованно. Нас обоих могут убить. Понимаешь?

Куинн снова опустилась на подушки, однако ничего не сказала. Она просто не знала. Ничего не знала и ни в чем не была уверена.

— Послушай, я пойду и вымоюсь, — проговорил Эрик. — Почему бы тебе пока не отдохнуть, а когда я вернусь, обсудим, что делать дальше, кому звонить. Идет?

— Идет.

Он исчез за дверью, а Куинн подтянула к себе ноги и снова выпрямила их, разминая затекшие мышцы и пытаясь не обращать внимания на то, что по голове словно молотом бьют. Несколько минут таких упражнений, и тело с разумом снова начали работать более или менее в унисон.

Ренквист замешан в этой истории — сомнений и быть не могло. И он чертовски хорошо знал, что никакая это не фэбээровская операция — у агентов нет привычки палить почем зря в спину безоружным женщинам. Может, его принудили к сотрудничеству? За деньги? Или шантажом?

А как же с их подсчетами, что в деле замешаны всего двое? Кто следит за ее квартирой? За фермой отца? За офисом? За всеми самыми очевидными на первый взгляд местами, куда она может кинуться в беде? Теория, что преступником был достаточно высокопоставленный агент ФБР, использующий свое положение, чтобы заставить преступников помогать ему, становилась все более и более похожей на истину...

Но слишком болела голова. Куинн снова свесила наконец ставшие послушными ноги с кровати и осторожно поднялась. Держать равновесие было еще трудновато, хотя и не настолько, как могло бы, учитывая все обстоятельства. Девушка взяла с тумбочки полотенце и попыталась вытереть засохшую кровь с шеи и лица, однако без особых успехов.

Юбка и свитер тоже лежали на тумбочке. Похоже, их кто-то успел постирать и погладить. Куинн потянулась за ними, но передумала. Сначала душ.

Отворив дверь, она вышла в коридор и нерешительно двинулась вдоль стеночки, пока не добралась до плотно заставленной комнаты. Тони Кольер вскочил на шум, но, увидев, что это Куинн, снова вперил взор в пол.

— Привет, Тони.

Он бросил на нее быстрый взгляд.

— Как вы?

— Эрик сказал, все не так плохо, как кажется. Думаю, жить буду.

Оглядевшись, она пробралась к потертой софе у стены. Девяносто процентов оборудования, загромождавшего комнату, было ей знакомо — дорогие и самые современные компьютерные навороты. Чем были оставшиеся десять процентов, она не знала.

— Так вы тоже из этих гениев?

Он покачал головой:

— Нет. Не из гениев. Просто достаточно высоко по шкале ЧБУ.

— Что-что?

Он прикрыл рот ладонью и хихикнул.

— Чертовски, Блин, Умные.

— А в чем разница? — поинтересовалась она, садясь на кушетку и разглядывая хозяина дома. На вид Тони был примерно ее ровесником — уж точно не старше двадцати шести, — с потрясающе уродливой стрижкой и широко расставленными глазами, которые придавали ему постоянно удивленный вид.

— Гении смотрят на мир иначе, чем обычные люди. Как Эйнштейн, или да Винчи, или Ньютон... или Эрик.

— Эрик?

Тони кивнул:

— Да, он тоже из этих.

— А вы хорошо его знаете? — спросила Куинн, решив воспользоваться случаем и узнать еще один взгляд на человека, к которому отнеслась с такой слепой верой. Из всех, кого она видела, Тони был первым, кто по-настоящему знал Эрика Твена. Это ведь не какой-нибудь сухой полицейский отчет или статья, состряпанная журналистом, который и видел-то Эрика от силы пару раз, а настоящий, живой друг из плоти и крови...

— Не очень-то, — признался Тони. — Мы вместе играем в видеоигры. И он несколько раз подбрасывал мне деньжат, когда я сидел на мели. В таких вопросах он ужасно щедрый. Вообще классный мужик, только, знаете, друзей у него маловато, потому что...

— Тони, я так благодарна за то, что вы нам помогли, — перебила девушка, сознательно решив не ворошить прошлое Эрика. Едва ли Тони расскажет ей о гибели Лайзы Иган что-то, чего она сама еще не знает.

— А как... как вас ранили?

Куинн услышала, как где-то в глубине дома включился душ, и на мгновение повернулась в ту сторону.

— Пустяки, Тони. Несчастный случай. Просто дурацкий несчастный случай.

ГЛАВА 33

Эдвард Марин прижал телефонную трубку и вслушался в гудки. Он уже собрался разъединиться, как вдруг услышал характерный щелчок, а за ним разочаровывающее попискивание задетых второпях кнопок.

— Алло?

Он нахмурился. Голос звучал нечетко. Заспанно.

— Позовите Куинн Барри, — велел он.

— Куинн Ба... кто такая... какого черта? Послушай, приятель, сейчас два часа ночи. Ты ошибся номером.

И очередной характерный щелчок — повесили трубку.

Марин поудобнее устроился на кровати и вычеркнул из лежащего на коленях блокнота очередное имя и номер телефона.

Список он составлял частично по памяти, а частично по адресам в почтовом ящике электронной почты Эрика Твена. И хотя до сих пор успех ему не сопутствовал, Марин не сомневался: боги на его стороне. Он набрал новый номер.

На сей раз реакция внушала некоторую надежду. Трубку сняли после второго же гудка.

— Алло?

Марин покинул должность в Виргинском университете ради безымянного существования в штате «СТД» задолго до того, как Тони Кольер начал вращаться в научных кругах. Они никогда даже не говорили друг с другом, так что можно было не опасаться, что Тони узнает голос Марина.

— Алло? Алло? Да есть тут кто-нибудь?

Опасения, приправленные толикой растерянности. Именно то, чего так долго ждал Марин.

— Позовите к телефону Куинн Барри.

Долгая пауза.

— Я... простите, я не знаю, о ком вы говорите.

Борясь со смехом, Марин швырнул список на пол рядом с открытым ноутбуком. Боги продолжали улыбаться ему.

— Энтони, если я захочу, через три минуты у вашей двери будут наши люди. Позовите ее. Живо!

Такой звук, точно телефон прикрывают ладонью, снова долгая пауза. Марин посмотрел на экран ноутбука, на котором горел недавно перехваченный им длинный отчет о третьем неудавшемся покушении на Куинн Барри. Он перечитал его еще раз, вбирая все подробности. Кажется, в игру вступил Эрик Твен. Идеально! Ну просто идеально!

Тишину в трубке сменило взволнованное дыхание, но на сей раз чуть более частое, легкое. Женственное.

— Куинн?

— Кто это?

Он знал, что она ранена, но по голосу этого было не слышно. Храбрится. Пытается не показывать вида. Замечательно.

— Твой друг. Как ты? Серьезно ранена?

Ему не хотелось первым прерывать воцарившееся молчание. Вместо этого он склонился над женщиной, что лежала на полу перед ним. Настоящая красавица. Врач. Она ведь получила желанное назначение две недели назад.

Он провел пальцами по проволочной вешалке, что приковывала руки девушки к раме кровати, и услышал, как у нее перехватило дыхание. Куинн, судя по всему, решила играть в «кто кого перемолчит», заставляя его заговорить первым. Пусть себе. Он скользнул пальцами с холодной проволоки на теплую кожу руки пленницы. В трубке по-прежнему царило молчание, поэтому Марин опустился на колени и повел рукой дальше по обнаженному телу своей жертвы, чувствуя, как напрягаются под кончиками его пальцев трепетные молодые мышцы. Вниз по ноге, к проволоке, привязывающей лодыжку пленницы к тяжелому книжному шкафу у самой стены. Он еще не заткнул ей рот кляпом — так было куда увлекательнее и возбуждающе. Знать, что в любое мгновение она может закричать и все испортить. Но она не закричит. Его власть над ней была безраздельной. Он стал для нее всем миром.

— Я не ранена, — произнесла наконец Куинн. — Во всяком случае, не сильно. С какой стати мне верить, что вы мой друг? Последнее время у меня не так уж много друзей.

Молодая женщина у ног Марина попыталась отдернуться, когда ладонь вернулась к ее бедру, но оковы почти полностью обездвиживали ее. По щекам несчастной потекли слезы, когда он принялся ласково перебирать пальцами волоски у нее на лобке.

— Не будь я твоим другом, у ваших дверей уже сейчас толпился бы целый отряд. Не находишь?

— Как вы узнали, где я?

Он прикрыл глаза, пытаясь вдохнуть жизнь в единственный виденный им снимок Куинн Барри. Вообразил, каково было бы чувствовать, как ее воля ломается перед ним — мужество и сила покидают ее. Увидеть, как эти яркие юные глаза умоляют его.

— Не важно, — сказал Марин. — Ты можешь говорить? Ты одна?

Еще одна долгая пауза. Потом:

— Тони, не могли бы вы на пару минут оставить меня одну?

Звук удаляющихся шагов на другом конце провода потонул в яростном всхлипе, что испустила пленница, когда палец Марина вошел в нее.

— А Эрик здесь?

Еще минута молчания. Куинн пыталась сообразить, что же сказать. Знает ли он, что Эрик Твен с ней, или только догадывается? А вдруг она по нечаянности выдаст больше, чем следует?

— Он в душе.

— Отлично. А теперь слушай очень внимательно. Это важно. Ты в опасности. Ужасной опасности. Знаешь ли ты, чем Эрик зарабатывает на жизнь?

— Он физик. Работает в университете.

— Это он тебе так сказал?

— Да.

— Правда же в том, что хотя он еще и числится в штате Университета Джонса Хопкинса, но большую часть времени проводит совсем не там...

Марин умолк. Она должна спросить сама.

— Так где же он проводит время?

— Работает на «Современную термодинамику», на ту самую компанию, которая создавала фэбээровскую базу данных по ДНК.

Он знал — она старается не верить ему. Иначе это знание подтолкнет ее слишком близко к роковому краю.

— Ты мне веришь, Куинн?

— Нет.

Он улыбнулся и снова бросил взгляд на экран ноутбука, сверяясь с подробностями ее последнего бегства.

— Тот человек, что гнался за тобой перед домом Ренквиста. Он бы мог застрелить вас обоих, верно? Но не стал. Как ты думаешь, почему?

Она не ответила.

— Потому что им нужно точно знать, много ли тебе известно, Куинн. Кому ты что рассказала. Эрик Твен и должен все это выяснить. Заставить тебя открыться ему. Войти в доверие.

— Неправда!

— Полно, Куинн, полно. Эмоции зашкаливают? Это недостойно тебя.

— Кто вы?

— Не важно.

— Тогда почему я должна верить вам?

По голосу ее он слышал, что она уже знает ответ на этот вопрос, но нуждается в небольшой помощи, чтобы совершить тот прыжок, которого он от нее добивался.

— Потому что я говорю одну лишь правду, Куинн. Хотя если тебе требуются еще какие-то доказательства, я их тебе предоставлю. Знаешь, где живет Эрик?

— Да.

— На первом этаже у него стоит письменный стол. Загляни в правый нижний ящик. Доказательства там. Но ступай прямо сейчас — тебе жизненно важно оторваться от него. Если он хотя бы заподозрит, что ты знаешь...

Марин не стал договаривать, предоставив ее воображению самому нарисовать возможную расплату.

— Нет. Ни за что! Там меня будут ждать ваши люди.

— Не будь такой тупицей, Куинн. Тебе это не к лицу. Я же знаю, где ты прямо сейчас, верно? Даю слово — те, кого ты боишься, не станут ждать тебя там.

Это и в самом деле была правда. Несколько дней назад Лоуэлл решил, что не стоит тратить свои весьма ограниченные людские ресурсы на наблюдение за домом Твена.

— Куинн, тебе остается только довериться мне.

— А с какой стати? Вы даже не сказали, кто вы такой. Почему вы хотите помочь мне?

На этот раз он ответил не сразу, умело создавая иллюзию, будто борется с собой, не зная, много ли может ей открыть.

— Потому что все это куда глобальней, чем ты думаешь. Мне не хватает мужества вывести всех на чистую воду. Но я чувствую, что ты можешь это сделать.

Опустив трубку, он увидел, что пленница успела отчасти восстановить то самообладание, которым так великолепно блистала всю свою жизнь. Марин окинул взглядом стройные мускулистые ноги, плоский живот, маленькую, но идеально круглую грудь. И наконец дал то, чего она так добивалась — посмотрел ей в глаза. Его лицо было непроницаемо. Не время показываться ей, каков он на самом деле. Еще не время.

— Пожалуйста, — начала она, — я никому не расскажу. Клянусь. Мой отец... он очень болен. Кроме меня, у него не осталось никого, никого, кто мог бы о нем позаботиться...

Голос ее на мгновение дрогнул, когда Марин вытащил пальцы из ее лона и открыл стоявший рядом переносной холодильник. Вытащив толстый брезентовый фартук, Марин через голову надел его, а потом извлек пластиковый баллон с кровью.

— Что вы делаете? Пожалуйста... пожалуйста, поговорите со мной.

Он молчал, деловито привешивая пакет на спинку кровати. Молодая женщина дернулась, когда он вонзил ей в руку иглу и для надежности приклеил ее пластырем.

— Пожалуйста, — всхлипнула она, когда он положил ей на живот охотничий нож и выпрямился, отходя на несколько шагов, чтобы видеть ее всю, целиком.

Достать кровь ее группы было труднее, чем он рассчитывал, но в конечном счете старания непременно окупятся. Кровопотеря — вот что убивало их всех. А что еще хуже, она же заглушала их страх и боль, позволяла им ускользнуть от него.

Перешагнув через свою жертву, Марин вышел из комнаты. Он терпеть не мог спальни. Женщины выглядели куда более обнаженными, куда более беспомощными на фоне кухни или гостиной. Но тут уж ничего не поделаешь.

Он слышал, как она пытается уговорить его. Слова текли из спальни дрожащим потоком. Она рассказывала про своего отца, про свои планы на жизнь. Боже, как он любил их голоса! Каждый так уникален, так по-своему выразителен, так дивно нагнетает чувство ожидания и предвкушения, что потом оно захлестывает его с головой.

Перегнувшись через железный поручень, он посмотрел на первый этаж. Очень, очень впечатляюще — эти огромные полотна, ярко окрашенные трубы, остатки фабричных механизмов, все еще растущие из стен. Тем печальнее, что действовать придется в относительно консервативной обстановке спальни Эрика Твена.

Марин бросил взгляд на часы, мысленно прикидывая, сколько времени потребуется Куинн, чтобы добраться сюда. Четыре часа, возможно, чуть меньше. Ему никогда еще не удавалось продержать ни одну из них живой так долго. Будет рекорд.

Куинн замерла на месте, глядя на трубку и слушая несущиеся из нее короткие гудки. Она машинально вернула трубку на место, но способности мыслить ясно так и не обрела. Голова, и без того болевшая, начала плавиться.

Ну никакого смысла во всем этом нет. Никакого. Слишком уж много всего. Слишком много для нее одной. Замученные до смерти женщины. Загадочные люди, пытающиеся ее убить. Испорченная программа ФБР. А теперь... А теперь единственный человек, которому она могла верить, оказался не тем, за кого себя выдавал.

Так хотелось броситься к Эрику, поговорить с ним! Потребовать у него объяснений. Но как она могла? Телефонный незнакомец явно прекрасно знал, где и с кем она была. Входи он в ту же группу, что жаждала ее смерти, она бы давно была мертва. Ведь так?

Девушка взялась за виски и сжала голову, словно только так, физически, могла помешать ей распасться на части.

Так? Или нет?

Внезапно шум воды утих. Душ выключился. Куинн бросила отчаянный взгляд на закрытую дверь перед собой и прикусила нижнюю губу.

«Прими решение!»

— С вами все в порядке?

— Все хорошо, Тони, — отозвалась она, рысцой проносясь мимо него в комнату, где недавно пришла в себя. Хлопнув дверью, Куинн сорвала с себя испачканную кровью одежду, в мгновение ока натянула старую юбку и свитер. Разыскала на полу у кровати теннисные туфли.

Сквозь тонкую стену слышно было, как возится в ванной комнате Эрик. Мысленно пытаясь задержать его, она сгребла рассеянные по всему полу бумаги и фотографии и затолкала их в рюкзак к другим досье. Закинув рюкзак на плечо, схватила с тумбочки ключи и вылетела в дверь.

Тони не стронулся с места. Все так же стоял посреди захламленного коридора, явно не зная, что делать. Взяв молодого человека за руку, Куинн поволокла его за собой, пока они не удалились от двери ванной на такое расстояние, чтобы Эрик не слышал их разговора.

— Тони, мне надо ненадолго уйти...

Он покосился на пятна запекшейся крови у нее на щеке и волосах.

— Не думаю...

Куинн стиснула его руку, оборвав на полуслове.

— Послушайте, мне просто надо чуть-чуть подышать свежим воздухом. Немного проехаться, чтобы проветрить мозги. Понимаете? Где машина Эрика?

Он бросил взгляд на дверь ванной, но Куинн рукой повернула его голову к себе, заставляя смотреть на нее.

— Все в порядке, Тони. Клянусь. Где машина?

ГЛАВА 34

Последние полмили она решила пройти пешком.

Солнце еще не взошло, но восток уже окрасился багрянцем, заливая руины фабричного района зловещим сиянием. Хорошо в этом было то, что девушка теперь видела, куда идет. А плохо — что и ее мог разглядеть кто угодно. Куинн торопливо пробиралась между грудами искореженного металла и разбитых механизмов и наконец укрылась за ржавыми остатками какой-то машины. Отсюда она видела старый склад, который Эрик именовал домом. Видела, но никак не могла заставить себя преодолеть последние двести ярдов до его двора. Она еще раз огляделась, напрягая слух и силясь уловить хоть какие-то звуки, наводящие на мысль, что она не одна, — какую-нибудь вибрацию, лязг металла по металлу, хлюпанье грязи под колесом. Но кругом царила полная тишина.

Солнце вывалилось из-за горизонта, девушку внезапно окружили рваные рассветные тени. Ну, чего еще ждать?

Пригнув голову, она шмыгнула через арку, что сторожила владения Эрика, не распрямляясь, пробежала через толпу скульптур во дворе и остановилась перед самой дверью.

Дверь была широко открыта.

Девушка мешкала на пороге куда дольше, чем стоило бы, не зная, что ждет ее внутри, и сомневаясь, хочет ли она это узнавать. Она уже смирилась с тем, что лучшее, на что можно рассчитывать, — что внутри окажется именно то, что ей пообещали. И тогда единственным другом во всем мире останется неизвестный на другом конце провода.

Куинн заставила себя шагнуть вперед, на долю секунды помедлила на пороге — и скользнула внутрь. Кирпичные стены коридора словно смыкались над ней по мере того, как она все углублялась в дом. Так хотелось развернуться, броситься прочь. Но куда? Иного выбора не было: только вперед.

Благодаря струящемуся в окна и люки на потолке утреннему свету в огромной комнате, что занимала почти все здание, было чуть посветлее, чем в коридоре, но разобрать отдельные детали в сотворенном Эриком визуальном хаосе все равно оказалось ой как непросто. Девушка помедлила у входа, оглядывая комнату и галерею, что тянулась вокруг всего помещения в двадцати футах от пола. По-прежнему ничего. Или — искусно сотворенная иллюзия, что ничего.

Она бесшумно двинулась вперед, на ходу подобрав с пола молоток и черпая некое удовлетворение в том, как удобно легла в ладонь гладкая рукоять и как приятно его вес оттягивает руку.

Стол стоял именно там, где она и помнила, придвинутый к стене, сплошь исписанной какими-то математическими символами. Набрав в грудь побольше воздуха, Куинн рывком выдвинула нижний правый ящик. Он оказался полон аккуратно подписанных папок с документами. Она начала перебирать их, что было делом довольно-таки затруднительным, учитывая нежелание хоть на секунду выпустить из рук молоток. Сначала ничего особо интересного: налоги, страховка, счета за продукты, счета за дом, информация по кредитной карточке. Ближе к низу стопки она наткнулась на папку, помеченную лишь знаками доллара. Вытащив ее, девушка вывалила гору счетов и писем прямо на стол. Большинство чеков оказалось на суммы около пяти тысяч долларов и отправлялось такими компаниями, как «Боинг», «Рейтон» и прочие в том же роде. Также попадались и регулярные поступления из Хопкинса.

На самом дне она нашла то, чего так мечтала не обнаружить. Яркий голубой логотип наверху фирменного бланка с отчетливо различимой в утренних лучах надписью: «Современная термодинамика». Рука Куинн на миг зависла над листком. Набравшись духу, девушка перевернула его и посмотрела на приколотый сзади корешок чека. Тридцать пять тысяч долларов. Быстрый поиск в остальных документах выявил еще не менее двадцати подобных платежей, самый меньший — на пятнадцать тысяч.

Внезапно ослабев, Куинн опустилась в стоявшее позади кресло. Она вытащила несколько других счетов и сравнила подпись на них с подписью на корешке чека, заранее зная: они совпадут. Так и оказалось.

Звук донесся откуда-то сзади — слабо, почти неслышно, лишь едва уловимая дрожь воздуха. Девушка вскочила с кресла и развернулась, выставив перед собой молоток и оглядывая комнату. Она и вправду что-то слышала? Или просто померещилось?..

Нет. Она знала. Знала, что не померещилось.

Куинн обогнула комнату по периметру, спеша к ведущему наружу коридору и распахнутой двери за ним. Но на полпути замедлила шаг и наконец остановилась. Ну а дальше-то что? Выбежит она, доберется до машины, сядет, заведет мотор. А ехать-то куда?

Порыв чувств налетел на нее так быстро, что она не успела ни распознать, ни обуздать прилив гнева и рожденной постоянными разочарованиями ярости. Они вспыхнули в душе с неожиданной силой, испепеляя страх и неуверенность, что разъедали душу Куинн последние две недели. Девушка нарочно ударилась головой о стену, подкрепляя болью внезапно охватившее ее бешенство.

— Кто здесь? — услышала она свой собственный крик. Как и следовало ожидать, ответа не последовало, но Куинн все равно была рада, что крикнула. Устала она бежать, устала жить в неизвестности. Пора принять битву.

Все еще пребывая в убеждении, что на первом этаже никого нет, она решительно зашагала через нижний зал к спиральной лестнице у дальней стены. Не стараясь приглушить звук шагов, взбежала по ступеням и выскочила в коридор. Никого. Сжав молоток покрепче, девушка шагнула к открытой двери в дальнем конце коридора.

Это была спальня.

Почти во всю дальнюю стену тянулся огромный книжный шкаф, рядом стояла тумбочка, частично скрытая незастеленной кроватью посередине комнаты. Куинн бочком прошла мимо комода — более никакой мебели в спальне не оказалось — и выпрыгнула в дверной проем сразу за ним, угрожающе замахиваясь молотком.

Ванная комната. Тоже совершенно пустая.

Развернувшись, девушка все с теми же предосторожностями двинулась в обход кровати к открытому чуланчику.

Вопль ужаса вырвался у нее так спонтанно, что она не успела заглушить его. Зажав свободной рукой рот, девушка попятилась, споткнулась, начала заваливаться назад, но кое-как умудрилась обрести равновесие и устоять на ногах.

На полу лежала молодая женщина. Совершенно голая, руки и ноги крепко скручены проволокой. И кровь... повсюду кровь — на разбухшем от влаги ковре, на свешивающемся с кровати покрывале... лужицы у ножек тумбочки, пятна на нижних полках книжного шкафа.

Куинн вспомнила, что почувствовала, впервые увидев фотографии других жертв. Теперь она знала, что снимки не передавали ровным счетом ничего — вялые репродукции, не способные запечатлеть ужасающую реальность.

Сделав глубокий вздох, она выставила вперед молоток и заставила себя дойти до чулана. Несколько шагов по мокрому от крови ковру, и она смогла заглянуть внутрь. Одежда, коробки, ничего больше. Однако охватившее ее острое облегчение долго не продлилось.

— Он еще здесь, — прошептала она себе.

Осознание опасности ударило девушку почти с физической силой. Все мускулы у нее напряглись, и она резко развернулась к открытой двери в коридор. Он здесь, в доме, вместе с ней. Человек, сотворивший это, еще здесь.

Подбежав к двери, она захлопнула ее и отчаянно принялась возиться с замком. Когда он защелкнулся, живот у нее скрутила судорога. Заходясь болезненным кашлем, Куинн упала на колени. Но ее не вырвало — было нечем.

Она сама не знала, сколько все это продолжалось, однако затем ей удалось взять себя в руки и вдохнуть хоть немного воздуха. Не отрывая взгляда от кровати, девушка поползла к ней, не позволяя себе останавливаться, пока не оказалась в нескольких футах от женщины.

Куинн крепко зажмурилась, чтобы хоть на миг отогнать от себя зрелище рассеченной кожи несчастной и безразличного, равнодушного выражения на нетронутом лице. Снова открыв глаза, она подползла еще чуть ближе, чувствуя, как теплая кровь сочится сквозь юбку и липнет к коленям.

— О нет... нет...

Струйка слюны на щеке женщины медленно ползла вниз. Раз в несколько секунд в уголке рта появлялись и исчезали крохотные пузырьки. Куинн нагнулась и заглянула в открытые глаза несчастной. Они ничего не видели, но когда девушка прикоснулась к ее шее, то ощутила под рукой намек на тепло и слабое биение пульса.

— О Боже...

Отдернув руку, она посмотрела на иглу, торчавшую из предплечья женщины, и трубку, что тянулась от иглы к пустому баллону под кроватью. Он еще был слабо окрашен розовым.

— Вы меня слышите? Держитесь! Я вызову помощь.

В глазах женщины промелькнул слабый проблеск сознания, хотя продлился он не дольше секунды. Краткий миг возвращения к действительности словно бы истощил ее последние силы. Из горла вырвался тихий хрип, а потом она вся обмякла.

Куинн вдруг заметила, что плачет. Катившиеся по щекам слезы милосердно застилали жуткое зрелище перед глазами.

Она положила было руку на грудь женщины, чтобы начать искусственное дыхание, но тут же без сил опустилась на мокрый ковер. У несчастной не осталось крови, которую могло бы перекачивать сердце, даже если бы его и удалось оживить.

С трудом поднявшись, Куинн вытерла слезы рукавом свитера, запрыгнула на кровать, чтобы избежать необходимости перешагивать через мертвое тело, и взяла с тумбочки телефон, заранее зная, что в трубке окажется глухо. С ней играли, как кошка с мышкой, — и она это прекрасно понимала.

Когда в трубке все же послышался длинный гудок, девушка даже не сразу осознала это. А осознав, набрала 911. О чудо! Почти немедленно откликнулся живой человеческий голос!

— Тут... тут убитая женщина. Я не...

— Мэм, не могли бы вы сообщить мне свое имя?

— Куинн Барри...

— Где вы?

— В старом промышленном районе в конце Талисман-стрит в Нордвесте. Не знаю адреса. Это единственное целое здание...

— Мы немедленно вышлем людей. Вы не можете рассказать, что случилось?

— Она мертва... — Во рту у Куинн вдруг пересохло, слова шли с чрезвычайным трудом. — Кто-то ее убил...

— Кого убил?

— Не знаю...

Она посмотрела на тело молодой женщины. На глаза вновь навернулись слезы. Ужасные порезы, спускаясь с груди на бедра и вниз по ногам несчастной, становились размашистее и неаккуратнее, словно тот, кто это сделал, все сильнее возбуждался, а рука у него слабела. И столько крови! Хотя женщина уже умерла, раны все еще кровоточили, красные струйки ползли вниз, на ковер. Переливание крови... Он переливал ей кровь, чтобы она оставалась живой, пока он...

Это он! Наверняка он! Тот, кто звонил. Неужели он убивал и насиловал эту несчастную даже во время их разговора?

— Мэм? Мэм? Вы еще здесь?

Крик в трубке вернул девушку к действительности.

— Да...

— Я получила подтверждение, что к вам выслан наряд. А теперь расскажите мне, что же произошло.

— Я... я поднялась по лестнице. И нашла ее. Она была еще...

Даже запертая дверь не смогла заглушить внезапного шума с первого этажа.

— О Боже! — вскрикнула Куинн, роняя трубку на постель.

— Мэм! Мэм!

Девушка повесила трубку на место, боясь, что убийца услышит взволнованные крики дежурной на том конце провода, и подбежала к двери. Прижав к ней ухо, она явственно услышала шаги. Пока еще внизу. Но уже торопящиеся.

Запрыгнув обратно на кровать, Куинн метнулась к вделанному в заднюю стенку окну и изо всех сил попыталась открыть его. Не поддалось. Разбить его было бы немыслимо — стекло защищала толстая проволочная сетка.

В звуке шагов появился металлический оттенок — это убийца начал подниматься по винтовой лестнице. Он шел прямо к спальне. Полиция ни за что не успеет!

Куинн спрыгнула на пол и, следя за тем, чтобы не оставлять кровавых отпечатков, обогнула мертвое тело и шмыгнула в чуланчик. Тихий шелест вешалок отозвался в ушах таким громом, что, казалось, вот-вот лопнут барабанные перепонки. Девушка закрыла дверцу так, чтобы оставалась лишь крохотная щелочка, в которую можно было выглянуть наружу.

Первый удар в дверь грохнул почти сразу же. От второго дверь сотряслась. Куинн почти физически ощутила третий.

Она стиснула руку на рукояти молотка. Дверь начала потихоньку отделяться от кирпичной стены. Нельзя бояться, сказала себе девушка. Единственная надежда — убить его. Если немного повезет, она застанет его врасплох и успеет размозжить череп молотком, а он и не поймет, что с ним произошло. Прежде Куинн никогда и не помышляла о том, чтобы убить человека, но знала: она сможет. Не только ради собственного спасения, но и за все то, что он сотворил с теми, другими.

Дверь наконец поддалась, и в комнату ворвался Эрик Твен.

— Куинн! — Голос его звучал резким, отчетливым шепотом.

Она видела, как он вбежал в спальню, и чуть подалась назад в своем чулане, когда Твен повернулся и посмотрел на дверцу. И двинулся прямо туда. Ее рука плотнее обхватила рукоять молотка, хотя решимость, что испытывала Куинн еще секунду назад, быстро слабела. Да, он работал на «СТД», и ему нельзя было верить — она это знала. Но все равно очень сомневалась, что сможет ударить его.

Обогнув край кровати, он вдруг упал спиной вниз на пол.

— Черт!

Эрик забрыкался, пытаясь отползти от тела мертвой женщины, но запутался в одеяле. С трудом скинув его с себя, он отодвинулся на несколько футов и замер, хватая ртом воздух.

— Боже! — пробормотал Твен и торопливо вскочил. Несколько мгновений он простоял над телом, а по лицу его разливалась болезненная бледность. Потом повернулся и исчез за дверью. Но через минуту появился снова, медленно пятясь.

— Рассыпаться по дому!

Приказ этот произнес мужской голос на первом этаже. Все, что он еще мог сказать, словно отрезало, когда Эрик аккуратно прикрыл выбитую дверь. Совсем как Куинн несколько минут назад, он вспрыгнул на кровать и принялся отчаянно тянуть окно вниз.

Глядя на его попытки сбежать, Куинн лихорадочно соображала. Реакцию на мертвое тело Эрик не подделал — в этом она была готова поклясться. Ну так и что же, если он и правда работает на «СТД»? Что это означает? Может — что-то серьезное. А может — вообще ничего. Вдруг это входило в план игры убийцы — рассорить Куинн с единственным союзником?

Бесшумно выйдя из чулана, девушка подошла к кровати. Одним быстрым движением вспрыгнула на нее и зажала рукой рот Эрика, нагнувшись вперед, чтобы он успел увидеть, кто это, прежде чем начнет со всей силы вырываться.

— Боже правый, Куинн, — прошептал он, когда она убрала руку. — Что за чертовщина тут творится?

Вместо ответа она ухватилась за створку окна. Эрик понял намек и взялся поверх ее рук.

— На счет три. Раз... два...

— Сэр, кажется, вам бы лучше самому подняться и посмотреть.

Тщательно следя за тем, чтобы бушующие в душе эмоции не вырвались на поверхность, полковник Брэд Лоуэлл задрал голову к человеку, что перегнулся через перила балюстрады. Это же дом Эрика Твена! Проклятущий дом Эрика Твена! Да он этому психу за такие штучки сердце вырежет!

Поднявшись наверх, Лоуэлл обнаружил, что подручный стоит перед сломанной дверью в спальню. Это выбивалось из привычной схемы. Марин никогда ничего не ломал. И никогда не устраивался в спальнях. В гостиных, иногда — на кухне. Но в спальне — никогда.

— Он не воспользовался кляпом, сэр.

Голос Сьюзан Прескотт. Лоуэлл перешагнул через порог. Она деловито отвязывала мертвую женщину от ножек кровати. Все нынче было как-то не так, неправильно. Фартук на месте — но где же использованные презервативы?

— Видите? — Дергая безжизненную руку жертвы, Прескотт кивнула на окровавленный пластиковый баллон.

— Джон, — обратился Лоуэлл к помощнику, что стоял у него за спиной, — достань мобильник и вели проверить номера машины перед домом.

— Да, сэр.

В наушниках у Лоуэлла затрещало, и он машинально поднес руку к уху.

— Сэр, это Геллер. Перед крыльцом паркуется полицейская машина... Ага. Оба копа вышли. Один идет через двор. Второй, кажется, хочет обойти с другой стороны.

Лоуэлл коснулся микрофона на шее:

— Все, кто в доме. На второй этаж. Живо.

Прежде чем спускаться, он выждал, пока его люди поднимутся наверх. На полпути через холл Лоуэлл услышал тяжелые удары по металлу. Лоуэлл глубоко вздохнул, придавая лицу самое непринужденное выражение, и открыл дверь.

Коп был шести футов ростом — крепкий чернокожий здоровяк. Револьвер он держал в руке, но дулом вниз.

— Не могли бы вы покинуть здание, сэр?

Лоуэлл повиновался, изобразив удивленный вид.

— Офицер, а что происходит?

Полицейский вроде бы чуть расслабился. Оно и неудивительно, когда тебе открывает сорокатрехлетний белый мужчина в костюме за тысячу долларов и плаще за восемьсот.

— Сэр, мы получили сведения, что где-то в этом районе произошло убийство. Вы владелец дома?

— Убийство? Здесь? Вы уверены?

— Сэр, вы владелец?

Лоуэлл покачал головой:

— Нет. Хозяин дома — Эрик Твен. Я с ним работаю. Мы договорились здесь встретиться.

— Не возражаете, если я загляну внутрь?

— Ну конечно же, нет. Заходите, — отозвался Лоуэлл, проводя полицейского в коридор.

— Я торговец картинами, — сообщил он, когда они добрались до зала. — Представляю интересы Эрика. Собирались с ним обсудить несколько его последних работ...

Полицейский кивнул и наскоро огляделся.

— А что там наверху, вы знаете?

Лоуэлл услышал за спиной шаги, однако оборачиваться не стал.

— Вообще-то никогда там не был.

Второй коп был поплюгавее — этакий лысоватый заморыш. Белый. Он на ходу убрал револьвер в кобуру, хотя его напарник свой все держал наготове.

— Что тут происходит, Джордж?

— Говорит, он торгует картинами. У них назначена встреча с хозяином дома.

Белый коп задумчиво кивнул.

— Сэр, вы давно здесь?

— Минут пятнадцать.

— У вас есть удостоверение личности?

— Разумеется.

Лоуэлл сунул руку в карман пальто и обхватил пальцами ручку пистолета девятого калибра.

Первый коп сделал отважную попытку поднять револьвер, но не успел. Второй ничего не сделал. Так и стоял, разинув рот, пока пуля не вошла ему в сердце и он не осел на пол.

Лоуэлл опустил воротник пальто и снова прикоснулся к микрофону:

— Сжечь все, к чертовой матери.

Несмотря на почтенный возраст продавленной крыши, над ней все еще витал слабый запах гудрона. Вдохнув его, Эдвард Марин поспешил убедиться, что его полотняные брюки не касаются ничего, кроме расстеленного на крыше одеяла. Удостоверившись, что брюки не испачкаются, он налил в хрустальный бокал вина и снова обратил все внимание на разыгрывавшуюся внизу сцену.

Он и правда совсем не думал, что время прибытия Куинн Барри совпадет с появлением Брэда Лоуэлла и команды зачистки. Однако события развивались все дальше, неизмеримо превосходя даже самые дичайшие фантазии Марина. Удивительное появление Эрика Твена и полиции. Выстрелы.

Он поднял бокал, чествуя богов, что были столь благосклонны к нему сегодня, и отпил глоточек на пробу. Этот «Латур» Марин припасал для особого случая уже давно. И не был разочарован.

Сначала дымок поднимался тонкой, чуть видной струйкой, маскируясь под клубы поднятой рассветным ветерком пыли, однако скоро сгустился, потемнел и выпрямился. Марин сидел, зачарованно глядя, как столб дыма уходит в ясное утреннее небо.

ГЛАВА 35

— Нет! Сюда! — прошептал Эрик, увлекая девушку за собой к высокому кирпичному зданию, примыкавшему вплотную к его дому. Вход в подъезд был заколочен большим листом фанеры, однако она уже так прогнила и растрескалась, что беглецы сумели бесшумно проскользнуть внутрь. Наверное, из-за сотрясения, но Куинн вдруг поняла, что в темноте не видит ничего — то есть совсем ничего, — поэтому Эрику пришлось вести ее через хаос валяющихся на полу обломков и всякого мусора.

— Где моя машина?

Постепенно глаза все же привыкали, и из кромешной тьмы начала прорисовываться смутная картинка: сочащиеся сквозь разбитые окна и щели в стенах слабые лучи света, кое-где преграждающие путь рухнувшие балки, брошенные станки и механизмы.

Удостоверившись, что может идти и без посторонней помощи, Куинн высвободила руку и остановилась у старой лебедки. Но лишь взмахнув руками, удержала равновесие — голова кружилась все сильнее.

Эрик обернулся, а потом вновь зашагал в глубь здания между горами мусора.

— Не отставай, Куинн. Где ты припарковала мой автомобиль?

Она не ответила.

Наконец Эрик остановился, глядя на девушку сквозь разделявшую их полутьму.

— Не знаю, Куинн, успеваешь ли ты отслеживать происходящее, но нам бы надо убраться отсюда. — Он с усталым раздражением махнул в сторону дальнего конца дома. — Не возражаешь?

— Кажется, я не так уж и тороплюсь. Как ты меня нашел?

— Тони подслушал по телефону ваш разговор. Он вообще довольно занятный малый. Ну что, все в порядке? Нельзя ли нам обсудить это где-нибудь еще?

Он снова двинулся прочь, не позволяя себе обернуться, чтобы проверить, идет ли она за ним.

Куинн все еще сама не знала, доверять ли Эрику Твену. Зато знала наверняка другое — люди, что шарили сейчас по его дому, едва ли отнесутся ко всем ее горестям более сочувственно.

— Почему тот тип в тебя не стрелял? — спросила Куинн, догнав своего спутника.

— Слушай, давай расставим приоритеты, а? Прежде выберемся отсюда живыми и невредимыми, а уже потом обсудим нюансы нашего положения. Улавливаешь, в каком порядке? — Он остановился перед проломом в стене и осторожно выглянул. — Ага, все чисто. Дамы вперед.

7 – 2983

Девушка бросила на него подозрительный взгляд и, опустившись на четвереньки, поползла было в дыру, но Эрик остановил ее, ухватив за подол юбки.

— Там, снаружи, укрыться будет совершенно негде. Придется действовать как можно быстрее. Так ли вески причины, по которым я не должен знать, где ты припарковала мою машину?

На лицо ему падали тени, так что прочесть в глазах что-либо было еще труднее, чем обычно. Да и потом, в сущности, у нее не было выбора.

— Рядом с автомастерской на...

— Ага. Отлично. Это недалеко. Срежем дорогу через свалку. Отсюда сразу налево. Держись поближе к стене.

Девушка выползла на залитый солнцем двор и заторопилась вдоль стены здания. Эрик не отставал. Дойдя до угла, оба разом обернулись — и увидели, что над крышей дома Твена начал подниматься дымок.

— Вот тебе и объяснение, — промолвил Эрик, беря девушку за руку и устремляясь к той же обгорелой машине, за которой Куинн пряталась по пути сюда.

— Какое еще объяснение?

— Почему тот тип меня не застрелил. Им был нужен козел отпущения.

Куинн посмотрела ему в глаза и покачала головой:

— На такое я не куплюсь, Эрик. Слишком уж просто...

— На сложности у нас сейчас все равно нет времени. Как ты себя чувствуешь? Идти можешь?

Вместо ответа она обогнула машину и бегом рванула к автомастерской.

Слава Богу, та еще не открылась, и когда они домчались до стоянки, там еще не было ни души. Эрик остановился у таксофона и снял трубку.

— Я оставил перед домом машину Тони, — пояснил он. — Они определят номер — если уже не определили. Надо позвонить и предупредить его.

Девушка кивнула и повернулась к «хонде», но Эрик схватил ее за руку:

— Ты ведь не собираешься снова слинять и бросить меня тут?

— Не знаю.

Несколько секунд он продолжал сжимать ее руку, хотя потом все же выпустил. Куинн рысцой добежала до автомобиля и запрыгнула внутрь.

Она в зеркало заднего обзора видела, что он провожает ее взглядом, продолжая разговаривать по телефону. Дав задний ход, Куинн выехала на середину стоянки, а потом устремилась вперед, к дороге. Когда она все же остановилась и отворила пассажирскую дверцу, вид у Эрика стал чуть ли не удивленный. Бросив трубку, он заскочил в машину, опустившись коленями на сиденье в ту самую секунду, как Куинн нажала на газ.

— Вот дерьмо!

Снова посмотрев в зеркало заднего обзора, девушка увидела, что над крышей дома Эрика начали появляться языки пламени. Молодой человек повернулся и почти упал на сиденье, а Куинн, к глубокому своему удивлению, вдруг ощутила резкий укол сострадания. Она попыталась загнать непрошеное чувство назад, сохранив отстраненность.

— Дозвонился?

— Ага.

Никто из них не произнес больше ни слова, пока они не выбрались на дорогу к Белтвею и не удостоверились, что погони нет.

— На кого ты работаешь, Эрик?

Он сидел, уставившись в окно со своей стороны. Но, услышав вопрос, повернулся и взглянул на спутницу.

— Тони сказал, тот тип, что тебе звонил, назвал «Современную термодинамику».

— А ты говорил мне, что работаешь в Хопкинсе.

— Ну так и есть, — честно ответил молодой человек. — Я там на ставке. Позвони сама — убедишься. Но еще я подрабатываю в разных других местах.

— И просто забыл упомянуть?

— Куинн, помилосердствуй. Я работаю на НАСА, «Рейтон», «Локхид Мартин» и еще на уйму всяких компаний. С какой стати мне было тебе обо всем этом рассказывать? Да какая тебе разница?

Она вписалась в очередной поворот и вдавила педаль газа в пол. Еще десять минут — и они выберутся из этого чертова Вашингтона. Сзади по-прежнему не было видно никаких преследователей.

— Что ты для них делаешь?

— Для «СТД»? Да по большей части всякие теоретические выкладки. Относительно термоядерных систем. Они очень неплохо платят. Ну и что тут такого?

— Помнишь, я говорила, что после того, как меня перевели на новое место, доделывать работу и налаживать поиск в CODIS вызвали первоначальных разработчиков?

— Ну да.

— Первоначальным разработчиком была «СТД»!

Скосив глаза в сторону Эрика, она увидела, что он наморщил лоб, обдумывая услышанное. Вид у него был удивленный — но как узнать, не прикидывается ли он?

— Вообще-то сначала я не придала этому значения, — продолжала она. — Думала, «СТД» просто следовала тем параметрам, что задало им ФБР. Но теперь...

Эрик повернулся на сиденье и заглянул ей в лицо:

— Ну и что мы имеем теперь?

— Не знаю, может, «СТД»...

— Нет, что теперь имеем именно мы? Не можешь же ты думать, будто я хоть как-то во всем этом замешан? Да с какой стати мне бы тогда было затевать такую тягомотину со взломами и прочим?

— А может, ты пытаешься разведать, много ли мне известно, не проболталась ли я случайно кому еще? — ответила Куинн, почти дословно повторяя то, что было сказано ей самой — и скорее всего сказано маньяком, которого они ищут.

— Ой, да брось ты. Я потерял все, что у меня было, а теперь полиция обнаружит у меня в доме мертвую женщину. Едва ли это пойдет на пользу моей репутации, а? Будь я с теми парнями, просто выдал бы тебя убийце, да и дело с концом. А ты бы рассказала ему все, что он захотел бы узнать. Тут всякий расскажет.

Куинн чуть крепче стиснула руль и сосредоточилась на дороге. Так хотелось верить Эрику. Но что тому причиной — логика или отчаяние?

— Я никому больше ничего не говорила, — выпалила она наконец. — Вот. Теперь ты знаешь.

Он скрестил руки на груди и снова уставился в окно.

— Отлично.

Сердитое молчание длилось до Фейрфакса. Но чем дальше, тем назойливее становились воспоминания о мертвой девушке в спальне Эрика. Как ни гнала их Куинн, они все норовили вернуться.

— Ты видел тех людей внизу? — спросила она. — Был среди них тот, кто в меня стрелял?

Эрик покачал головой:

— Не знаю. Возможно. Я не успел их толком разглядеть. Там было трое или четверо мужчин и одна женщина... — Голос его оборвался.

— И?..

— Непонятно это все, Куинн. Они были такие чистенькие, аккуратные — в костюмах и все такое. На мой взгляд, совсем не походили на банду преступников — скорее на отряд агентов ФБР.

Куинн несколько минут поразмышляла об этом, но так и не пришла ни к какому выводу. Чем больше они с Эриком узнавали, тем меньше все факты укладывались в одну картину.

— Они что-нибудь говорили?

— Что-то вроде: «Рассыпьтесь и отыщите тело. Надо скорее все тут очистить и убираться».

— Они не знали, что мы там, — заметила Куинн.

— Мне тоже так показалось. А вот про ту бедняжку знали. Как будто они служба уборки для психов. Ничего не понимаю. Бессмыслица какая-то. А ты понимаешь?

Куинн покачала головой.

— Только то, что он играет с нами. Это я могу сказать тебе наверняка.

— Кто?

— Да тот, кто убил ту женщину. Это ведь он звонил, теперь я не сомневаюсь. Хотел, чтобы я приехала в твой дом и нашла ее. А потом он вызвал тех людей — группу по уборке, — чтобы они нашли меня.

Внезапно Куинн почувствовала, как покалывает кожа на коленях, там, где ее стянула запекшаяся кровь несчастной жертвы. Она попыталась стереть ее краем юбки, но безуспешно. Да что... что за тварь способна сделать такое с другим человеческим существом? С трудом обретенное спокойствие вновь дало трещину, едва Куинн стала вспоминать телефонный звонок: голос убийцы, легкость, с которой он сумел манипулировать ею. И то, что он знал, где ее искать.

— Куинн? Тебе нехорошо?

— Он уверен, что может взять нас когда пожелает, в любую секунду.

Тревога на лице Эрика казалась вполне искренней. Похоже, он думал о том же, о чем и она — об идеальном попадании Куинн в излюбленный маньяком типаж жертвы. Наверняка у него уже имелись на нее свои планы.

— Раз он шутки шутит с нами, то и с ними явно тоже, — заметил Эрик, храбро пытаясь подпустить в голос побольше оптимизма. — Все, что нам остается, — это понять почему. И кто такие эти «они».

ГЛАВА 36

Эдвард Марин повернул выключатель гриля, вделанного в гранитную кухонную стойку. Шкварчание жарящегося бифштекса стало затихать. Еще пара минут.

Пройдя в столовую, он вытащил и расстелил на столе тщательно отглаженную скатерть, а затем начал полировать мягкой тряпочкой столовое серебро. Вокруг вились и громыхали могучие аккорды моцартовской симфонии «Юпитер».

Это входило в ежевечерний ритуал: самолично приготовить еду, аккуратно накрыть на стол — так, чтобы каждая серебряная вилочка, каждая хрустальная рюмка заняли строго отведенное место и лучились незапятнанной чистотой. Чисто механическая работа, которая ему почему-то очень нравилась. Строго говоря, она входила в число очень немногих вещей в его жизни, что до сих пор еще доставляли удовольствие.

А сегодня так и подавно. Он был погружен в воспоминания о девушке — о ее теле, распростертом на полу спальни Эрика Твена, о ее запахе. О тихом звуке, с каким тонкое лезвие рассекало ее кожу, — звуке, чудесным образом различимом даже сквозь выбивавшиеся из-под кляпа отчаянные крики. О всепоглощающем отчаянии, поражении в ее глазах, когда уже перед самым концом он навалился на нее и овладел ею.

Переливание крови в сочетании с могучим желанием жертвы жить оказало воистину потрясающее действие. После почти четырех часов его неотрывного внимания она все еще оставалась жива. Неоспоримый прогресс.

Марин вернулся на кухню и занялся стряпней — помешивал, приправлял, тщательно следил за нужной температурой. По мере того как солнце клонилось все ниже, высокие окна справа от него, загораживаемые густой чащей, что занимала двадцать акров вокруг его дома, все темнели, превращаясь в черное зеркало, на котором яснее проступало отражение комнаты.

Тщательно разложив еду на тарелке, он снова прошел в столовую и одним касанием к пульту выключил музыку. Во время еды — обязательная, непременная тишина, чтобы ничто не заглушало тихое позвякивание серебра по тонкому фарфору или сочный звук, с которым зубы вонзаются в мясо.

«Современная термодинамика» по-прежнему топталась на месте. Куинн Барри и Эрик Твен снова сумели сбежать — из перехваченного электронного письма Марин знал, что Брэд Лоуэлл даже не подозревал об их присутствии в доме. Еще Марин знал, что, помимо обугленного тела мертвой девушки, в обгорелом остове дома Твена теперь лежали и тела обоих полицейских, из которых предварительно извлекли пули. Славный полковник будет настаивать на том, чтобы сделать Твена главным подозреваемым, а Прайс будет возражать, пытаясь вновь взять под контроль ситуацию, которую давно уже не мог контролировать, однако по глупости и высокомерию никак не хотел признаться в своем бессилии. Марин потянулся к бокалу, улыбаясь про себя. Да уж, сегодняшние события придутся Прайсу весьма не по вкусу.

Громкий треск дерева сменился топотом бегущих ног. Марин отпил глоток, чувствуя, как богатый танином напиток щекочет нёбо. Нет, совсем не по вкусу.

— Доктор!

Марин продолжил как ни в чем не бывало резать бифштекс, не отрывая глаз от тарелки и отслеживая обступивших его людей остальными органами чувств.

— Полковник Лоуэлл? А я как раз ужинаю.

Он отправил кусочек мяса в рот и аккуратно положил вилку.

— Вы пойдете с нами, доктор.

Прежде чем ответить, Марин тщательно дожевал и проглотил мясо.

— Я же сказал. Я ужинаю.

Лоуэлл коротко кивнул, и в ту же секунду Марин почувствовал, как его грубо хватают за плечо. Обернувшись, он одним стремительным жестом сжал горло противника и приставил ему к глазу острие обеденного ножа.

— Прекратить!

Возглас Лоуэлла предназначался не Марину, а четверке оставшихся помощников полковника: все четверо уже выхватили пистолеты.

— Отпустите его, доктор!

Марин наклонил голову чуть вправо, глядя на отражение глаза противника на стали ножа, слушая, как злополучный нападающий пытается втянуть в перехваченное горло хоть каплю воздуха. Скосив взгляд вниз, Марин увидел, что ноги противника болтаются в паре дюймов над ковром. А ведь это все было проделано инстинктивно — без малейшего усилия, даже без размышления. Так, значит, все возвращается. Годы плена не притупили реакции, не ослабили его.

— Доктор Марин!

Он прикинул, а не вонзить ли острие ножа в мозг молокососа, что висел у него в руке, но передумал. Ведь глупость всегда сопровождается непредсказуемостью. Если реакцию Прайса и, наверное, даже Лоуэлла предсказать легко, то вот эти остальные куда опрометчивее. Нет, еще рано.

— Простите, Брэд. Терпеть не могу, когда меня лапают.

Он разжал хватку и выпустил юнца. Тот кинулся назад, шатаясь и держась за горло.

Марин с вежливой улыбкой повернулся к Лоуэллу, который предпринимал поистине жалкие попытки поддержать иллюзию, будто полностью владеет ситуацией.

— Вы пойдете с нами, — повторил он.

Марин не торопясь сел за стол и вытер нож после соприкосновения с глазом мальчишки.

— С нетерпением предвкушаю этот миг, полковник, но сначала мне хотелось бы закончить ужин. Если вы с вашими людьми соблаговолите подождать на улице, я быстро.

Лоуэлл не шевельнулся, лишь стиснул зубы так сильно, что Марину померещилось, будто он слышит, как они скрипят. Наверняка Лоуэлл мечтает убить его. Мечтает уже много лет. Но не может — это противоречит полученному приказу. Дело еще не зашло настолько далеко, чтобы Прайс спустил своего пса с поводка. Еще нет.

Наконец Лоуэлл коротко мотнул головой на дверь, и его люди цепочкой вышли, а Марин отпил вина.

ГЛАВА 37

Куинн испустила разочарованный вздох и указательным пальцем надавила кнопку «Ввод» на переносном компьютере Эрика. Девушка сидела, скрестив ноги по-турецки, посреди огромной кровати и, вперив взгляд в маленький экранчик, обшаривала Интернет. Вообще-то изначально казалось, что задачка, которую надо решить, проще пареной репы — десять минут, и готово, даже думать не стоит. Но, как и все остальное в ее жизни за последние две недели, эта простенькая задачка обернулась бог весть какими сложностями.

Девушка бросила взгляд на Эрика. Он примостился на стуле в дальнем конце просторного гостиничного номера, где они остановились. Смуглая кожа молодого человека чуть побледнела, вид в целом у него был потрясенный, и все же на славу оборудованный бар в номере постепенно начал оказывать целительное воздействие.

— Не нашла ни-че-го, — пожаловалась Куинн.

Он отодвинул полную до краев стопочку.

— Я ж говорил.

— В смысле, я перепробовала все известные мне поисковые системы. Но если верить Сети, такой организации, как «Современная термодинамика», просто не существует.

Он пожал плечами.

— Ну же, Эрик! Ты ведь работаешь на них. Ты должен хоть что-то о них знать.

— Куинн, меня наняли по телефону. Обычное дело — большинству работодателей нужно то, что я могу им дать, но совершенно не хочется лично встречаться с парнем, который хладнокровно и обдуманно перерезал горло своей подружке. Они описывают мне проблему — как правило, довольно-таки специфическую и очень конкретную, — а я посылаю им ответ по электронной почте.

Девушка мгновенно насторожилась.

— По электронной почте? Адрес помнишь?

— Не делай стойку. Я уже проверял. Это специальный сервер. Если пытаешься его зацепить, все стирается и ты остаешься ни с чем.

Куинн захлопнула ноутбук и откинулась на прислоненную к изголовью кровати подушку. Закрыв глаза, она попыталась хоть частично скинуть со спины и плеч напряжение, хотя заранее знала: занятие почти безнадежное. Она не могла избавиться от ощущения, будто часы — ее часы! — так и тикают, а маньяк, убивающий женщин, следит за каждым ее шагом, знает, где она. Будто он ждет. И вынашивает свои замыслы.

Она зажмурилась. Сильно-сильно.

— Так ты сказал, что занимаешься для них термоядерными системами...

— Чтобы быть уж совсем точным, инерциальными системами для термоядерного реактора.

— Расскажи поподробней, а?

— Да особо и нечего рассказывать. Слияние — это ядерная реакция, при которой частицы объединяются, а не расщепляются, как происходит у нас в реакторах сейчас. Вот солнце —

как раз такой пример термоядерного реактора. Объединение атомов высвобождает кучу энергии, и это куда более безопасный и экологически чистый процесс, чем распад.

— Тогда в этой области и ставки, должно быть, высоки... — Она сама не знала, куда заведет такая логическая цепочка, но ведь надо двигаться хоть в какую-то сторону. Наверняка ведь должен существовать способ найти в происходящем хоть какую-нибудь логику.

— Думаю, так оно и есть, — согласился Эрик. — Когда-нибудь отсюда выйдет что-то грандиозное. Но сейчас мы на много лет отстоим от применения этой реакции в практических целях.

Она открыла глаза.

— А как насчет военных? Есть этому военное применение?

— Если я за годы, что занимаюсь наукой, что-то и усвоил, так это то, что военное применение есть всегда и всему. Вояки, они придумают способ убивать людей хоть креслом-качалкой, ты разве не знаешь? На самом деле процесс детонации водородной бомбы включает в себя слияние, но то, чем занимаюсь лично я, так не используешь. Кроме того, не думаю, что хоть кто-нибудь — даже военные — видит необходимость в еще большей бомбе.

— А что, если они...

— Куинн, поверь мне хоть тут. Уж в этой-то теме я худо-бедно разбираюсь. — Он повернулся и налил себе еще порцию. — Я думал, а вдруг мы с самого начала продвигались в неправильном направлении? Твой психологический портрет убийцы выглядит очень даже убедительным применительно к агенту ФБР, но есть и другие способы его интерпретировать. Мне кажется, Ренквисту как-то заплатили. Согласна?

Она кивнула.

— А что, если и кого-нибудь из ФБР тоже подкупили? Это прекрасно объяснило бы и как твою машину испортили на стоянке в Квонтико, и как взломали программу CODIS. А поскольку агенты ФБР имеют доступ к информации о женщинах, которые уже находятся в группе риска... Впрочем, доступ к этой информации имеет уйма народа... Черт, да об этом можно хоть в газетах прочесть.

— Так ты говоришь, нам следует поискать в «СТД»? — спросила Куинн.

— Сама подумай. Кем были те типы у меня дома?

Куинн перекатилась на бок и подперла голову рукой.

— Ну, сначала мы считали, бывшие преступники, которых убийца шантажом вынудил ему помогать. Но ты больше так не думаешь.

Он покачал головой.

— Жаль, ты сама их не видела. Почти с гарантией могу сказать, что они не были обычными преступниками.

— А кто же они тогда?

— Не знаю. Помнишь, что ты спросила у меня в машине? Почему тот тип из дома Ренквиста сбавил обороты, когда на месте действия появился я? Я про то, что он ведь вроде бы не испытывал никаких моральных терзаний по поводу того, чтобы убить тебя...

— «СТД», — перебила девушка.

Эрик пожал плечами:

— Просто мне вдруг пришло это в голову. Если тот тип и правда работает на «Современную термодинамику», ему просто могли приказать не трогать меня. Не хочу показаться воображалой, но то, что делаю для них я, им больше никто не сделает...

Куинн несколько секунд теребила покрывало, обдумывая слова Эрика.

— Тогда этот наш неизвестный должен занимать достаточно высокий пост в компании. Ведь ему хватило полномочий и влияния отыграть контракт на создание CODIS. А уж сколько денег потрачено-то!

— Миллионеров от высоких технологий нынче как собак нерезаных. Ты и не представляешь, сколько есть людей, которым организовать компанию типа «СТД» — раз плюнуть.

Куинн соскользнула с кровати и подобрала свалившийся на пол свитер.

— Не знаю, Эрик. Все равно еще очень многое не сходится. Ну, то есть что за шарашка эта самая «Современная термодинамика» и почему о ней нигде нет никакой информации? Если ее создали специально, чтобы взломать CODIS, я бы склонилась к тому, чтобы принять твою версию. Однако ты говоришь, они также проводят весьма дорогостоящие исследования в области термоядерного синтеза и бог весть чего еще. Ну и, конечно, надо принять во внимание источник информации.

— Источник?

— Кто обратил наше внимание на «СТД»? Тот самый тип, что оставил в твоей спальне убитую женщину. А если с «СТД» просто совпадение, а убийца воспользовался им, чтобы пустить нас по ложному следу, заставить меня подозревать тебя? И мы просто играем ему на руку? Делаем именно то, чего он от нас хочет?

Она натянула свитер через голову.

— Мы куда-то идем? — спросил Эрик.

— Я хочу есть.

— Давай закажем еду в номер. Мы...

— Нет. Я должна выйти отсюда. Подышать свежим воздухом. Пойти куда-нибудь, где можно подумать.

ГЛАВА 38

Все белое.

Четыре стены, пол, потолок, узкая койка, туалет. Все вычищенное, надраенное с бездумной военной тщательностью, к которой Марин уже так привык. Впрочем, в данном случае эффект вышел и впрямь поразительный. Нечаянный шедевр.

Марин сидел на полу, все более и более ощущая себя частью царившей кругом стерильной пустоты. Долго ли он уже находится здесь, пленником крохотной гауптвахты, встроенной в неиспользуемый уголок здания «Современной термодинамики»? Не долго. Он еще чувствовал в желудке тяжесть ужина. Почему-то ощущение было каким-то неприятным, чужеродным.

Отослав Лоуэлла и его людей, Марин закончил трапезу, но не получил ни малейшего удовольствия. Вкус, звук, запах — все истаяло, кануло во всепобеждающее ничто. Радость от дома, от работы, от собственной гениальности — это стало таким пустым и незначащим. В настоящем у него не осталось ничего. Ничего. Существовало лишь прошлое и будущее.

Он всегда обладал даром помнить своих женщин. Но теперь выяснил, что наделен еще и способностью проваливаться назад во времени, вспоминать каждую из них с той же интенсивностью и в тех же подробностях, что существовали тогда, в тот драгоценный совершенный миг.

Первый раз это произошло в восемьдесят третьем году, когда самому ему было всего двадцать шесть. По нынешним меркам, все было так неловко, так непродуманно. Он оглушил девушку бутылкой и некоторое время даже боялся, что не сможет привести ее в чувство. Впрочем, ее длинные ресницы наконец затрепетали, и она явила ему зеленые бездны своих глаз.

То, что он сделал с ней — методы, техника и прочее, — все было безнадежно грубо. Еще бы, при помощи только тех инструментов, что он нашел у нее же в кладовке. Пока он трудился кусачками, девушка умудрилась сбросить одну из веревок. Он едва сумел справиться с ней, пока она не вытащила кляп изо рта. Марин улыбнулся, почувствовав, как сердце глухо ударило о ребра — совсем как тогда, когда это произошло на самом деле.

Да, в первый раз его вела бесконтрольная, неуправляемая страсть. Огонь и жар. Во многих отношениях Марин так более никогда и не достиг столь необузданного накала и интенсивности чувств.

Но это не важно — он взял свое, совершенствуя технику. С каждым годом страх и новизна ускользали все дальше и дальше, тут уж ничего не поделаешь. Но каждый раз он узнавал что-то новое. Как эффективнее причинять боль, как все дольше и дольше удерживать своих жертв живыми и в сознании, чтобы они понимали, что с ними происходит. Как управлять ими, чтобы они думали лишь то, что он им велит, и ощущали лишь муку, которую он им обещает.

Десять лет назад этот тщательно выверенный баланс начал давать сбой. Марин обнаружил, что каждый раз ему надо все больше, а жертвы дают ему все меньше. И он позволил себе отбросить все — условности общества, свою человеческую сущность, свою работу, свое будущее. И — очень недолго — был по-настоящему свободен.

Вот когда все это и должно было закончиться: когда он стал превыше человеческих слабостей, а его сила, вожделение и ярость были поистине безграничны. Он сам сделался кем-то другим — неописуемым, невыразимым существом. Он знал это.

И тут на сцене появилась полиция Балтимора. А следом — его будущий спаситель, генерал Ричард Прайс. Предложение генерала затронуло ту крохотную искорку интеллекта, которую Марин позволил себе оставить, последние обрывки человеческого разума, которые доктор боялся утратить окончательно. Прайс предложил ему все, — и эта искорка снова разгорелась ярким пламенем. Тот, кем временно стал Марин, съежился, сжался и снова смотрел на мир человеческими глазами.

Так он прожил последние десять лет своей жизни. Без всего — лишь с воспоминаниями о том, как было раньше. Женщин стало мало, а его переживания дошли до стерильной и асептической пустоты, с той же механической точностью и тщательностью, что сотворила эту каморку, где он сейчас сидел.

Он допустил ошибку, но больше не повторит ее. На этот раз он не оставит никакой искорки, способной погубить его. Он будет чист. Чист и свободен — полностью и абсолютно.

ГЛАВА 39

— Налить вам еще колы?

Официантка призывно улыбнулась Эрику. Ей было лет девятнадцать — копна длинных, выкрашенных в демонстративно неестественный черный цвет волос, золотое кольцо в носу. Почему-то Куинн поймала себя на отчаянном нежелании признаться, что эта девушка и правда редкостной, поразительной красоты.

— Спасибо. С удовольствием.

Эрик подтолкнул к официантке стакан, в котором оставалось еще не меньше половины прошлой порции. Куинн прикинула, а не указать ли девушке, что ее стакан с водой пуст уже целых пятнадцать минут, но поняла: той на это глубоко плевать.

Официантка попятилась, хотя глаз от Эрика так и не отвела. И, не пройдя и нескольких шагов, снова остановилась:

— Простите. А я не могу вас откуда-то знать?

Куинн закатила глаза.

— Постойте. Вы не играете в этой группе, «Вера в пустоту»?

— Нет.

— Боже, просто с ума схожу. Я где-то вас точно видела.

— А вы не смотрите передачу «Самые завидные холостяки Америки»?

Эрик говорил с такой подкупающей искренностью, что официантка не знала, как и отреагировать. По лицу ее начала было расползаться улыбка, но тут же и замерла. Когда девушка все же отошла от их столика, то явно была от смуглого красавца без ума.

— Если хочешь оставить ее себе, Эрик, то ты должен пообещать, что не забудешь ее кормить и каждый день выгуливать.

— Вовсе и нет. Они не задерживаются даже на несколько дней.

Куинн осеклась, раскаиваясь, что вообще открыла рот. После всего, что произошло — и продолжало происходить, — было так легко забыть, где она нашла Эрика. Одного на старом складе в заброшенном уголке города. Интересно, долго ли продлился его самый серьезный роман? Сколько успевало пройти времени, прежде чем новая подружка знакомилась с детективом Роем Ренквистом и воспоминаниями о Лайзе Иган?

— Прости, Эрик. Я просто неудачно пошутила, — сказала Куинн, не очень уверенная в том, что дело и правда обстоит именно так. Вообще-то не похоже на нее — говорить не подумав.

Ответная улыбка Эрика казалась вполне искренней.

— Знаю.

Официантка материализовалась снова и поставила на стол полный до краев стакан.

— Ну как, выбрали? — осведомилась она, влюбленно глядя на Эрика и начисто игнорируя его спутницу.

— Мне сандвич с жареным цыпленком, а ей фирменные макароны, — распорядился он, протягивая меню. — Спасибо.

Куинн несколько секунд смотрела вслед официантке, уверенно пробирающейся по многолюдному бару, а потом повернулась к Эрику:

— Не могу отделаться от чувства, что мы прыгаем вниз головой в бассейн, не посмотрев предварительно — а налили ли туда воду?

— Прекрасно понимаю, о чем ты. Но это наша единственная нить.

— Ты оптимист, если называешь это нитью. Мы же, по сути дела, марионетки в руках маньяка, да и то у нас плоховато выходит. Даже про «СТД» ничего толком не выяснили.

— Ну, не совсем так.

— Разве?

— Разумеется. Мы знаем, что это компания, которая занимается высокими технологиями в области ядерной энергии и программирования — наверное, и в других областях тоже. Также, думаю, можно с уверенностью сказать, что они специализируются на правительственных заказах.

— С чего ты взял?

— Ну, они ведь не лезут из кожи вон в поисках клиентов, да? А финансируются, судя по всему, очень неплохо. Слияние — дорогостоящая область для исследований, а они ни разу даже не пытались торговаться со мной из-за оплаты — хотя один я вытягиваю из них около ста пятидесяти тысяч в год. Думаю, можно вполне безошибочно утверждать, что они вроде посредников между большими подрядчиками. А может, знаешь, из этих гнусных псевдоправительственных организаций, которые ворочают такими делишками, которыми нормальным людям заниматься не больно-то хочется.

Куинн пожала плечами:

— Великолепно. Умно, ничего не скажешь. Но чем это нам-то поможет?

— Особо ничем, — признал Эрик. — Только у нас обоих есть много знакомых в подобных областях деятельности. Может, кто-нибудь из нашего окружения способен рассказать нам больше.

— Не хочу разводить критику, только даже если и так? Ну, выясним мы, допустим, что это совместное предприятие, образованное «Боингом» и авиационной разведкой для создания бомбы, которая может взорвать всю землю. Или что «СТД» — лишь прикрытие для флота или ЦРУ. А дальше-то что? Даже если предположить, что наш убийца работает на одну из этих организаций, это лишь сузит круг подозреваемых до каких-то двадцати тысяч человек.

Куинн было все труднее и труднее держать себя в руках. Слишком долго копились в ней разочарование и гнев. Удручающая правда состояла в том, что и сейчас, три раза чудом спасшись от гибели, она знала не многим больше, чем в тот день, когда впервые прочла досье.

— По-моему, хотя бы поинтересоваться стоит.

— А вот я не уверена, — возразила девушка. — Кем бы ни был этот сукин сын, он очень умен. Чертовски умен. Если мы будем двигаться в этом направлении, то наверняка либо ничего не найдем, либо лишь то, что он захочет нам показать.

— И что ты предлагаешь?

— Надо сделать что-нибудь неожиданное.

— Например? Пойти в полицию?

Куинн покачала головой:

— Нет, полицейским мы доверять не можем, это уже проверено. Кроме того, у них могут возникнуть... ну, всякие неправильные мысли на твой счет.

— Можешь не ходить вокруг да около, оберегая мой душевный покой, Куинн. Скажем так: когда они закончат разбираться с остатками моего дома и найдут ту девушку, то будут рады меня распять.

— Прости, Эрик. Прости, что втянула тебя во все это.

— Да ладно. Мое существование и раньше жизнью называть не стоило. — В его голосе звучала печальная покорность судьбе. — Так какой у нас план, Куинн? Пластическая хирургия? Переезд в Антарктиду? Или по бокалу цикуты?

— Не знаю. — Она откинулась на холодную виниловую спинку, стараясь прогнать страх, что сжимал сердце смертельной хваткой. Не время бояться. — Думаю, надо забыть про «СТД» и сосредоточиться на самом убийце.

— Звучит заманчиво. Но как это сделать практически?

— А практически мы возвращаемся к тому, о чем я уже говорила... о чем я раньше подумала. Такие типы ведь в обычное время как-то держат себя в руках, да?

— Ты у нас эксперт, а не я.

Она нахмурилась, но в голосе Эрика особого сарказма вроде бы не было.

— А еще они охотятся. Это для них большая и важная часть — найти подходящую жертву, которая воплощает их фантазии. Предположим, что мы были правы и что наш убийца решил обходиться менее идеальными жертвами после того, как его чуть не поймали при... гм...

— Убийстве Лайзы, — договорил вместо нее Эрик.

— Ну да. Прости. Так что мы можем предположить, что его идеалом были те, первые жертвы: молодые, красивые и с высшим образованием. А такие женщины на деревьях не растут...

— Мне можешь не рассказывать.

— Где же он их находит? У них были разные профессии, родом они были из разных мест, работали на разные компании... Но согласись, едва ли человек, который смог добраться до CODIS, стал бы оставлять столь важный момент на волю случая.

— Так ты думаешь, что у него есть система, — промолвил Эрик. — Или он по роду своей деятельности сталкивается с подобными женщинами.

— Именно. Может, он работает в отделе кадров в какой-нибудь компании, куда они все слали резюме, но не поступили на работу?

Эрик раскрутил ложку на столе — как будто пытался загипнотизировать сам себя.

— Возможно. А может, что-то еще более тривиальное. Что, если все они в школьном возрасте завоевывали призы за чистописание? Или получали феноменальные результаты по итогам выпускных тестов?

Оба замолчали — к столику снова подошла официантка и поставила тарелки с едой.

— Еще что-нибудь? Подлить колы?

ГЛАВА 40

— Куинн, ну не надо! Это же безумие, — взмолился Эрик. — Даже червям хватает мозгов учиться на своих ошибках.

Приходилось признать — ощущение дежа-вю и правда обескураживало. Аккуратные домики и раскидистые деревья по бокам улицы как две капли воды были похожи на те, что молодые люди видели близ жилища Ренквиста. И нелегко было забыть, что с асфальта на той тихой улочке, видимо, до сих пор не стерлись следы ее крови.

Эрик и Куинн снова стояли перед автомобилем на узкой улице, разглядывая белое двухэтажное здание. На парковке — две машины, ставни открыты, хотя солнце так отблескивало от окон, что заглянуть в дом с этого места было невозможно.

Эрик ткнул пальцем в самую середину лба девушки:

— На сей раз они будут метить точно сюда.

— И это, по-твоему, называется дружеской поддержкой?

Девушка оглядела новый серый костюм, который сегодня надела. Одернула юбку, стряхнула с жакета воображаемую пылинку. Она просто тянула время — и сама это знала.

— Ну, как я выгляжу?

— Разреши мне хотя бы пойти с тобой!

Она шутливо дернула его за хвост.

— И ты еще говоришь, что я выгляжу неубедительно...

— Дай мне пять минут и ножницы — и можешь помещать меня на плакат юных республиканцев, — горячо заверил Эрик.

Куинн покачала головой.

— Ты же знаешь, так безопаснее. В прошлый раз уже сработало.

— Ничего себе, «сработало»!

— Ладно, Эрик. — Она положила руку ему на плечо. — Не волнуйся. Я вернусь через пару минут.

Куинн двинулась к дому — сначала размеренно и неспешно, но невольно перешла почти на рысцу. На ходу девушка вертела головой во все стороны, обозревая тихую улочку, купавшуюся в лучах утреннего солнца. Все тихо и мирно. Совсем как в прошлый раз.

— Здравствуйте, — негромко окликнула Куинн, останавливаясь перед крыльцом и глядя на закрытую дверь. Голос слегка дрожал. — Здравствуйте, — повторила она чуть громче. Вот так-то лучше.

Позвонив, она предусмотрительно отошла на несколько шагов, чтобы обеспечить себе фору, если опять придется бежать. Быстрый взгляд через плечо слегка успокоил ее: за стеклом машины явственно виднелась голова Эрика, а из выхлопной трубы поднималась слабая струйка пара.

— Здравствуйте. А вы, юная леди, к кому?

Он оказался старше, чем она ожидала. Седые волосы, серая кожа, сутулость. На морщинистом лице читалась легкая настороженность, но ни угрозы, ни тени узнавания. Куинн позволила себе вздохнуть поспокойнее: этот человек скорее всего считает ее молодой иеговисткой* или еще кем-то в том же роде.

— Мистер Таннер?

Он кивнул.

— Меня зовут Куинн Барри, я работаю в ФБР. — Она вытащила из кармана удостоверение и махнула им перед носом старика. — Не могли бы вы уделить мне несколько минут?

Вот теперь он и вправду оторопел.

— По какому поводу?

— По поводу вашей дочери, Кэтрин.

При одном упоминании этого имени лицо собеседника Куинн вдруг обмякло. Девушка даже сомневалась, согласится ли Таннер побеседовать с ней, но через несколько секунд он, шаркая, отодвинулся в сторону, освобождая проход.

— Пит? Кто там? — раздался из глубины дома женский голос.

Таннер не ответил, неподвижно стоя у стенки и глядя на гостью. Куинн прошмыгнула внутрь.

— Пит?

Женщина, что появилась на лестнице, выглядела гораздо моложе мужа, хотя Куинн догадывалась, что они примерно одного возраста.

---

* Иеговист — член религиозного общества «Свидетели Иеговы», занимающегося активной миссионерской и проповеднической деятельностью.

— Здравствуйте, — поздоровалась женщина.

Куинн протянула руку.

— Вы миссис Таннер? Я Куинн Барри из ФБР. Хотела поговорить с вами и вашим мужем о Кэтрин.

— О Кэтрин, — повторила хозяйка дома. Голос ее звучал тихо и мягко, однако в рукопожатии не чувствовалось даже намека на отчаяние и слабость, что так явственно сквозили в каждом движении ее мужа.

— Прошу вас, — пригласила она, первой направившись в сторону гостиной.

Куинн вошла вслед за ней и села на диван. Миссис Таннер устроилась напротив, но ее муж так и остался стоять у стенки.

— Так что там насчет Кэтрин?

— Видите ли, мэм, мы начинаем повторное расследование ее гибели...

— ФБР? Разве ФБР занимается автокатастрофами?

Кэтрин Таннер была самой первой жертвой из списка Куинн — той, которую убийца сжег вместе с машиной.

— Мы получили некоторые новые доказательства, которые заставляют предположить... ну, что это мог быть не просто несчастный случай.

— Доказательства? Что за доказательства?

Куинн не видела повода лгать.

— На месте происшествия были найдены следы крови, не принадлежавшей вашей дочери. Основываясь на новейших технологиях, мы смогли идентифицировать эту кровь с той, что была найдена на месте многих других преступлений, где погибали другие молодые женщины.

— О Боже мой! Вы...

— Нет!

Внезапный крик Питера Таннера заглушил голос его жены и заставил обеих женщин повернуться к нему.

— Это был несчастный случай! Десять лет назад! Она погибла в автокатастрофе! Так нам сказали ваши люди!

— Сэр, мне очень жаль, но...

— Не говорите мне, что вам очень жаль! Никому из вас ее не жаль! Вы не сделали ничего, ровным счетом ничего! А теперь приходите сюда...

— Питер!

Он замолчал, но глаза у него полыхали все таким же неукротимым огнем.

— Ты нагрубил нашей гостье. В момент гибели Кэтрин эта девушка еще в школу ходила.

Голова старика поникла. Он угрюмо уставился на ковер под ногами.

— Я оставила завтрак на плите, — начала его жена. — Сходи, пожалуйста, проверь, не подгорело ли.

Питер Таннер вышел из комнаты. Куинн проводила его взглядом. Он ссутулился еще сильнее, как будто даже воспоминания о дочери легли на него тяжким грузом.

— Простите, — негромко извинилась миссис Таннер, когда ее муж скрылся за углом.

— Не за что извиняться, мэм.

— Он так и не оправился после смерти Кэти. Я тоже. Вы, верно, знаете из ваших досье, что мы никогда не верили, что это несчастный случай, что мы уговаривали полицию возобновить расследование. Нам потребовалось много лет, чтобы смириться. А теперь вы...

— А почему вы не верили, что это несчастный случай?

— Наверное, причины банальны. Потому, что она всегда водила очень осторожно, что у нее не было ровным счетом никаких оснований ехать по той дороге... — Голос ее на миг прервался. — Наверное, мы просто не хотели верить, что она умерла ни... ни за что ни про что. Что мы потеряли ее из-за того, что она слишком громко включила радио, или ей слишком хотелось спать, или... Знаю, это уже много раз говорили и до меня, но потеря ребенка, должно быть, самое ужасное, что только может случиться с человеком. Ты готов на что угодно, лишь бы хоть как-то притупить боль, чтобы не смотреть в глаза реальности. И на некоторое время поиски виноватого помогают забыться.

От стыда, что она невольно разбередила душевную рану несчастной, Куинн даже забыла, насколько опасно ей здесь находиться. Но приходилось держать себя в руках, не теряя бдительности. Чем скорее она отсюда уйдет, тем лучше будет для всех присутствующих.

— Мне очень жаль заставлять вас снова переживать старую боль, миссис Таннер, но вы же понимаете, это очень важно.

— Разумеется. Я сделаю все, что в моих силах, чтобы помочь вам.

Куинн благодарно улыбнулась.

— Меня особенно интересуют любые бумаги, документы и записи, которые остались от Кэтрин. Письма, школьные тетради, резюме, заметки о собеседованиях при поступлении на работу... У вас не сохранилось ничего такого?

Миссис Таннер медленно кивнула. А когда заговорила вновь, голос ее зазвучал отрешенно.

— Мы ничего не выбросили.

ГЛАВА 41

Когда дверь временного узилища Марина распахнулась и в помещение ворвались трое дюжих парней, пленник даже не шелохнулся. Они молча смотрели на него, прячась за тем, что считали полнейшей своей анонимностью. И разумеется, эта анонимность была до смешного иллюзорной. Он знал их имена и фамилии, кто их родители, где они живут, уровень их образования, результаты психологических тестов. Знал все.

Марин медленно поднялся с пола и вышел в открытую дверь, прекрасно сознавая, что бравая троица потянулась следом. Он шагал по коридору, не обращая внимания на почтительные кивки и приветственное бормотание встречных — эти людишки уже сыграли свою роль, и их можно было отбросить, как ненужное барахло. Их для него более не существовало.

В кабинет генерала Прайса бравая троица за доктором не последовала, заняв выжидательную позицию у деликатно закрытой двери. Марин ступил на толстый ковер, не удостаивая даже взглядом Брэда Лоуэлла, который стоял в дальнем углу комнаты, демонстративно сунув руку в карман пиджака. Чуточку театрально — зато хоть какой-то проблеск воображения.

— Думаете, вы незаменимы?!

Марин сел, глядя мимо Прайса на стоявшую на столе фотографию размером восемь на десять дюймов. Он видел ее уже несколько раз, но только в тех случаях, когда приходил сюда без приглашения, неожиданно. Обычно Прайс убирал ее перед встречей с Марином.

На фотографии был изображен сам Прайс с женой, женщиной, почти на тридцать лет младше его, и их молоденькой дочкой, которая родилась, когда генералу исполнилось пятьдесят два. Жалобные посягательства на бессмертие со стороны старика, слабеющего и утрачивающего хватку.

— А я действительно незаменим, — ответствовал Марин, не сводя взгляда с фотографии. Рейчел. Дочь Прайса звали Рейчел. Очень красивая девочка: длинные белокурые волосы, невероятно гладкая кожа, маленькая грудь, лишь намекающая на то, какой ей предстоит стать через несколько лет. Она училась на втором курсе в одном из самых престижных колледжей Вашингтона — и хорошо училась.

— Вы переоцениваете себя, доктор, — заявил Прайс совершенно незнакомым Марину тоном. Властным, бесстрастным, чуть презрительным. — Ваша система — не единственная, которую разрабатывают наши вооруженные силы.

— Зато единственная, которая работает. — Марин откинулся на спинку кресла и положил ногу на ногу. — Я и сам военный, генерал. Время головорезов в красивых мундирах миновало. Теперь они нужны только для того, чтобы позировать перед камерами или чтобы жертвовать ими, точно пешками, пока люди вроде меня сражаются на настоящей войне.

— Люди вроде тебя, подонок? — взорвался Брэд Лоуэлл. — Да ты просто садист-психопат, который кончает, убивая беззащитных женщин! Да как ты можешь хоть приблизительно представить, что такое быть солдатом...

— Брэд... — предостерег его Прайс.

— А-а-а, честь и достоинство войны... — протянул Марин. — Мужество, требующееся для того, чтобы сбрасывать бомбы на беззащитные деревни. Неоценимая отвага, нужная, чтобы бомбить технологически отсталые страны из стратосферы. — Он чуть повернулся на кресле и уставился на Лоуэлла. — Много детишек сожгли, полковник? И как, понравилось? Убивать тысячи нажатием кнопки — или росчерком пера? Чувствуете себя богом?

— Заткнись, дерьмо поганое!

Рука Лоуэлла, странно пустая, вылетела из кармана пиджака. Он рванулся вперед.

— Брэд! — завопил Прайс, вскакивая с места.

Лоуэлл остановился в пяти футах от Марина, не удостоившего угрозу нападения ни малейшим вниманием. Реальной опасности не было. Уж Прайс бы об этом позаботился.

— Отныне всему этому будет положен конец, доктор Марин, — промолвил Прайс, продолжая свои смехотворные попытки взять верх.

— Прошу прощения. Не совсем понимаю, о чем вы.

— Вы будете находиться под постоянным наблюдением отряда полковника. Вас будут сопровождать от дома до работы и обратно. Вы не будете покидать дом иначе, как для поездок сюда. Вы не будете делать ничего, кроме работы над проектом.

Марин кивнул, делая вид, будто обдумывает услышанное.

— А если я не смогу работать в таких условиях, генерал? Что тогда? Мы с вами знаем, что, кроме меня, существует всего один человек, способный завершить подобный проект. А Эрик Твен не станет сознательно работать на военную промышленность.

При упоминании Твена глаза Прайса на миг вспыхнули — Марин знал, что так оно и будет.

— Не переоценивайте мой патриотизм, доктор. Я закрою проект, вы и глазом моргнуть не успеете. — Невысказанная угроза прозвучала вполне явственно, как и задумывалось. Конец проекта стал бы концом и доктора Эдварда Марина. Но это был пустой блеф. Патриотизм Прайса не имел никакого отношения к делу. А вот амбиции очень даже имели. И Марин знал, что их переоценить невозможно. Он изобразил на лице намек на неуверенность. Его план, хотя еще и не доведенный до конца, предполагал, что в «СТД» некоторое время продержится прежний порядок вещей.

Прайс увидел, что выражение лица собеседника изменилось, и решил, будто окончательно победил.

— Вы упомянули Эрика Твена, доктор. Мы полагаем, что он сейчас находится в обществе молодой особы, которая принялась расследовать эту... ситуацию. Мы полагаем, что она связалась с ним потому, что он был замешан в происшествии в Университете Хопкинса.

«Ситуация». «Происшествие». Марин с трудом подавил улыбку. Смешно, что Прайс прячется за такими бескровными и невыразительными эвфемизмами.

— Жизненно важно найти его. — Прайс сделал драматическую паузу. — Это в интересах нас обоих.

Марин медленно кивнул, словно мучительно принимая решение.

— Думаю, я могу вам помочь, — наконец произнес он.

Прайс почти незаметно улыбнулся, а Марин наклонился вперед и взял с письменного стола перед ним блокнот. Написав на нем что-то, он подтолкнул блокнот по столу к генералу.

— Что это? — спросил Прайс, читая список из двенадцати имен. — Тирелл Дариен? Разве он не на нас работает?

— Трое из этих людей работают на нас, — отозвался Марин. — Думаю, существует большой шанс, что Твен свяжется с одним или несколькими из них.

— Почему?

Да потому, что он сам рассказал Куинн про «СТД»! Марин предполагал, что Эрик станет звонить знакомым из разных областей науки, пытаясь выяснить что-нибудь про компанию. Нельзя было исключать и тот вариант, что он и прекрасная, прекрасная Куинн Барри уже знают, кто он такой. Но разумеется, рассказывать об этом Прайсу было бы непрактично.

— Назовите это наитием, генерал.

ГЛАВА 42

— Мне и правда жаль, что тебе приходится этим заниматься, — промолвила Куинн, хотя знала, что говорит более или менее сама с собой. Она уже научилась узнавать характерный наклон головы и остекленевшие глаза, характерные для припадков максимальной сосредоточенности у Эрика. С минуту он сидел неподвижно, глядя на крупные буквы, выведенные на стене гостиничного номера черным маркером:

СТАРШИЕ КЛАССЫ
ВЫПУСКНЫЕ ТЕСТЫ
ПОИСКИ РАБОТЫ
УЧЕБА В УНИВЕРСИТЕТЕ
АСПИРАНТУРА
ДОСТУП К СЕКРЕТНЫМ МАТЕРИАЛАМ
ПРОЧЕЕ

Куинн ползком подобралась к одному из ящиков, содержащему историю короткой жизни Шэннон Дорси, и отволокла его к тому куску ковра, на котором устроила себе рабочее место.

Как оказалось, родители Шэннон точно так же не хотели расставаться с вещами погибшей дочери, как и родители Кэтрин Таннер. Они даже ФБР-то их отдавать, пусть и временно, не хотели — но все же после долгих уговоров согласились.

— По-моему... Ага. Вот результаты тестов Шэннон, — пропыхтела Куинн, водружая на колени кипу бумаг. — Тысяча триста девяносто. Неплохо.

Это, похоже, вывело Эрика из транса. Подойдя к коробкам, он рывком отодрал крышку с еще одной коробки Кэтрин. Гнетущий запах плесени усилился.

— А сколько получил ты?

Эрик прислонился к стене и сполз на пол, держа в руках ветхий трофей и пачку разноцветных блокнотов.

— А?

— На выпускном тесте?

— А-а-а, на нем? Тысяча пятьсот восемьдесят.

— Правда?

— Чему удивляешься?

— Думала, у тебя верных тысяча шестьсот.

— Наверное, ошибся где-нибудь на устных. — Он пожал плечами. — Да мне и было-то всего девять.

* * *

— Ну вот. — Куинн сдвинула очки на лоб и потерла глаза.

Часы показывали четыре, а это означало: они с Эриком возятся тут уже почти пять часов. Девушка запихнула стопку любовных писем Шэннон в коробку с маленькими мягкими игрушками и подползла по ковру туда, где сидел, привалившись к стене, Твен.

— Кофе бы, — простонала она, прислоняясь к молодому человеку.

Он перелистнул очередную страницу старых характеристик Шэннон времен ее подработки в университетской столовой.

— А мне казалось, ты не любишь кофе.

Нахмурившись, девушка перегнулась через Эрика, закрывая телом листы у него на коленях, и дотянулась до кофейника, что стоял с другой стороны.

— Помочь тебе как-нибудь? — спросила она, наливая себе полную чашку.

Он легонько толкнул ее в бок, спихивая с бумаг.

— Знаешь, вот так читать не очень удобно.

— Ой, да, конечно. Прости. — Куинн выпрямилась, облизала ложку и поморщилась от горечи. — Нет, правда. Я могу помочь?

— Не-а. Уже почти все.

Девушка легла на пол и положила голову на ногу Эрика. Пить вот так, лежа, было не слишком удобно, зато затекшая шея начала потихоньку освобождаться от напряжения.

Большинство коробок, уже просмотренных и снова закрытых, стояли на задвинутой в угол номера кровати. У противоположной стенки, под надписью Эрика, лежали аккуратные стопки документов убитых девушек.

Хотя в комнате было тепло, да и кофе не успел еще остыть, Куинн пробирала дрожь. Жутковато как-то: находиться в окружении всех этих пожелтевших напоминаний о живой плоти и крови юных женщин, которые дышали, работали, учились, радовались и огорчались — а потом погибли внезапной, жуткой и бессмысленной смертью.

Впрочем, Куинн с Эриком еще крупно повезло, когда они сумели получить эти документы. Судя по всему, в их распоряжении сейчас находилось практически все, что осталось от двух первых известных жертв маньяка. К несчастью, добыть вещи Лайзы Иган оказалось невозможно: родители после смерти дочери переехали в Калифорнию. Честно говоря, Куинн была этому даже рада: во время работы то и дело из конвертов выпадали старые фотографии; с какого-нибудь клочка бумаги вдруг веяло почти выветрившимися духами, или встречалась коротенькая записка, которая дышала таким счастьем, что на краткий миг давно умершая женщина вдруг оживала. И так трудно было сохранять объективность и хладнокровие.

Куинн внезапно осознала, что шуршание бумаг за головой сменилось нетерпеливой дробью пальцев. Эрик попытался вытащить из-под головы девушки ноги, но коробки кругом не оставляли пространства для маневра.

— Честно говоря, все это не слишком помогает сосредоточиться.

— Тсс, я думаю, — пробормотала она, закрывая глаза и отставляя чашку на ковер.

— Ну, все.

Куинн открыла глаза, на миг утратив связь с реальностью. Неужели она заснула?

— Что?

— Все. Кончено. Последняя коробка.

— Нашел что-нибудь дельное?

— Ровным счетом ничего.

— И что мы имеем в конечном итоге? — спросила Куинн, опираясь на локоть.

— Сейчас посмотрим. — Эрик переполз по ковру к той стене, где под каждым заголовком лежала аккуратная стопка бумаг. Только под одной надписью было пусто. «Доступ к секретным материалам».

— Не похоже, чтобы у ФБР были основания проверять хоть одну из девушек. Кроме того, в бумагах Кэтрин не нашлось копии заявления о приеме на работу в ФБР.

Куинн нахмурилась:

— У Шэннон тоже. А Лайза?

Он пожал плечами:

— Насколько я знаю, ее интересовала только наука. Конечно, она кое-где иногда подрабатывала, но и все.

— Так наши умопостроения насчет ФБР разваливаются?

— На глазах.

Куинн тихонько вздохнула и отпила глоток остывшего кофе.

— Ну ладно. А что еще?

Эрик пролистал кипу под надписью «Старшие классы».

— Они посещали колледжи за сотни миль друг от друга. Судя по записям, обе учились хорошо. Мы с Лайзой вообще-то это никогда как-то не обсуждали, но, мне кажется, она тоже отлично успевала — поскольку потом попала в Принстон.

— А прочие занятия и увлечения?

Эрик приподнял связку разноцветных ленточек, скрепленных тугой резинкой.

— Кэтрин занималась плаванием. Ни Шэннон, ни Лайза спортом не увлекались. Все трое получали те или иные награды за научные успехи, но в разных областях науки и от разных организаций. Имя Кэтрин входило в «Кто есть кто», а Шэннон — нет. Насчет Лайзы не знаю... Нет, не думаю, что во всем этом есть что-то общее.

— А как с выпускными тестами?

Он пожал плечами:

— Оценки у всех хорошие, но не ошеломляющие. Кроме того, откуда человеку, по работе имеющему отношение к тестам, знать, что эти девочки красивы?

— А если он непосредственно проводил тесты?

— Тогда откуда ему знать результат?

Куинн нахмурилась:

— Ты прав. Слишком сложно. Мне рисуется, что такой тип придумал бы себе систему чуть более... не знаю, как сказать...

— Элегантную?

— Именно.

— Тогда дальше. Работа. Какой-нибудь большой государственный подрядчик?

Эрик снова пролистал стопку и покачал головой.

— У Шэннон тут документы из трех фармацевтических компаний — все крупные, я о них слышал. Еще я нашел несколько писем из Южной Америки, где она проходила интернатуру, занимаясь не то саламандрами, не то еще каким-то таким зверьем. Кэтрин перед окончанием подписала контракт с компанией «Интел».

— И ты говорил, что Лайза еще не закончила...

Твен кивнул.

— Складывается впечатление, что мы только попусту теряем время.

— Нет! Этих девушек должно что-то связывать. Должно! А что с высшим образованием?

— Учеба в университете, — прочел Эрик надпись на стене, взял очередную внушительную стопку и снова подполз к девушке. Ей он передал все, что касалось Кэтрин, а остальное оставил себе.

— Ну ладно, — начала Куинн, пролистывая свою порцию. — Кэтрин поступила в Массачусетсский технологический институт. Тут имеется копия заявления в Хопкинс. — Она взглянула на Эрика, но он помотал головой. — Непонятно, отослала она его или нет. Уведомления о приеме из Принстона и Виргинского университета. А Йель ее не принял.

Лицо у Эрика вдруг стало какое-то рассеянное, далекое.

— Слушаешь?

— Шэннон отправилась в Калифорнийский университет, — негромко произнес молодой человек. — А еще тут есть уведомления о приеме в Гарвард и Стэнфорд. И в Виргинский.

Куинн взвилась и схватила Эрика за ногу.

— Виргинский? А Лайза подавала туда заявление?

— Понятия не имею. Вполне возможно.

— О Боже мой! Кажется, нашли!

Девушка вскочила на ноги, но сама не знала — а что, собственно, делать дальше.

— Успокойся, Куинн. Они обе из тех краев, а Виргинский университет там самый большой. Это может быть всего лишь совпадением.

— А родители Лайзы? — спросила Куинн. — Они ведь должны знать, правда? Как можно с ними связаться?

Вид у Эрика был слегка сконфуженный, словно он утратил нить происходящего.

— Эрик! Где можно раздобыть их номер? Ты знаешь, где они живут? Может, поискать в Сети?

Расхаживая взад-вперед по комнате, она не замечала, что Твен торопливо царапает что-то на клочке бумаги, пока он не схватил ее за ногу.

— Попробуй по этому номеру. Он десятилетней давности. Но вдруг они еще живут там?

Девушка на миг застыла на месте, а потом выхватила обрывок.

— Какого черта ты мне не говорил, что знаешь номер?

— Вот только что и сказал.

— Мне позвонить, или лучше это сделаешь ты?

— Думаю, тебе. Я, знаешь ли, не в самых хороших отношениях с родителями Лайзы...

— Ой, да. Конечно.

Телефон на том конце провода успел прозвонить трижды. «Пожалуйста, ну, пожалуйста, окажитесь дома», — заклинала Куинн.

— Алло?

Женский голос.

— Алло... Миссис Иган?

— Говорите.

— Миссис Иган, это Куинн Барри из ФБР.

Молчание.

— Вы здесь?

— Простите, вы сказали, ФБР?

— Да, мэм. Простите, что извещаю вас об этом по телефону, а не лично, но мы возобновили расследование по делу о гибели вашей дочери.

Снова молчание.

— Мэм...

— Вы нашли какие-нибудь новые доказательства? Вы... вы арестовали Эрика Твена?

— Нет. Строго говоря, мистер Твен выбыл из числа подозреваемых.

Улыбка на лице Эрика вышла чуть грустноватой, но он подбодрил Куинн, показав ей большой палец.

— Выбыл из числа подозреваемых?

— Да, мэм. Мы получили доказательства его невиновности. Мы считаем, что смерть Лайзы имеет отношение к гибели еще нескольких молодых женщин...

— О Господи! Но полиция сказала нам...

— Мне нужно задать вам один вопрос, — перебила Куинн. — Это очень важно. Не помните ли вы, подавала ли ваша дочь заявление в Виргинский университет?

Миссис Иган ответила не сразу, и с каждой секундой паузы сердце Куинн все ускоряло и ускоряло бег.

— Да, кажется, подавала.

— Подавала?

Эрик встал и, подойдя к девушке, нагнулся поближе к трубке.

— Да-да. Правда, в результате туда не пошла. Просто подавала туда для... Как там она выразилась? Для верности.

Встав перед девушкой, Эрик одними губами произнес слово «собеседование». Куинн понимающе кивнула.

— А она сама лично ездила туда или проходила какое-нибудь собеседование?

— Гм... нет. Не ездила.

Вид у Эрика стал разочарованный.

— Благодарю вас, миссис Иган, вы очень нам помогли. Будем держать вас в курсе.

— Подождите! А...

Куинн положила трубку и посмотрела на Эрика, который снова принялся вышагивать по комнате.

— Как он узнал? — спросил он.

— Что?

— Как она выглядела? Она ведь там никогда не была.

Куинн погрызла ноготь, а потом снова сняла трубку и набрала номер справочной.

— Какой город вам нужен?

— Шарлоттсвиль. Приемную комиссию Виргинского университета. Соедините, пожалуйста.

В трубке раздалось несколько щелчков.

— Приемная комиссия, говорит Карла. Чем могу помочь?

— Здравствуйте. У меня к вам вопрос по поводу процедуры подачи документов. Надо присылать фотографию?

— Фотографию? Нет.

— Не надо? — Почувствовав вдруг смертельную усталость, Куинн тяжело села на стоявшую сзади нее коробку. А она-то была так уверена, что они нашли. Нашли общее между жертвами.

— Нет, мэм. Мы сняли это требование в девяносто восьмом году. Вы ведь понимаете, что это условие никогда не относилось к числу обязательных, и университет не...

— В яблочко! — выдохнула Куинн, опустив трубку.

— Так они просят присылать фотографию?

— Просили. До девяносто восьмого года.

— Боже праведный!

Эрик снова пустился ходить по номеру.

— Наверняка так оно и есть, — убежденно проговорила Куинн. — Наверное, он работал в Виргинском университете на какой-то должности, дававшей ему доступ к заявлениям поступающих. И выбирал девушек себе по вкусу — красивых и умных. А потом ждал... — Голос ее оборвался, волосы на затылке поднялись дыбом. Только представить, что какой-то урод, маньяк, разглядывал фотографии девочек, просматривал их работы, читал сочинения — и решал, выйдут ли из них интересные жертвы...

— И наблюдал, — добавил Эрик, заканчивая ее мысль. — Смотрел, что с ними станется дальше во взрослой жизни. Чего они сумеют достичь. И если они не утрачивали для него интереса и в более старшем возрасте...

Куинн наклонилась, опершись локтями на колени и лишь вполуха слушая Эрика. Ну вот. Получилось. Наконец они узнали про убийцу хоть что-то. В первый раз за все время они были на коне. Но она знала — это ненадолго.

— Что теперь будем делать, Куинн? Тебе не кажется, что мы нашли вполне достаточно? Теперь только и надо, чтобы кто-нибудь просмотрел документы в отделе кадров и отобрал белых мужчин, имевших доступ к этой информации за интересующий нас период. А потом найти среди них того, кто работает на «Современную термодинамику».

Девушка подняла на него глаза.

— Кому звонить? Ты упустил одну мелкую деталь. Интересующий нас белый мужчина, работавший в Виргинском университете, теперь стал влиятельным членом какой-то очень и очень серьезной организации. Помнишь CODIS? Помнишь Ренквиста?

— Но ведь в ФБР должен быть хоть кто-то, кому мы могли бы позвонить. Кто не связан с CODIS. Кому мы можем доверять.

Куинн покачала головой:

— Не знаю... Возможно. Есть у них там один такой Марк Бимон...

Эрик остановился.

— Где же я уже слышал это имя? Это не тот, который схлопотал столько неприятностей из-за скандала с прослушиванием телефонов? Попало во все газеты.

— Да. Сейчас он глава отдела «Феникс». Говорят, парень слегка чокнутый. Но не продажный.

Эрик махнул рукой на телефон, но Куинн не тронулась с места.

— А как насчет тех людей, которые сожгли твой дом? Ты говорил, выглядели они точно как государственные служащие.

— Для меня всякий в костюме — точно на государственной службе. Это не обязательно что-то значит.

— А вдруг ты прав? Что, если кто-то из ФБР подкуплен? Вдруг ФБР как-то замешано в этой истории?

Эрик пару секунд обдумывал слова девушки, но потом покачал головой.

— Мне кажется, это уж слишком сильное допущение.

Она прислонилась к стене и промолчала.

— Куинн? — позвал он слегка нерешительно. — Нет, правда, слишком сильное.

Девушка по-прежнему молчала.

— Ты мне что-то недоговариваешь. Что именно?

Она наконец выпрямилась и поймала взгляд Эрика.

— Только обещай, что не станешь ругаться, хорошо?

ГЛАВА 43

— Готовы?

Сьюзан Прескотт подняла пистолет к лицу и коротко кивнула. Брэд Лоуэлл сунул карточку-ключ в замок. Еще раз оглядев пустой коридор, он одним ударом распахнул дверь и ворвался в номер, выставив перед собой револьвер. Прескотт ловко вылетела из-за него, в мгновение ока вбежала в маленькую ванную комнату и открыла чулан.

— Никого.

— Черт!

Лоуэлл вышел на середину комнаты и медленно обошел ее, тщательно исследуя каждый закоулок. Куинн Барри была здесь каких-нибудь два часа назад, когда звонила родителям Лайзы Иган и спрашивала про Виргинский университет.

— Ну ладно, Сьюзан. Посмотрим, что тут у нас.

Всю мебель, что не была привинчена к полу, сдвинули в сторону. Лоуэлл самолично заглянул под кровать и перетряхнул смятые одеяла с простынями, пока Прескотт рылась в ящиках комода.

— Ничего.

— Проклятие!

— Они не выписались из отеля, сэр. Может, еще вернутся.

Он покачал головой и вытащил из кармана мобильный телефон.

— Нет. Опять сбежали.

Пока он набирал номер, Сьюзан без особого пыла продолжала обыскивать комнату. Отодвинула от стены кровать.

— Сэр? Кажется, вам стоит взглянуть самому.

Шагнув к стене, Брэд прочел выведенные черным маркером слова:

СТАРШИЕ КЛАССЫ
ВЫПУСКНЫЕ ТЕСТЫ
ПОИСКИ РАБОТЫ
УЧЕБА В УНИВЕРСИТЕТЕ

АСПИРАНТУРА
ДОСТУП К СЕКРЕТНЫМ МАТЕРИАЛАМ
ПРОЧЕЕ

— Сфотографируйте, — распорядился он.

Трубку на том конце провода сняли после второго же звонка.

— Алло?

— Тут никого. Что у вас?

— Они выходили на связь с еще двумя семьями, сэр... Лично.

— Боже! — Семьи жертв Марина считались слишком малоприоритетными, чтобы тратить на них людские ресурсы. Приходилось полагаться только на записи телефонных разговоров. — С кем именно?

— С Дорси и Таннерами.

— И?..

— Барри назвалась агентом ФБР и сказала родителям, что Бюро расследует возможную связь между смертью их дочерей и других молодых женщин. Просила просмотреть личные вещи жертв. Особенно интересовалась бумагами и документами.

Прескотт отодвинула почти всю мебель от стены, чтобы получше сфотографировать надписи. Лоуэлл снова посмотрел на них.

— Дайте отгадаю. Все, что касается старших классов школы, студенческих лет и мест работы?

На том конце наступила короткая тишина.

— Да, сэр. Откуда вы...

— И они получили, что хотели?

— Да, сэр. Они покинули оба дома с кучей коробок.

Лоуэлл кивнул. Это объясняло, отчего сдвинута мебель, — Барри и Твену требовалось место, чтобы разложить документы.

— От других семей ничего?

— Нет, сэр. Прикажете послать к их домам наших людей?

Лоуэлл на секунду задумался. Куинн Барри проявила недюжинное упорство и оказалась неожиданно умным противником. Как она поступит дальше?

— Нет, — наконец произнес он. — Но снимите Сандерсона с фермы отца Барри и отправьте в Виргинский университет.

— Какие-нибудь конкретные приказы, сэр?

— Просто скажите, пусть смотрит получше — Куинн Барри вполне может там появиться. Еще что-либо важное по телефону?

— Нет, сэр.

Лоуэлл отсоединился ровно в тот миг, когда воздух прорезала вспышка фотоаппарата Сьюзан Прескотт.

— Сделали?

— Да, сэр.

— Больше ничего?

— Я ничего не нашла.

— Тогда пойдемте отсюда, ко всем чертям!

ГЛАВА 44

Эрик склонился над капотом арендованного минифургончика, хотя понятия не имел, что высматривать. Поправив бейсболку и солнечные очки, скрывавшие лицо, он украдкой огляделся по сторонам.

Они стояли на обочине Белтвея, милях в десяти от Лэнгли, — стояли вот уже битых полчаса. Интервалы между едущими мимо автомобилями увеличивались со скоростью примерно на дюйм в минуту по мере того, как час пик подходил к концу, но все равно не превышал еще шести футов. Ох, и какого черта он, Эрик, согласился на эту авантюру? Похоже, что стоит Куинн немного похлопать ресницами — и он в очередной раз готов сунуть голову в пекло. Сопротивление было с самого начала обречено на провал.

По крайней мере полиции поблизости не наблюдалось. Во всяком случае, пока. Но чем дольше Эрик с Куинн тут торчали, тем больше было шансов на то, что удача им рано или поздно изменит. Куинн проинструктировала его, что именно сказать любопытному полицейскому насчет мотора, и даже сама пообещала выйти и помочь, если вопросы станут слишком уж заковыристыми. Впрочем, сейчас и такое обещание не радовало. В нынешнем их положении вообще лучше всего держаться тише воды ниже травы и не навлекать на себя подозрений.

— Эрик!

Сдвинувшись влево, он увидел, что она высунулась в окно с пассажирской стороны.

— Вот он! Скорее! Поехали!

Эрик захлопнул капот, вскочил за руль и проворно выжал сцепление. Никто вроде бы не собирался пропускать его в ряд, так что он подыскал «ягуар» с особенно педантичным водителем и буквально протиснулся вперед.

— Куда? — спросил он, перекрикивая свирепые гудки из подрезанного автомобиля.

Девушка вглядывалась в забитую машинами дорогу впереди. От напряжения ее гладкое лицо пошло морщинами.

— Я... кажется, я его потеряла. Не вижу!

— Не переживай, Куинн. В такой тесноте он далеко не уйдет. — Эрик умудрился пристроиться в центральный ряд. Тут вроде бы движение шло чуть бойчее.

— Вон! — наконец встрепенулась Куинн. — «Лексус», пятая машина спереди от нас. Видишь?

— Вижу. А далеко до выезда?

Куинн наклонилась вперед над рулем, вглядываясь в показания одометра.

— Четыре целых и три десятых мили.

— Отлично. Нет проблем.

Он старался перестраиваться из ряда в ряд как можно аккуратнее и плавнее, чтобы невзначай не вызвать у кого-нибудь подозрения. «В конце-то концов, — думал Эрик, — тут все ездят столь же хаотично. Изображаю просто типичного чиновника, торопящегося вернуться с работы к широкоэкранному телевизору и холодильнику, до отказа забитому пивом».

Через три мили впереди все еще оставались две машины.

— Ну же, Эрик! Осталась всего миля. Ты...

— Куинн! — перебил он. — Не действуй на нервы, а?

Девушка замолчала, но сжимала край приборной доски так яростно, что у нее побелели костяшки пальцев.

Он каким-то чудом вогнал автомобиль в узкую щель между машинами и нажал на газ. И вот, когда до цели оставалось меньше полумили, наконец пристроился в правый ряд прямо за «лексусом».

— Отлично, теперь так и держись, — обрадовалась Куинн. — Ему тоже придется перестраиваться. От тебя только и требуется, что сесть ему на хвост.

Эрик глянул в зеркало заднего обзора. Прямо за ними ехал темно-синий, какой-то весь стандартный и безликий седан. Внутри сидели двое, оба в темных костюмах. «Это ничего еще не значит, — сказал он себе. — В радиусе пятидесяти миль от центра Вашингтона все так выглядят».

— Видишь тех двух сзади?

Куинн на миг обернулась.

— Ты их узнал?

Он покачал головой.

— Лиц не видно. Но типаж тот самый.

— Что, хочешь отказаться от этой затеи, пока не поздно?

«Ага! Хотел — да еще как».

— Нет.

Эрик с трудом различал далеко впереди светофор у съезда с основной трассы. Вот там зажегся красный огонек — череда машин замерла. Через минуту вспыхнул зеленый, и они смогли продвинуться еще немного вперед, пока снова не замерли.

— Отлично, — подытожила Куинн. — Успели проехать шесть машин. Значит, нам еще четыре раза.

По губе Эрика поползла капелька пота. Он попытался украдкой вытереть ее — пока Куинн не заметила.

— Боишься? — спросила девушка.

— Пожалуй. Немного. А ты?

— Тоже.

Они снова проползли немного вперед и остановились.

— Все получится, Эрик. Не волнуйся.

— А я и не говорил, что волнуюсь. Просто боюсь.

Следующие два светофорных цикла оба молчали.

— Чудесно, — наконец произнесла Куинн. — Вот оно. Освободи-ка нам немного места.

Эрик замешкался и, игнорируя возмущенные гудки других водителей, пропустил «лексус» на пятьдесят футов вперед.

— Тридцать секунд. — Куинн бросила взгляд на часы.

Он крепче сжал руль.

— Пятнадцать... ДАВАЙ!

Эрик вдавил педаль газа в пол и изо всех сил вывернул руль, слушая скрежет и визг резины, когда машина вильнула в сторону и остановилась в десяти футах за «лексусом». Куинн распахнула дверь и уже вылетела из автомобиля, когда Эрик дал задний ход и, развернув фургончик, перегородил путь остальному потоку машин.

Он уже вылез и сам и наполовину обогнул автомобиль, когда сзади раздался вой сорвавшейся с места машины. Однако когда молодой человек обернулся, то увидел, что это вовсе не синий седан. Старый «фольксваген», державшийся на две машины сзади. Сейчас он мчался по обочине, на полном ходу царапая дверью бетонную ограду, да так, что кругом только искры летели.

Эрик протиснулся мимо капота фургончика и со всех ног помчался к Куинн и «лексусу». Она успела заметно обогнать напарника и рывком распахнула пассажирскую дверцу машины. В эту же секунду сзади раздался тяжелый удар.

На бегу Эрик бросил короткий взгляд назад.

Фургончик оказался достаточно длинным — но буквально впритык. «Фольксваген» врезался в него на всей скорости, пытаясь протиснуться в узкую щель. Спасибо Галилео Галилею и его изящному закону инерции: преследователи намертво застряли, стиснутые между кузовом фургончика и несколькими тоннами бетона.

Заднее окно «лексуса» было открыто, поэтому Эрик не стал возиться с дверью, а просто нырнул туда.

— ГОНИ! ГОНИ! — услышал он отчаянный крик Куинн и перекатился на спину, силясь втянуть ноги в окно. Справившись наконец с этой нелегкой задачей, он уперся в сиденье коленями, глядя в заднее окно. Из «фольксвагена» уже кто-то выскочил — и, кем бы этот неизвестный ни был, двигался он быстро. Уже почти обошел фургончик.

— Какого черта?! — услышал Эрик негодующий голос человека за рулем и только сейчас осознал, что «лексус» все стоит на месте. Выхватив из кармана нож, он вихрем развернулся к водителю и приставил лезвие ему к горлу:

— Жми на газ, или прирежу. Понял?

На самом-то деле грозное оружие представляло собой всего-навсего тусклую серебряную безделушку, позаимствованную из заказанного в номер обеда. Еще более жалкий вид ему придавали пятна засохшего картофельного пюре. Впрочем, Эрик не без оснований предполагал, что любой нож покажется куда острее и тоньше, когда его приставят тебе к яремной вене.

Теория подтвердилась: машина сорвалась с места, рванула на красный свет и свернула на оживленную улицу.

— Теперь налево, — приказала Куинн.

Водитель повиновался, и вскоре автомобиль уже ехал по довольно богатому спальному району.

Куинн изогнулась и посмотрела в заднее окно. Прежде чем упасть обратно на сиденье, она взглянула на Эрика, закатила глаза и громко выдохнула.

— Может, отзовешь своего пса, а, Куинн?

Девушка кивнула Эрику, и он убрал нож.

— Дэвид Бергин. Познакомься с Эриком Твеном.

Глаза их встретились в зеркальце заднего обзора.

— Дэвид, следи, куда едешь.

Он еще несколько секунд сердито смотрел на молодого человека, но потом снова перевел взгляд на дорогу.

— Куинн, что за чертовщина тут происходит? Где ты была? Почему той ночью так и не пришла в парк?

— Я приходила, — ответила она. — И пока мы разговаривали, я на тебя смотрела. Кому ты позвонил после того, как я повесила трубку?

— Что? Не знаю... не помню.

Он лгал — и это было совершенно очевидно. По лицу Куинн Эрик видел: она тоже прекрасно это понимает.

— Кому ты рассказал, что на выходные я собираюсь к папе?

— О чем, черт возьми, ты говоришь? Куинн...

— Отвечай!

— Да кому мне это рассказывать? Кому это интересно? Ты что, спятила? А еще ты приводишь с собой этого подонка с ножом... устраиваешь катастрофы на дорогах...

— В тот вечер кто-то продырявил у меня бензобак и испортил датчик горючего, Дэвид. А потом, когда у меня кончился бензин и машина заглохла, на меня напали и угрожали оружием.

— Куинн...

— Через несколько дней кто-то в меня стрелял.

Он сняла бейсболку, поморщившись при неловком движении, и продемонстрировала Дэвиду перевязанную рану на затылке.

На это у Дэвида возмущенного ответа не нашлось.

— Если бы не Эрик, я была бы уже мертва.

Бергин снова бросил взгляд в зеркало на Эрика, поудобнее устраивающегося на заднем сиденье.

— Если это правда, я перед вами в долгу.

Собственнические нотки в его голосе прозвучали не только очевидно, но даже и вызывающе. Эрик поднял руку и выставил средний палец. То, что такой чванливый, застегнутый на все пуговицы пижон встречается с Куинн Барри, — несомненное доказательство: с этим миром что-то очень и очень не в порядке.

— Так кому ты звонил, Дэвид?

— Куинн, понятия не имею, о чем ты...

— Дэвид, не пудри мне мозги! Мы с тобой были в парке в три часа ночи. И теперь ты утверждаешь, что не помнишь, кому звонил в такое время? Подумай еще раз — и хорошенько.

Дэвид свернул вправо и выехал на узкую дорогу, с обеих сторон обсаженную деревьями. Куинн смотрела на него так пристально и страстно, что Эрику казалось — он ощущает этот взгляд почти физически. Едва ли кто способен был выдержать его дольше минуты. Бергин продержался секунд тридцать.

— В военную контрразведку.

— Что? О Господи!

— Так это оттуда люди ехали сзади? — спросил Эрик. — В...

Бергин покачал головой:

— Не знаю... Я не замечал, чтобы за мной кто-то следил.

— Дэвид, что вообще происходит? — спросила Куинн. — Просто расскажи мне.

Он несколько мгновений молчал, пытаясь решить, как же быть.

— Ты подозреваешься в похищении сверхсекретной информации из фэбээровских компьютеров...

— Да ты что, шутишь? — Не выдержав, Эрик просунулся в щель между передними сиденьями. — Сколько правительство отвалило тебе за предательство, а, Дэвид? Выделили парковку поудобнее или еще что-нибудь в том же духе?

— Эй, черт тебя подери! Я...

— Прекратите! — завопила Куинн. — Оба! Заткнитесь немедленно!

— Подонок, — процедил Эрик, снова откидываясь на спинку сиденья и скрещивая руки на груди.

— Какая еще информация, Дэвид? Кто на тебя вышел?

— Контрразведка. Послушай, Куинн... Когда они явились ко мне и все это выложили, я сразу понял: ты тут ни при чем. Вот и решил, что, если сделаю, как они просят, помогу это доказать со всей очевидностью. Я бы понаблюдал, чтобы с тобой ничего не случилось.

Девушка смотрела в окно, обдумывая его слова.

— Ублюдок! В тот день... когда я вернулась домой и застала тебя в своей квартире... Ты ведь не извиняться пришел, правда? Ты рылся в моих документах и просто не ждал, что я вернусь так рано.

— Куинн...

— А потом скормил мне эту идиотскую ложь про тормоза — чтобы без помех проникнуть в автомобиль и обыскать его.

Дэвид опустил голову. Куинн обернулась и посмотрела на Эрика:

— Ну, что думаешь?

— Думаю, что у нас серьезные неприятности. — Он мотнул головой на Бергина. — Он из ЦРУ. Что до того типа из «фольксвагена», догадайся сама. Военная контрразведка, ФБР, ЦРУ. Ты знаешь всю эту кухню лучше меня. Решай сама.

Бергин метнул на него злобный взгляд, но Эрик лишь покачал головой. Несмотря ни на что, на лице бывшего возлюбленного Куинн не читалось ни тени вины. Лишь ревность.

— Если я расскажу тебе, что происходит на самом деле, Дэвид, ты нам поможешь?

Он ответил не сразу, однако потом коротко кивнул.

— Дэвид, взгляни на меня.

Он тихо вздохнул, но повиновался.

— Ты нам поможешь?

— «Да» тебя устроит? Да.

— Эрик, я считаю, мы должны все ему рассказать. Он никак не замешан в ту попытку схватить меня, по пути к папе. Он бы знал, что я догадаюсь, что с машиной что-то не в порядке.

— Я же сказал — решай сама.

Девушка набрала в грудь побольше воздуха и начала:

— Ну ладно, Дэвид, дела обстоят так. Система CODIS с самого начала была написана так, чтобы игнорировать одну конкретную последовательность ДНК. Это ДНК человека, убившего по крайней мере пять женщин.

— Ты о чем?

— Дэвид, это сделали совершенно сознательно. Нарочно. Кто-то не хочет, чтобы узнали об этом психопате.

— Кто? Зачем кому-либо прикрывать такие дела?

— Не знаю зачем. Но тут явно замешаны военные. И также ФБР и ЦРУ. Но все вроде как вращается вокруг компании под названием «Современная термодинамика». Слыхал о такой?

Дэвид помотал головой.

— Я понимаю, сейчас ты скорее всего пока еще не веришь ни одному моему слову. Все, чего я прошу, — это чтобы ты обдумал мои слова. А когда ты поймешь, что я говорю правду, помоги нам вычислить, что делать дальше и кому мы можем довериться. Обещаешь?

Продолжая медленно вести машину по тихой дороге, Эрик задумчиво барабанил по рулю.

— Мне надо сделать несколько звонков.

— Только не... — начал было Эрик, но Куинн вскинула руку, утихомиривая его.

Бергин написал что-то на листке прилепленного к стеклу крошечного блокнотика и вырвал страницу.

— Это номер моей безопасной секретной линии. Позвони завтра около семи. К тому времени я что-нибудь да узнаю.

Девушка кивнула:

— Ладно. Останови здесь.

— Что?

— Останови здесь.

Он повиновался, затормозив у прогалинки.

— Вылезай.

— Куинн, да ладно тебе...

Она перегнулась через него и распахнула дверцу.

— Ты меня слышал. Выкатывайся!

Дэвид угрюмо вылез на посыпанную гравием обочину и изо всех сил хлопнул дверцей. Эрик перелез через спинку сиденья и плюхнулся на водительское место.

— Дэвид, можно на минуточку твой телефон? — спросил он, опуская стекло.

Порывшись в карманах, Бергин нашел телефон и вложил его в протянутую руку Эрика. Тот просто-напросто зашвырнул его подальше в лес.

— Черт!

Не обращая на гневную вспышку ни малейшего внимания, Эрик высунул в окошко связку ключей:

— Это от фургончика. Смотри не попорть его, босс, он из проката.

ГЛАВА 45

Брэд Лоуэлл сам точно не знал, в чем проблема: замок ли попался слишком упорный или слишком дрожат руки. Опустившись на колени, он чуть ли не вжался лицом в ручку парадной двери Эдварда Марина и попытался окончательно прийти в себя. На несколько мгновений ему удалось притушить гнев и нервное возбуждение. Пары секунд хватило. Дверь тихо клацнула, и он вошел, краем глаза видя, как команда рассыпается по дому.

Все на своем месте.

Лоуэлл медленно обошел гостиную Марина, разглядывая ее с напускной отстраненностью. Мебели мало, но все начищено и отполировано до блеска, расставлено по тщательно продуманному плану. Ни пыли, ни единой соринки на стенах или ковре, будто Марин держит дом — как и себя самого — герметически закупоренным. Но очень скоро все изменится.

— Геллер, в подвал. Сьюзан, наверх, — велел он. — Я займусь первым этажом.

Лоуэлл подошел к элегантным старинным часам — сплошной блеск хрустального стекла — и одним быстрым движением опрокинул их. Треск дерева и звон разбивающегося стекла прозвучали в его ушах сладчайшей музыкой. Два сильных удара — крышка открылась, и Лоуэлл — в перчатках — вытащил изнутри колесики и шестеренки сложного механизма.

— Ищите всюду.

Подчиненные скрылись из виду. Не прошло и минуты, как по застывшему воздуху разнеслась симфония разрушения. Лоуэлл почти улыбнулся, обнажая длинный солдатский нож и принимаясь за один из двух массивных диванов, господствующих над всей прочей обстановкой. Прайс связал ему руки во всем, что касалось физического благополучия Марина, но относительно нынешней операции приказы дал прямо-таки на диво расплывчатые.

Через десять минут необузданного вандализма стало ясно: в гостиной ничего интересного не спрятано. Но ведь Лоуэлл с самого начала так и думал.

Следующей на очереди была кухня. Смахнув со стойки дорогой фарфор и прочую кухонную утварь на выложенный плиткой пол — осколки так и брызнули во все стороны, — он начал методично опустошать шкафчики.

Ничего.

Слушая, как хрустит под ногами битое стекло, Лоуэлл перешел в столовую и принялся выворачивать ящички старинного буфета.

Марин смеялся над ними. Прайс предпочитал ничего не замечать — но негодяй издевался. Упорно, последовательно гнул свое, проверяя границы дозволенного. И каждый раз, когда они — Прайс и его люди — ничего не предпринимали, Марин знал, что может позволить себе еще немного. Но на сей раз ему конец. Теперь Прайсу уже нет пути назад. Придется действовать.

Застекленный шкаф с декоративной посудой, занимавший почти всю стену, отнял не много времени. Лоуэлл открыл его и пошвырял все узорные вазы и чаши на тяжелый стол красного дерева, следя, чтобы ничего по случайности не уцелело.

— Сэр?

За лязгом бьющегося фарфора Лоуэлл с трудом различил в наушниках тихий голос.

— Сэр?

Он приложил два пальца к ларингофону:

— Продолжайте.

— Кажется, я нашел что-то в подвале.

Лоуэлл тихонько вздохнул и швырнул на пол зажатую в руках расписную супницу. Он-то надеялся, поиски займут побольше времени.

— Это лежало под лестницей, сэр.

Лоуэлл почти неохотно преодолел последние две ступеньки в подвал — там все тоже было до навязчивости, до отвращения чисто и стерильно. За одним исключением. На низкой скамье стоял тяжелый металлический ящик. Весь в царапинах, выбоинах, пятнах ржавчины от постоянной влажности, он выглядел здесь потрясающе неуместно. Только висящий спереди замок из нержавеющей стали казался совсем новеньким.

— Сэр, наверное, надо забрать его к...

Геллер осекся, видя, как Лоуэлл лезет в карман и достает револьвер девятимиллиметрового калибра.

— Сэр?

Когда Лоуэлл выстрелил, Геллер торопливо упал на пол, прикрывая голову руками, и не смел пошевелиться, пока эхо выстрела окончательно не угасло.

Не обращая внимания на оторопелую физиономию подчиненного, Брэд шагнул вперед и отшвырнул покореженный замок.

— Сэр? Вы уверены?

Не отвечая, Лоуэлл вытащил из ящика горсть мягкого шелка и нейлона.

— Сказать наверху, чтобы прекратили обыск?

Лоуэлл несколько мгновений смотрел на окровавленные трусики в руке.

— Нет. Пусть продолжают работать. Тщательность так тщательность.

То, что он искал, оказалось почти на самом дне — плотный конверт из оберточной бумаги, сильно потрепанный по краям. Лоуэлл поднес его к свисавшей с потолка одинокой голой лампочке, взвесил на ладони, взглянул на просвечивающие очертания содержимого.

— До свидания, доктор Марин.

ГЛАВА 46

С каждой минутой часы словно бы замедлялись и замедлялись.

Куинн поудобнее устроилась на диване и уставилась в потолок, пытаясь одновременно прислушиваться и к голосам из телевизора, и к бормотанию Эрика из соседней спальни. Ни то ни другое толком разобрать не удавалось, но гул хоть как-то успокаивал.

Последние пять часов оказались сплошной тратой времени. Она успела поговорить с пятью-шестью разными чинами из Виргинского университета, ни один из которых не согласился давать никаких сведений из личных дел неизвестно кому, да еще и по телефону или электронной почте. А Эрик яростно воспротивился, когда она заикнулась о том, чтобы поехать в Шарлоттсвиль лично и попытаться снова пустить в ход заэксплуатированный фэбээровский пропуск. По зрелом размышлении Куинн решила, что Твен прав. Во-первых, она была вовсе не убеждена, что из этой затеи выйдет хоть какой-нибудь прок. Ну каким образом она — или кто еще — сумеет определить, кто именно из сотрудников много лет назад имел доступ к заявлениям абитуриентов? А даже если и сумеет — сколько получит имен? Сто? Тысячу?

А во-вторых, вставал еще и вопрос безопасности. Враги их — кем бы эти враги ни были — имели обыкновение появляться в самых неожиданных местах. Вдруг кто-нибудь уже поджидает ее в университете? После всего, с чем девушка столкнулась за последние несколько дней, эта версия казалась вполне правдоподобной. Более чем правдоподобной. А прежде чем лезть на рожон, хорошо бы раздобыть еще хоть немного достоверной информации.

Эрик с самого начала воспылал яростным недоверием к Дэвиду — и, надо признать, не без оснований. И все же имело смысл залечь на дно, пока они снова не поговорят с ним и не выслушают, что он им скажет. Уж если Куинн и могла быть в чем-то уверенной, так это в том, что Дэвид всегда был жутким лжецом. Однако тому, что он рассказал в машине, она более или менее поверила, хотя Эрик и остался неубежденным.

Закончив попытки чего-то добиться в Виргинском университете, девушка еще битых два часа висела на проводе, обзванивая старых друзей-компьютерщиков в надежде, что кто-нибудь из них знает «Современную термодинамику». Очередная неудача. Что уж там с конкретными фактами или фамилиями — никто словно бы вообще не слышал о подобной компании. Эрик тем временем наводил аналогичные справки в своих научных кругах. Может, хоть ему повезет больше? Ведь меньше везти уже некуда.

Единственное полезное, чего ей удалось добиться за целый день, — это слегка подправить психологический портрет того, за кем они охотятся и кто, судя по всему, охотится за ними. Девушка посмотрел на лежащий на коленях желтый блокнот. Стрелки, подчеркивания, кружочки, рамочки и прочие значки почти полностью скрывали первоначальный текст. Несмотря на кажущийся хаос, наконец-то все сошлось воедино. По крайней мере разрозненные прежде куски общей картинки теперь хоть как-то начали соотноситься друг с другом. Еще бы пару фактов об «СТД» — которые, надо надеяться, Эрик все же сумеет добыть за вечер, — и она сумеет сложить все в одну связную версию. Хотя ей все меньше и меньше хотелось получить эту самую связную версию — уж больно выходило страшно.

Внезапно ее внимание привлекла какая-то знакомая фамилия. Девушка обернулась к телевизору. От резкого движения блокнот соскользнул на пол.

— ...еще три дня назад это было домом Эрика Твена, известного ученого-физика, работающего на Университет Хопкинса...

Ведущая медленно шла вправо, демонстрируя камере груду обугленных кирпичей и балок, в которые Эрик когда-то вложил столько души.

— ...по словам нашего анонимного полицейского информатора, утром в день пожара из дома Эрика Твена кто-то позвонил в службу 911 и сообщил, что в доме произошло убийство. Туда был отправлен наряд из двух полицейских. Они доложили о прибытии на место, однако более на связь не выходили. Когда же на месте событий появилось подкрепление, здание уже полыхало. По последним полученным нами данным, из-под обломков были извлечены три трупа. Два из них принадлежат полицейским, третий же еще не опознан — возможно, это сам хозяин дома, Эрик Твен.

Куинн зачарованно следила, как ведущая на ходу показывает на пожарных, разбирающих груду развалин.

— Все произошедшее лишь сгущает тьму неизвестности, окружавшую личность Эрика Твена, который уже в семнадцать лет был основным подозреваемым в деле об убийстве его возлюбленной. Из-за недостатка улик его оправдали, однако преступление так и осталось нераскрытым...

Услышав какой-то шорох слева от себя, Куинн обернулась и увидела, что в дверях стоит Эрик. Не отрывая взгляда от телевизора, он обеими руками ухватился за косяк, чтобы не упасть.

— Эрик... Прости...

— За что? Ты же ни в чем не виновата.

— Я вызвала полицию, я...

Голос ее оборвался. Эрик отцепился от косяка двери и молча ушел обратно в спальню. А что тут скажешь? Когда полиция выяснит, что неопознанный труп принадлежит молодой женщине, давние подозрения относительно Эрика лишь подтвердятся.

Девушка снова упала на диван, зажмурившись и закрывая лицо руками. Они с Эриком — словно по безмолвному уговору — еще не обсуждали то, что поведал им Дэвид. Так и доехали до отеля, молча, каждый в одиночку пытаясь осознать, что же означает участие во всей этой истории военной контрразведки и ЦРУ. И до сих пор говорить об этом оба были еще не готовы. Как будто сказать об этом вслух означало признать, что все это правда.

Однако теперь они знали: убиты двое полицейских. Люди, вломившиеся в дом Эрика, убили и сожгли их, ничуть не боясь ни возмездия, ни разоблачения...

Куинн зажмурилась еще крепче — так крепко, что за плотно сомкнутыми веками запрыгали яркие пятна света. Пульсирующая боль в голове, неотвязно преследующая ее последние два дня, усилилась и разлилась по всему телу.

Ну чем они с Эриком заслужили весь этот кошмар?

Когда Куинн снова открыла глаза, голова уже почти не болела. Жалюзи были опущены, телевизор выключен. Девушка села, и только когда одеяло упало с плеч, заметила, что вообще была накрыта.

Она бросила взгляд на часы. В полумраке циферблат был едва виден. Пять часов.

Бесшумно ступая по полу, девушка подошла к двери и заглянула в спальню. Эрик сидел, поджав ноги, на кровати, прижимая к уху телефонную трубку. Куинн залезла на кровать рядом с ним и растянулась.

— Ты как? — прошептал он, перебирая пальцами ее короткие волосы.

В ответ она взяла его руку и прижалась к ней щекой.

— Алло? — сказал Эрик и, бережно высвободив руку, покрепче прижал телефон к уху. — Алло? Да. Стивена Хокинга, будьте любезны.

Услышав это имя, Куинн приподняла брови, хотя сама не знала, а чему, собственно, удивляется. Взяв у Твена с колен фирменный блокнот с логотипом отеля, она проглядела первые два листа, пока Эрик ждал на проводе. Оба листка были исписаны, однако понять ничего не представлялось возможным. Неразборчивые, написанные вкривь и вкось фразы громоздились друг на друга, перебегали со страницы на страницу. Даже отдельные буквы словно бы принадлежали к какому-то совершенно чужому, неизвестному девушке алфавиту.

— Джейн? Это Эрик Твен. Стивен дома? Спасибо.

Он взглянул на Куинн и скрестил пальцы.

— Стивен? Это Эрик. — Долгая пауза. — У меня все нормально. Один вопрос. Никто в твоем отделе не проводит никаких вычислений на компанию «Современная термодинамика»? — Еще одна долгая пауза. — Ты уверен? — Эрик тихонько вздохнул, внимательно слушая собеседника. — Да. Я надеялся... Угу... Ладно. Тогда увидимся. Спасибо.

— Тот самый Стивен Хокинг? — спросила Куинн, когда он повесил трубку.

Эрик кивнул.

— И ничего-то он не знает.

— А это все что? — спросила Куинн, показывая блокнот. — Ни слова не понимаю.

— Два раза попал, — отозвался Эрик.

— Правда? Что-то выяснил?

— Астрономия. Небесная механика. И проблемы программирования. По поводу первого я еще ничего не узнал, а второе как-то связано с созданием искусственного интеллекта. Я не застал еще кучу университетских профессоров — у всех занятия. Просил им передать, чтобы они со мной связались.

— Думаешь, это безопасно?

— Номера телефона я не оставлял, только адрес электронной почты. Так нас не выследишь.

— И что тебе рассказали те двое?

Эрик пожал плечами:

— Да не шибко много. Они работают по той же схеме, что и я, и толком ничего про саму компанию не знают.

— А темы, над которыми они работают?

— Еще не выяснил. Я обоих поднял с постели — один в Японии, второй в Индии. Мы договорились обсудить детали попозже.

Молодые люди чуть помолчали.

— Эрик, насчет всего произошедшего...

— Куинн, ты ни в чем не виновата.

— Ведь это я вызвала полицию. Я...

Он резко поднялся, ухватил Куинн за руку и рывком поставил ее на ноги. Она не сопротивлялась.

— Я бы и сам вызвал полицию, окажись там раньше тебя. Мне очень жаль, что с теми двумя так вышло... Но было бы куда жальче, если бы это случилось с тобой.

* * *

Телефон-автомат находился за добрых тридцать миль от отеля, подальше от покинутой ими гостиницы «Дейри куин». Будь Эрикова воля, они бы укатили еще дальше, но Куинн наконец убедила его остановиться. Даже если она и ошибалась насчет Дэвида и он собирался снова предать их, они бы успели сто раз уехать, пока преследователи добрались бы до этого района. Набрав номер, девушка прижалась к Эрику — отчасти для того, чтобы и он слышал, а отчасти чтобы не так мерзнуть на стылом ветру.

— Перри слушает, — раздался голос на том конце провода. Куинн на миг растерялась: ведь Дэвид дал ей этот номер и велел позвонить в семь. Она взглянула на часы — семь и есть, ровно.

Эрик шагнул в сторону и яростно зажестикулировал, убеждая девушку повесить трубку. Но Куинн покачала головой.

— Алло? — продолжал тот же голос. — Кто говорит?

— Кенни?

Разочарованный вздох Эрика перекрыл даже шум ветра. Девушка виновато взглянула на молодого человека, а он тем временем снова придвинулся к ней и нагнулся ухом к трубке.

— Куинн? Это ты?

— Да, Кенни. Я.

Кена Перри она знала уже почти год. Низенький толстячок, выглядевший на добрых десять лет старше своих тридцати двух, он принадлежал к числу тех немногочисленных приятелей Дэвида, которые всегда относились к ней хорошо и дружески.

— А почему ты звонишь по секретной линии?

— Мне Дэвид дал номер. Он тут?

Эрик зажал трубку ладонью.

— Он нарочно тянет время!

Девушка вырвала трубку.

— Кенни?

— Ты не слышала...

— Что не слышала?

Молчание.

— Что не слышала, Кенни?

— Дэвид... Автомобиль Дэвида угнали прямо вместе с ним самим.

Куинн покосилась на Эрика и закатила глаза.

— Да ты что? Ну и как он теперь, ничего? — спросила она, прикидываясь изумленной.

— Куинн... Так жаль, что приходится тебе говорить. Он этого не перенес.

В глазах у нее вдруг потемнело. Лишь через несколько секунд она вновь обрела дар речи.

— Что... что ты такое говоришь?

— Куинн, мы сами еще не знаем никаких подробностей. Свидетели рассказывают, что двое неизвестных, мужчина и женщина, блокировали дорогу, запрыгнули в его машину и уехали. Потом... ох... потом его нашли на обочине в десяти милях оттуда. Он был застрелен... Куинн... Куинн, ты еще здесь?

Девушка прислонилась лбом к металлическому корпусу кабинки и выронила телефон. Из трубки доносился тоненький голос Кенни. Эрик поднял трубку и молча повесил ее на место.

— О Господи, — бормотала она. — О Господи.

Эрик притянул Куинн к себе и обнял. Уткнувшись ему в грудь, она начала тихонько всхлипывать, поначалу еще пытаясь сдержаться, но это было уже невозможно. Дэвид, та женщина в доме Эрика, почти всемогущие люди, преследующие ее по пятам, — все это нахлынуло неудержимой волной.

— Мы никогда не выпутаемся из этого кошмара, — рыдала она. — Никогда.

Эрик прижал ее покрепче. Куинн ощутила тепло его тела.

— Куинн, только не сдавайся, не сдавайся теперь. Кроме тебя, у меня ничего и никого нет.

Еще несколько секунд он обнимал ее, а потом чуть отстранил и посмотрел ей прямо в глаза.

— Прости, но пора уходить. Сейчас у нас нет времени на эмоции.

ГЛАВА 47

Теперь они держались гораздо ближе.

В зеркале заднего вида Марин увидел, как черный «форд» пересекает двойную желтую линию, чтобы обогнать очередную машину и снова пристроиться ровнехонько в двадцати футах за бампером его автомобиля.

Конечно, он всегда знал, что они рядом. Но прежде все было куда как деликатнее — мимолетно попавшийся на глаза наблюдатель, перехваченный отчет о его передвижениях, непонятный щелчок в телефоне. Теперь все станет иначе. Он знал — этого не миновать. Вечно присутствующие стражи никогда более не отступят на почтительно-приличное расстояние.

Улыбнувшись затаенной улыбкой, Марин свернул на тихую сельскую дорогу, что вела к его дому, и чуть прибавил скорость. После того как он свернул за поворот в одной восьмой мили от его дома, наблюдатели исчезли. «Форд» никогда не показывался из-за последнего поворота: без сомнения, останавливался в самой узкой части обрамленной двумя рядами деревьев аллеи, так что Марин не мог бы уехать незамеченным. Внезапно усилившееся общение с выводком Прайса не переставало забавлять доктора.

Припарковав машину перед гаражом, он двинулся к дому. Солнце уже садилось. Сегодня Марин ушел из «СТД» пораньше и битых три часа просто провел за рулем, колеся куда глаза глядят. Работа все накапливалась — отчеты, запросы, теоретические выкладки от работающих удаленно консультантов, — но он уже не мог сосредотачиваться на ней хотя бы настолько, чтобы притвориться, будто работает. Скоро. Уже скоро.

Марин потянулся ключом к замочной скважине, но от первого же прикосновения дверь подалась и отъехала на несколько дюймов назад. Доктор замер на месте и вернулся к жизни, лишь услышав сзади шорох сухих листьев. Обернувшись, он увидел, что к нему подходят двое.

— После вас, доктор Марин, — произнес один из них. Марин даже не обратил внимания, который именно, — голова у него была слишком занята торопливым пересмотром ситуации. Он подозревал, что присутствие людей Лоуэлла станет еще более навязчивым, но не думал, что они зайдут так далеко.

— Сэр, — приглашающе повторил человек у него за спиной.

Марин расправил плечи, выпрямился в полный рост и, натянув на лицо маску абсолютного спокойствия, шагнул через порог.

Ричард Прайс восседал посередине разгромленной гостиной на единственном избежавшем общей участи предмете обстановки — принесенном из столовой стуле с прямой спинкой. Сзади с надменной улыбкой на губах стоял Брэд Лоуэлл.

Шагая к Прайсу, Марин обвел комнату взглядом, на ходу вбирая полный хаос, царивший на месте недавно еще безупречного порядка, и силясь отогнать внезапно закравшееся в душу неприятное ощущение неуверенности. Это что — своеобразное наказание? Нет, Прайс никогда бы не опустился до столь вульгарной и бессмысленной выходки. Тогда что же это такое?

— Генерал Прайс. — В голосе доктора звучала уверенность, которой он на самом деле уже не испытывал. Не слишком ли он перегнул палку? — Добро пожаловать в мое скромное жилище.

Прайс ничего не ответил, даже не шелохнулся, бесстрастно наблюдая, как его люди занимают позиции по углам комнаты.

— Похоже, доктор, во время нашей последней встречи мы так и не поняли друг друга.

Они некоторое время мерили друг друга взглядами. Поскольку Марин не знал точно, что говорить, то решил вообще молчать. Для выработки стратегии ситуация все еще оставалась слишком неясной.

Прайс сунул руку в карман и вытащил оттуда фотографию размером пять на семь дюймов.

— Возьмите.

Обычно Марин не повиновался приказам, но сейчас, пожалуй, настал самый подходящий момент слегка разрядить ситуацию. Кроме того, ему было просто любопытно.

— Это вам что-нибудь говорит?

Марин внимательно осмотрел фотографию. Там изображалась стена, больше всего похожая на стену гостиничного номера. Кто-то всю ее исписал — крупными черными буквами. Марину пришлось поднести фотографию почти к самым глазам, чтобы разобрать отдельные слова.

— Эрик Твен, — произнес он, делая шаг вперед и возвращая фотографию Прайсу.

— Что?

— Эрик Твен, — повторил Марин. — Когда он только попал в Хопкинс, то все время везде писал мелками. Через год там, по-моему, дюйма свободного на стенах не осталось, не исчерканного какими-нибудь разноцветными выкладками. Я-то думал, он это перерос...

— Вы знаете, что значат все эти надписи?

Они значили, что Твен и его потрясающая сообщница подобрались близко. Чертовски близко. Замечательно! Лучшего временного расклада и придумать нельзя.

— Боюсь, не знаю.

Прайс важно кивнул и спрятал фотографию обратно в карман.

— Возможно, я вам помогу. Куинн Барри посещала семьи Кэтрин Таннер и Шэннон Дорси, которых вы, без сомнения, помните. Уехала оттуда она с большим количеством их личных бумаг и документов. Позднее она звонила матери Лайзы Иган и спрашивала, подавала ли ее дочь заявление в Виргинский университет. Как вы думаете, почему?

Марин тщательно взвешивал каждое слово. Прайсу, безусловно, прекрасно известно, что он много лет проработал в Виргинии. Можно ли отрицать и дальше?

— Понятия не имею.

— Не имеете понятия, — повторил за ним Прайс. — Ясненько. Что ж, у меня тут есть еще кое-что, что, возможно, освежит вам память.

Брэд Лоуэлл нагнулся и достал из-за стула Прайса старый металлический ящик. У Марина перехватило в груди дыхание.

— Что-то не так? — издевательски осведомился Лоуэлл, откидывая крышку.

Марин резко шагнул вперед, но сумел обуздать себя. Он попытался восстановить бесстрастную маску, которую носил еще секунду назад, но это было немыслимо. Внутри все словно перевернулось, а когда Лоуэлл запустил руку в ящик и принялся неторопливо доставать оттуда содержимое, к горлу подступила жгучая желчь. Лоуэлл жестоко медлил с каждой новой пригоршней, пропускал тонкую разноцветную ткань меж пальцев, обкрадывая Марина, лишая того, что принадлежало ему одному — мягких, утонченных прикосновений шелка, нейлона и хлопка и воспоминаний, пробуждаемых этими прикосновениями. Цвет их глаз, их запах, их повлажневшая в испарине кожа. Их страх.

Марин словно примерз к месту. Вкус крови во рту заглушил горечь подкатывающей к горлу желчи — он так стиснул зубы, что прокусил щеку. Не выдержав, доктор снова шагнул вперед — судорожно, неуклюже, без всякой грации, сам понимая, что эта суетливость ему не пристала. Однако поневоле остановился, когда охранники вокруг дружно повытаскивали из карманов пистолеты и нацелились на него. Блеф? Теперь он не был так уж в этом уверен.

Наконец все закончилось. Лоуэлл картинно приподнял двумя пальцами и выронил беленькие хлопчатобумажные трусики в мелких розочках, а потом извлек с самого дна ящика плотный коричневый конверт. Вытащил оттуда стопку абитуриентских заявлений и протянул Прайсу:

— Ну что, доктор, теперь понимаете?

Сейчас Марин всем своим существом был сосредоточен лишь на одном: на Лоуэлле. Тот мерил его столь же страстным и напряженным взглядом. Сейчас все могло закончиться. Марин знал, что способен преодолеть разделявшие их пять футов в долю секунды. Он почти физически ощущал, как все произойдет: голова Лоуэлла в ладонях, хруст сворачиваемой шеи, тупая боль пронзающих тело пуль. И все, чего лишил его Лоуэлл, мгновенно вернется. Вернется и снова будет принадлежать лишь ему одному.

Нет. Он еще в силах контролировать ситуацию. Еще не пора спускать себя с поводка. Пока еще не пора. Марин перевел взгляд влажных глаз на Прайса и почтительно кивнул.

— Надеюсь, теперь, доктор, у нас с вами нет друг от друга секретов?

— Никаких.

Прайс явно не поверил, однако удовлетворился тем, что получил подтверждение тому, что удерживает сильную позицию. Знал бы он, сколь шатка эта позиция! Однако пока, пребывая в счастливом неведении, Прайс преспокойно пролистывал стопку заявлений у себя на коленях и разглядывал приколотые к каждому заявлению фотографии!

— Красивые девочки, — произнес он, вытаскивая из кармана зажигалку. Марин стиснул зубы, а Прайс поднес к заявлениям огонек и поджег их. Они сгорели быстро, выпали из руки генерала на пол, наполняя комнату едким запахом пепла и прожженного ковра. Это ничего не значит, твердил себе Марин. Теперь уже ничего. Всего лишь очередной пример энтропии — все на свете в конце концов превращается в хаос.

Следуя за Прайсом вниз по ступеням к дороге, что вела от дома Эдварда Марина, Лоуэлл нажал кнопку устройства у себя под воротником:

— Машину для генерала.

— Мы пойдем пешком.

— Сэр, но...

Прайс махнул рукой, пресекая на корню попытки возразить, и зашагал дальше, пытаясь задавить бушующие в груди эмоции и сосредоточиться. Слишком уж много неизвестных в этом уравнении. Долго ли он еще может допускать, чтобы все продолжалось как есть? Контроль над ситуацией неуклонно ускользал, и генерал прекрасно сознавал это, с самого начала зная, что так оно и будет. Признак истинного лидера — умение безошибочно понять, когда все неудержимо сыплется из рук. Знать, когда пора подводить черту.

Он ускорил шаг, безуспешно пытаясь черпать спокойствие из тихого, недвижного воздуха вокруг, из неспешно сгущавшихся сумерек. Если вся эта история вылезет на свет божий, его покинут, а потом и распнут те же самые люди, кому он так преданно служит. И простые американцы будут только счастливы найти для себя такую жертву. Каждый вечер они возвращаются домой и заползают в теплые, уютные постельки — но и знать не хотят, чего стоит поддерживать этот уют и безопасность. С головой кутаются в блаженное — тщательно культивируемое — неведение, а его поторопятся осудить и покрыть позором.

— Барри и Твен? — спросил Прайс, когда Лоуэлл поравнялся с ним.

— Они очень умны, сэр. Куда изобретательнее и активнее, чем мы предполагали. Практически не оставляют следов и не избирают самые напрашивающиеся пути. Но я подбираюсь к ним и непременно найду.

— Когда?

— Не могу точно сказать, сэр.

— Неизвестно, сколько урона они могут нам причинить. Сколько уже причинили. Их необходимо найти, Брэд. Живыми, если возможно. Если же нет...

Он многозначительно не договорил фразы.

— А Твен?

— Сделайте все, что в ваших силах, чтобы взять его живым. Но это уже не приоритет первой степени.

— Да, сэр.

— А что с Марином? — осведомился Прайс.

— Теперь мы уже не скрываемся, даем ему знать, что мы рядом, — согласно вашим приказам, держимся в зоне видимости. Так ему будет гораздо сложнее скрыться.

— Сделайте так, чтобы это стало невозможно. Не спускайте с него глаз, Брэд. Ошибка обойдется нам теперь слишком дорого.

— Должен ли я понимать, что могу действовать без ограничений, сэр?

— Ничего подобного, — отрезал Прайс, остановившись и ухватив Лоуэлла за руку. — Я прекрасно понимаю ваши чувства и разделяю их, Брэд. Наверное, вы и не понимаете, насколько я их разделяю. Но вы должны отрешиться от них. Вы же понимаете, как он важен для нас? Понимаете?

— Да, сэр.

— Тогда я могу доверить вам то, что должен сказать. И верю, что вы не воспользуетесь моими словами в своих интересах.

— Я всегда выполнял ваши указания в точности, сэр, до последней буквы.

Прайс отпустил Лоуэлла и положил руку ему на плечо:

— Я знаю, Брэд. Знаю...

— Так что именно, сэр?

Прайс тихонько вздохнул. Выбора уже не было.

— Если Марин снова сумеет ускользнуть от вас, выследите доктора и избавьтесь от него.

Лицо Лоуэлла осталось бесстрастно.

— Я понял, сэр.

ГЛАВА 48

Знал ли Дэвид того, кто его убил?

Что почувствовал, увидев револьвер? Поняв, что все тщательно продуманные планы, которые он строил, не стоят ровным счетом ничего? Что уже прожитые на свете годы — тридцать один — все, что суждено получить ему в этой жизни?

Куинн уткнула заплаканное лицо в сгиб локтя, вслушиваясь в неразборчивый голос Эрика из соседней комнаты. В отличие от нее он все еще работал — обзванивал знакомых, пытаясь выяснить хоть что-нибудь конкретное про «СТД». Пытаясь вытащить их из этой заварухи.

Девушка заставила себя сесть и вытерла слезы рукавом свитера. Поплакала, и будет. Ублюдки, которые это совершили, еще идут по следу — и слезы им не помеха. Они все ближе. И если они, Куинн и Эрик, не вычислят, кто эти люди и как их остановить, их обоих ждет тот же конец, что и Дэвида.

Подняв с пола блокнот, она вырвала листы, исчерканные в судорожных попытках обрисовать психологический портрет преступника, и решительно уставилась на чистый лист. До сих пор она надеялась, что Дэвид сможет заполнить пробелы, но этому свершиться не суждено. Придется заполнять их самой.

Куинн так погрузилась в работу, что не услышала приближения Эрика. Даже не замечала его, пока он не опустился на колени у дивана и не пристроил подбородок ей на плечо.

— Ты как? Ничего?

— Да вроде, — отозвалась она, снова проглядывая лежащие на коленях листы. В первый раз ей удалось создать психологический портрет, более или менее увязывающий все вместе в одну совершенно немыслимую, бредовую теорию. Однако узнать, насколько эти догадки близки к истине, да и близки ли вообще, было невозможно. Отчасти девушка даже надеялась, что нет, не близки.

Эрик обошел диван и плюхнулся в кресло по соседству.

— Я так ничего и не добыл.

— Почему?

— В Штатах все уже разошлись с работы, в Европе уже слишком поздно, а в Азии — слишком рано.

— Не узнал совсем ничего нового?

Он покачал головой.

— Правда, электронную почту еще не проверял — а я ведь разослал множество писем. А у тебя-то как?

Куинн взглянула на блокнот, который держала на коленях.

— Кажется, закончила.

— Что закончила?

— Психологический портрет, над которым работала.

— И он может нам хоть как-нибудь помочь?..

Куинн медленно покачала головой:

— Не знаю. Возможно.

— Ну что ж, почему бы тебе тогда не показать его мне?

Девушка набрала в грудь побольше воздуха и попыталась сосредоточиться на своих записях. Они все еще оставались довольно бессвязными, но ничего лучшего у нее пока не получилось.

— Итак. Белый мужчина в возрасте от тридцати пяти до пятидесяти лет. Предыдущую версию, что умственные способности у него выше среднего, я чуть-чуть подправила: они у него просто выдающиеся, блистательные. Он входил в штат сотрудников Виргинского университета и занимался какой-то наукой, к которой правительство питает повышенный интерес, а точнее, даже не правительство, а военные. Сколько-то лет он убивал девушек, которые подавали заявления в университет, но потом не поступали туда, и тщательно заметал все следы. Однако где-то в начале девяностых он начал утрачивать бдительность, а скорее, потерял контроль над собой. В одном убийстве оставил следы, а в другом — тело жертвы. Кульминацией всего этого стало нападение на Лайзу Иган — по всей вероятности, в тот раз ему кто-то помешал довести дело до конца.

— Тогда он испугался и начал выбирать жертв уже иначе, — закончил за нее Эрик. — Это мы уже обсуждали.

Куинн на секунду замялась в нерешительности.

— Не думаю, что он испугался. Я думаю, что... что его поймали.

— Прошу прощения?

— Подумай минуту. Во время расследования настоящий убийца попадает под подозрение. В какой-то момент военные узнают, кто он такой. Тогда они дают нашему другу Ренквисту денег или еще каким-то образом уговаривают его не преследовать настоящего убийцу, а чуть-чуть подправить улики и сосредоточить следствие на тебе. Но не так, чтобы ты реально угодил под суд, потому что тогда улики будут рассматриваться куда как более пристально...

Эрик весь подался вперед, упершись локтями в колени. Похоже, Куинн полностью завладела его вниманием.

— Итак, в девяносто втором, после гибели Лайзы, он увольняется из Виргинского университета и переходит в «Современную термодинамику», которая, как ты и сказал, вероятно, принадлежит к числу квазиправительственных организаций...

Внезапно вид у Эрика сделался каким-то рассеянным. Глаза смотрели прямо вперед, но словно бы ничего не видели.

— Ты слушаешь?

— Итак, в девяносто втором, после гибели Лайзы, он увольняется из Виргинского университета и переходит в «Современную термодинамику», которая, как ты и сказал, вероятно, принадлежит к числу квазиправительственных организаций... — повторил он: как будто магнитофонная запись, каждая буква на месте, но Куинн все равно не была уверена, что Эрик слушает ее по-настоящему.

— Ну ладно. На некоторое время, пока он начинает работать с «СТД», все утихает. Его спасли от тюрьмы, а взамен он соглашается работать над их темой, что бы это за тема ни была. Но через некоторое время им снова завладевает его мания, он теряет способность концентрироваться — такие типы редко останавливаются. Возможно, нападает на еще какую-нибудь женщину, убивает ее — и они его покрывают. А потом обнару-

9 – 2983

живают, что он снова счастлив и доволен жизнью и преспокойно возвращается к работе.

— И они начинают поставлять ему жертв, — промолвил Эрик, выходя из транса. — Таких, чтобы не вызывали подозрений. При помощи своих связей с полицией подбирают женщин, которые уже находятся в группе риска. В физическом отношении подходящих его излюбленному типу, но бедных и необразованных. А после того как он их убивает, его наниматели высылают тех мерзавцев, что побывали у меня в квартире, убраться и избавиться от тела...

Он вдруг умолк, и Куинн продолжила с того места, на котором Эрик остановился:

— Полиция, само собой, приходит к выводу, что либо женщина просто сама уехала, либо ее муж, любовник или еще кто-то убил ее и спрятал тело. Но после того как научились брать образцы ДНК, полностью очистить место преступления становится уже невозможно. Так что, когда создается CODIS, «СТД» умудряется перехватить заказ и спрограммировать систему так, чтобы она не узнавала ДНК их человека.

Эрик вскочил на ноги и принялся кружить по комнате. Казалось, его мучит какая-то физическая боль.

— Эрик! Что с тобой? Мне продолжать?..

Судорожное движение головы можно было с натяжкой принять за кивок.

— Теперь немножко шаманства, — медленно начала Куинн. — Мне кажется, характер у этого типа надменный, самолюбивый. Он превосходный манипулятор. Его забавляют игры с жертвами, с нами и даже со своей командой поддержки-очистки — их он ненавидит. Он ненавидит все связанное с армией.

— Эй, а вот тут что-то не так, — запротестовал Эрик. — Он бы должен очень даже любить военных. Они поставляют ему жертв. Разве это не ты сама сказала?

Казалось, он отчаянно хочет, чтобы она согласилась. Хотя сам так явно не думал.

— Мы же уже обсуждали. Такого рода преступления связаны еще и с жаждой власти. А ее-то он и утратил. Ему больше не приходится охотиться самому — его кормят. И даже не такими женщинами, как ему надо. Для этого человека крайне важен именно тип жертвы и сам процесс охоты. Ему важны все-все аспекты. Он любит очень умных и очень красивых женщин, а вынужден довольствоваться теми, кого сам отнес бы к отбросам общества... — Она умолкла и несколько мгновений следила, как Эрик все быстрее и быстрее кружит по комнате. — Эрик, ну в самом деле! С тобой все нормально?

— Марин, — произнес он так тихо, что она едва расслышала.

— Что ты сказал?

Внезапно он остановился и развернулся лицом к девушке.

— Ничего! Ничего я не говорил. Ты ведь даже не специалист-психолог. Черт возьми, это ведь все просто догадки!

— Ты что-то сказал. Что? Марин?

Он замер, словно не в силах пошевелиться. Лишь глаза отчаянно бегали по комнате. Зрелище было настолько диковатое и даже пугающее, что Куинн подошла к Эрику и провела рукой по длинным черным волосам. Успокоительно положила ладонь ему на шею.

— Эрик, да что с тобой?

Прежде чем ответить, он немного пожевал губу.

— Эдвард Марин.

— Кто?

Эрик наклонил голову набок и посмотрел на Куинн так, словно не понимал, о чем она спрашивает.

— Эдвард Марин.

— Эрик, мне это ничего не говорит. Пойдем, присядь. — Она повела его к дивану. — Кто такой Эдвард Марин?

— Доктор Эдвард Марин. Белый мужчина, около сорока пяти лет. Возглавлял кафедру физики в Виргинском университете, один из самых блистательных ученых за всю ее историю. Его еще называли «Чужой» — отчасти потому, что шутили, будто он ворует чужие методики, а отчасти потому, что он сам был таким... Ты бы охарактеризовала его как «надменного и нелюдимого».

Куинн опустилась на диван, обдумывая слова Эрика.

— Ты... ты его знаешь?

— Несколько раз встречал, еще ребенком. Но я бы не сказал, что по-настоящему его знал. Он ушел из университета много лет назад и как в воду канул. Все думали: окончательно свихнулся и живет где-нибудь в нью-йоркском метро — или что-нибудь в том же духе.

— Когда? Когда он исчез?

— В девяносто втором, — ответил Эрик. — Я помню... потому что это произошло всего через несколько месяцев после смерти Лайзы.

Куинн посмотрела на кофейный столик и описанный ею портрет убийцы.

— О Боже мой!

— Нет! — Эрик снова вскочил на ноги и заходил по комнате. — Это просто глупо. Мы же, черт возьми, говорим про Эдварда Марина! Про человека, который завоевал Нобелевскую премию по физике статьей, в которой не было списка литературы. Понимаешь, что это значит?

Куинн покачала головой.

— Это значит, что он не основывался ни на чьих других трудах — все было совершенно новым. Как в том случае, когда Эйнштейн сказал, что скорость света постоянна... Нет! Никогда!

Куинн наблюдала, как он расхаживает по комнате, и сердце ее вдруг сжалось от сочувствия. Судя по всему, для Эрика этот самый Марин был кумиром, героем мальчишеских лет — он рос, восхищаясь им, мечтая стать похожим на него. Но все сходилось.

— Зачем бы столь крупный ученый стал работать в Виргинском университете? Там не самая сильная школа физики...

Эрик замедлил шаг и наконец остановился.

— Все и гадали. Подшучивали...

— Прости, Эрик, но не потому ли, что в других университетах не просили фотографий абитуриентов?

Он яростно ткнул пальцем в ее сторону, точно собираясь возразить, однако утратил запал.

— Почему, Эрик? Над чем таким он мог работать, чтобы оно того стоило?

Молодой человек устало пожал плечами и рухнул в кресло рядом с диваном.

Куинн подождала, не скажет ли он что-нибудь еще. Когда же стало ясно, что говорить он не собирается, подошла к его ноутбуку и подключилась к Интернету, чтобы проверить почту.

— Что-то есть, — сообщила она, оглядываясь. — Эрик, ты меня слышишь? Тебе пришло какое-то письмо.

Писем оказалось шесть. Первые два — коротенькие посланьица в одну строчку с уведомлением, что авторы их ничегошеньки не знают ни о какой «СТД». Зато когда девушка открыла третье, то увидела, что там целая страница текста.

— Эрик. Письмо от кого-то по фамилии Фалько. Это о нем ты мне говорил? Тут написано, что он занимается для «СТД» небесной механикой. — Она пробежала глазами текст, но ничего не поняла. С таким же успехом письмо могло быть написано на суахили.

Она выделила его и принялась за остальные.

— Вот еще одно! От какого-то типа, который зовет себя Волверином. Похоже, пишет из «Сони» в Японии. Он говорит, работает над чем-то под названием «механическая гармония»... — Она снова оглянулась через плечо. — Ты слушаешь?

Эрик слабо кивнул.

— Она.

— Что?

— Волверин — это девушка.

Радуясь, что он начал обращать внимание на то, что происходит вокруг, Куинн открыла последнее письмо. Оно оказалось куда менее сложным, но зато куда более странным.

— А это от кого-то по имени Тирелл Дариен из Стэнфорда. Только и говорится, что «поцелуй меня в задницу». — Она в недоумении повернулась к Эрику: — Почему вдруг так?

Бесстрастное лицо Эрика озарил огонек гнева — и все разгорался, пока молодой человек не выскочил из кресла и не подлетел к Куинн. Развернув к себе ноутбук, он сердито застучал по клавишам, проглядывая два письма, о которых она ему рассказала.

Внезапно Эрик схватил со стола вазу и швырнул ее в стену. Ваза с грохотом разлетелась на куски. Куинн вздрогнула.

— Сукин сын!

— Может, ты поговоришь наконец со мной? Ради Бога! — закричала на него Куинн. — В чем дело?

— Сама подумай! Механическая гармония.

— Понятия не имею, что это такое.

— Но ты же разбираешься в машинах. Когда заводишь мотор, почему все начинает дрожать?

Куинн пожала плечами.

— Из-за движущихся частей?

— Правильно. А что, если ты сделаешь так, чтобы эти движущиеся части были идеально сбалансированы?

— Ну, наверное, мотор не будет дрожать.

— А небесная механика занимается проблемами гравитационного эффекта находящихся на орбите тел.

Куинн снова пожала плечами:

— Ну и что? Не понимаю, о чем ты.

— Не исключено, это нам поможет. Я проводил для «СТД» расчеты по слиянию. Все, вместе взятое, можно назвать еще иным словом — лазеры.

Вот оно! Последний, недостающий кусок головоломки.

— Звездные войны? — Девушка пробежала пальцами по волосам, обдумывая услышанное. — Я что-то такое учила в школе. В смысле, это ведь все провалилось, еще когда мы были детьми. В эпоху Рейгана. Оказалось напрасной тратой средств...

— Едва ли, — возразил Эрик. — Программа ведь привела Советский Союз к банкротству, не правда ли?

Она на миг задумалась.

— Никогда не смотрела на это с такой точки зрения. Но технологически-то разве затея не окончилась полным провалом? Кроме того, разве у нас нет этих снарядов «Патриот», которые использовались во время войны в Заливе?

— Они не работают, — просто ответил Эрик.

— Разве они не попадают почти в любую цель?

— Не верь всему, что читаешь, — отозвался он. — На самом деле они и в сарай-то не попадут. Что ни выстрел, то промах. Но военные, разумеется, не хотели сообщать это прессе, а пресса, честно говоря, не хотела бы это услышать. После Вьетнама американцы не любят узнавать о неудачах своей армии. Ну сама подумай. Ведь вся концепция — чушь сплошная. Все равно что если два человека, выстрелившие друг в друга, будут надеяться спастись потому, что пули в воздухе столкнутся.

— А размещенные на орбите лазеры будут работать?

Эрик вытащил из чехла для ноутбука лазерную указку и навел ее на противоположную стену комнаты, а потом повернулся и легонько тряхнул рукой. Красная точка, заплясавшая по телу девушки, разбудила в Куинн не самые приятные воспоминания.

— Звездные войны восемьдесят четвертого года, — произнес Эрик. — Но если побороть вибрацию металлических частей... — Он перестал трясти рукой, и красная точка застыла прямо посередине груди Куинн. — Потом разобраться с энергией и проблемами искажения изображения в атмосфере... — Он подошел к Куинн на расстояние двух шагов. Красная точка потемнела, края ее сделались резче и четче. — И не тебе рассказывать, как усовершенствовались компьютеры за последние пятнадцать лет.

— Но зачем держать это в тайне?

— Договоры, — объяснил Эрик. — У русских больше нет денег на гонку вооружений. Несколько лет назад мы сообщили им, что хотим снова начать разработки в этом направлении — в самых ограниченных количествах. Идея состояла в том, чтобы создать оружие, способное достать пару-другую ракет, базирующихся где-нибудь в Афганистане или в еще какой «дикой» стране. Русские, понятно, были от идеи не в восторге, но обещали не поднимать шума, если мы сдержим слово и будем умеренны.

— Так ты вроде как доказываешь мою точку зрения, — удивилась Куинн. — Зачем держать все в тайне?

— Судя по полученным нами письмам, они не просто начали разработки, они их заканчивают. — Эрик навел указку на ноги девушки. — И еще одно: русским вовсе не понравится тот лазер, который я помог построить.

Куинн разглядывала маленькую красную точку на полу.

— Он бьет в землю?

— Оставляет воронку в тридцать футов глубиной. И при нынешнем уровне развития компьютеров, думаю, они разрабатывают наводящую систему, позволяющую попасть в любую цель.

— Господи! А ты не знал? Не знал, над чем работаешь?

Эрик сердито тряхнул головой:

— Это все было лишь теорией. Набор вычислений. Никто не мог бы превратить их в мощное дальнодействующее оружие.

— Никто, кроме Эдварда Марина.

— Никто, кроме Эдварда Марина, — повторил он, потянувшись к телефону.

— Кому ты звонишь?

— Тиреллу. Он один из самых талантливых математиков в мире и, наверное, что-то знает — иначе не послал бы мне такого письма.

Нагнувшись к нему, девушка слушала, что происходит на том конце провода.

— Ну и везучий ты, черт, застал самого Дариена Тирелла живьем! — В звучном мужском голосе слышался приятный городской акцент.

— Тирелл, это Эрик.

— Ну-ну, Эрик Твен. Теперь будешь подлизываться, да?

— Что ты имеешь в виду?

— Не разыгрывай дурачка, сукин сын. Вот как поймаю тебя да надеру тебе белую задницу, будешь знать.

— Тирелл, я серьезно. О чем это ты?

В голос Дариена закрались легкие нотки неуверенности, но, похоже, он все еще считал, что над ним собираются подшутить.

— Несколько недель назад я послал в «СТД» кое-какие выкладки о рассеивании тепла. Два месяца напряженной работы. А вчера получил обратно — с поправками. По-моему, тут просто-таки между строк читается: дело Эрика Твена, наглый ты молокосос.

— Это не я.

— Черта с два. Никто не умеет находить у меня ошибки... Никто, кроме тебя.

— Говорю же, это не я.

В трубке на мгновение воцарилась тишина.

— Ты серьезно?

— Ну да.

— Вот дерьмо! Неужели? Самый настоящий Марин?! Ох ты! Ну, парень, пока. Просто не терпится рассказать нашим.

— Тирелл... Тирелл! Не вешай трубку! Никому не рассказывай. Я серьезно. Никому и ни за что.

— Да что с тобой, приятель?

— Послушай. Что ты знаешь об «СТД»?

— Да ничего. Я бы сказал, кучка богатеньких белых мальчиков в скучных деловых костюмах. Они мне шлют по почте проблему, я ее решаю и шлю той же электронной почтой назад. А за это они высылают мне просто-таки потрясающе кругленькие суммы.

— Ты знаешь еще кого-нибудь, кто бы на них работал? Где они расположены? Хоть что-то?

— Хм-хм. А с тобой все в порядке? Что-то голос у тебя какой-то напряженный.

— Да, да. Со мной все в порядке. В полном. Спасибо.

— Да не за что, дружище. Так как насчет...

Эрик положил трубку, не дав другу даже договорить, и подошел на другой конец комнаты, к окну.

— Как нам найти его? — спросила Куинн.

— Никак. Невозможно.

— Ты о чем?

— Многие люди многие годы стремились напасть на след Марина. Черт возьми! Да я и сам пытался, когда одна проблема оказалась мне не по зубам. Боже правый! Просто не верится, ну никак! А может, мы ошибаемся? Может, чего-то не учли? В смысле — мы ведь говорим об Эдварде Марине...

— Эрик, в этом есть свой смысл. Ты сам знаешь, что есть. А ты уверен, что найти Марина невозможно?

Он лишь пожал плечами.

— Тогда вернемся к «СТД», — заявила Куинн.

— Что ты имеешь в виду — «вернемся к “СТД”»? Мы знаем о них не больше, чем знали вчера. Ничего такого, что бы могло на них вывести.

— Может, так, а может, и нет. У меня, кажется, возникла одна идея.

Эрик отвернулся от окна и внимательно посмотрел на девушку:

— А стрелять в меня будут?

— Скорее всего нет.

— В тюрьму посадят?

— Едва ли.

— Ну ладно. Тогда послушаем.

— Я тут подумала... Может, мы слишком уж полагаемся на всякие современные методы и Интернет, слишком привыкли добывать все, нажимая на кнопки. Может, пора попробовать что попроще?

ГЛАВА 49

— Мэм, у вас тут где-нибудь можно выпить чаю?

Библиотекарша смерила Эрика через очки характерным взглядом, каким умеют смотреть одни лишь ее сестры по профессии, и неспешно указала направо.

— Вон там. Только, молодой человек, оставьте четвертак — у нас так принято.

— Да, мэм.

Чайник Эрик разыскал без труда. Но потом, налив себе чашку кипятка, вконец растерялся, беспомощным взором обводя многоцветие выстроившихся рядом пачек. Сам он никогда чай не пил, а поскольку с семнадцати лет практически был изгнан из какого бы то ни было светского общества, то даже не знал, что выбрать.

Решив в конце концов, что чай под названием «Антисон» будет самое то что надо в нынешних обстоятельствах, Эрик кинул пакетик в воду. Немного сливок, пара ложек сахара — цвет получился просто отвратительный.

Куинн сидела в глубине библиотеки, выбрав место под выкрученной лампочкой, в тени. Она так лихорадочно что-то барабанила по клавишам одного из библиотечных компьютеров, что даже не обратила внимания на то, что Эрик подошел к ней со спины и сунул почти под нос пластиковую чашку.

— Ну как? Есть что-нибудь?

Она покачала головой и нажала клавишу ввода. Синеватое свечение экрана озаряло лицо девушки, подчеркивая сосредоточенные морщинки на лбу. Куинн внимательно читала появившийся перед ней текст.

Перегнувшись ей через плечо, Эрик взял со стола несколько выпавших газетных листов и, должно быть, раз в пятый перечел их, хотя знал, что ничего нового уже не найдет. Хвала Господу за то, что он создал Куинн Барри! Эрик знал: хотя все пройденные в детстве тесты единодушно поместили его в категорию супергениев, сам бы он и за миллион лет ни до чего такого не додумался.

Сначала она проверила самые многообещающие штаты — Неваду и Калифорнию, известные научными разработками и исследованиями. Потом все штаты, в которых убивали женщин из списка Куинн. Потом Техас — родной штат Марина. Но оказалось, что все это время ответ находился у них под носом. «Современная термодинамика» была зарегистрирована в Виргинии. И об этом сообщалось в статье, лежащей в открытом доступе!

Не то чтобы эта статья оказалась кладезем информации. Ни слова о том, чем занимается новообразовавшаяся компания, о ее целях. Ни физического адреса — лишь номер почтового ящика в Ричмонде. Однако одна полезная деталь там все же оказалась. Подписано уведомление об образовании новой компании было ее президентом. Человеком по имени Ричард У. Прайс.

Не отрывая глаз от экрана, Куинн пошарила рукой вокруг и нащупала чашку с чаем. Отпила глоток, но тут же сморщилась и тряхнула головой:

— Что это?

— Ты так не пьешь?

Морщась еще сильнее, Куинн отодвинула чашку, продолжая проглядывать открывающиеся окна.

— Погоди-ка...

Эрик оторвал глаза от газеты.

— Ты что-то сказала?

— Сейчас, сейчас... — пробормотала девушка. — Ага! Попался!

— Что? Кто попался?

— Генерал Ричард У. Прайс, — прочла она.

— Где ты это нашла?

— Старая статья в «Сайнес»... Похоже, генерал Прайс в свое время был директором ОСОБРа.

— ОСОБРа?

— Организации по созданию обороны от баллистических ракет.

Эрик положил руку на плечо Куинн и нагнулся к экрану.

— Шутишь!

— Нисколечко. Согласно этой статье, в восемьдесят девятом году он вышел в отставку и, цитирую, «занялся другим родом деятельности».

— Другим родом деятельности, — тихонько повторил Эрик, пока девушка продолжала пролистывать содержимое экрана. — Еще что-нибудь?

Она покачала головой.

— В основном тут всякие технические подробности. Как одной ракетой сшибать другую ракету. Прайса просто мимоходом процитировали. — Еще несколько раз щелкнув по стрелке, Куинн добралась до конца статьи. — Ну вот. Все.

— Это наверняка он.

Она кивнула.

— Кто лучше его сможет втихаря вести такой правительственный проект?

Когда Эрик поднял трубку уличного телефона возле библиотеки и зажал ее между щекой и плечом, начал моросить дождь. Редкие капли быстро намочили верхнюю страницу блокнота, но не размыли выведенный там список: семьдесят восемь телефонных номеров, собранных по всей стране — из Виргинии, Мэриленда, Колумбии, Северной Каролины и Западной Виргинии. Владельцев всех этих телефонов звали Ричард Прайс.

— Все равно не понимаю, — проговорила Куинн. Вид у нее был замерзший и не на шутку обеспокоенный. — Что ты собираешься говорить? «Здравствуйте, это не вы управляете «Современной термодинамикой», сверхсекретной компанией, которая работает на СОИ? Ой, и раз уж мы заговорили на эту тему — не вы ли прячете от правосудия маньяка-убийцу?»

Эрик улыбнулся, опуская монетку в прорезь автомата и набирая первый номер из списка.

— Мой план куда элегантнее, — сказал он, слушая гудки в трубке.

— Алло?

Мужской голос.

— Алло? Генерал Прайс?

— Чего-чего? Это Дик Прайс, но я уж точно не генерал.

— О, простите, пожалуйста. Должно быть, ошибся номером.

Когда он повесил трубку, Куинн хлопнула себя по лбу:

— Какая же я дура!

— Возможно. Но зато у тебя куча иных достоинств. — Он широко улыбнулся. — Мелочи уйдет уйма, но, может, мы еще выкарабкаемся.

ГЛАВА 50

— Не вешай нос! — проговорила Куинн, шагнув в пустой лифт отеля. — Все и не могло получиться легко и просто.

Эрик понуро зашел в кабинку следом за ней и молча притулился в уголке.

Они обзвонили все добытые номера, но самым близким к «генералу» оказался отставной сержант морской пехоты. На этом тусклый огонек, забрезживший было в конце туннеля, и погас.

— По сути, не так уж поразительно, что типа, участвующего в ультрасекретных исследованиях и замешанного в убийстве бог знает скольких молодых женщин, в телефонной книге не окажется, — заметила девушка, нажимая кнопку их этажа.

— Я догадываюсь.

— Найдем его утром, когда все откроется. Смотри — нам известно, кто он, чем занимался, чем занимается сейчас и — примерно — где живет. Наверняка есть какой-нибудь сайт про генералов в отставке или что-нибудь в том же духе. Мы найдем его, вот увидишь.

Ее маленькая речь, похоже, не достигла желаемого эффекта: Эрик выглядел невыразимо подавленным.

— Ну и что, если даже найдем?

— Что ты имеешь в виду под «ну и что, если даже найдем»? Час назад ты весь горел, так тебе не терпелось его отыскать.

— Час — срок немалый. Ну, предположим, нам удастся раздобыть адрес. И что мы с ним станем делать? Заявимся под двери к этому типу и вызовем его на честный бой? А он скажет: «Ах-ах, вы меня поймали»? — В голосе Эрика сквозила ирония. — Нет-нет, погоди. У меня есть идея получше. Что бы нам не заявиться напрямую в саму контору? Мы бы с тобой запросто положили сотню вооруженных охранников, перелезли через ограду и осуществили гражданский арест. А что? Почему бы и нет?

— У нас же есть папки, — сказала Куинн, понизив голос, когда двери лифта начали раздвигаться. — Все, что нам остается, — найти этого самого Марина и раздобыть у него образец ДНК. Тогда доказательства у нас на руках.

— Я тебя снова спрашиваю: что мы будем с ними делать?

Горькая правда состояла в том, что как раз этого-то девушка еще и не придумала.

— А как насчет того типа из ФБР? Ну, о котором ты тогда говорила.

— Марк Бимон?

— Ну да. Ты все еще думаешь, это подходящий вариант? Я имею в виду, даже после того, что мы знаем теперь...

Девушка остановилась перед дверью и вытащила из кармана карточку-ключ.

— Даже и не знаю... В смысле, я ведь его лично никогда не видела. Судя по тому, что о нем говорят, — да. Но...

— Может, пора ему позвонить? Представляться не станем. Просто прощупаем умонастроение. Откроем переговоры. Думаешь, это навредит?

Девушка вставила карточку в прорезь и распахнула дверь.

— Может, ты и прав. Давай позвоним. Только не отсюда. Из телефона-автомата.

Куинн повернулась закрыть дверь, но увидела, что та уже и так поехала назад — словно бы сама по себе. А через секунду из-за нее появился и человек, а вместе с ним — дуло пистолета, направленного прямо в лицо девушке.

— Эрик? — еле прошептала она.

— О черт!

— Так, теперь все успокаиваемся и не дергаемся.

Куинн медленно повернулась от двери на странно знакомый голос.

— Это он, Эрик. Который пытался схватить меня по дороге к отцу.

Незнакомец с ночной дороги чуть подвигал рукой вперед-назад.

— До сих пор болит.

Она почти не слушала, с ужасом глядя на оружие в руке у налетчика. И у этого пистолета, и у того, что держал второй человек, за дверью, дуло было какое-то слишком длинное. Куинн знала эту модификацию по фильмам. Глушители.

— Присаживайтесь, пожалуйста, мистер Твен, — предложил неизвестный. Он был старше остальных и явно самым главным.

Эрик не знал, что делать. Он огляделся по сторонам, но не тронулся с места.

— Эрик. Делай, что он велит, — выдавила из себя Куинн. — У нас нет выбора.

— Она права, — согласился главный. — Выбора у вас нет.

Эрик неохотно повиновался. Куинн молча смотрела, как он осторожно шагает вперед. На плечо ей легла его рука. Девушка не сопротивлялась и позволила усадить себя на диван рядом с Эриком.

Незнакомец с ночной дороги уселся на стул напротив них и взял с блюдца на кофейном столике мятный леденец.

— Кому это вы собирались звонить, мисс Барри?

Похоже, он слышал обрывок их разговора о Марке Бимоне, но не уловил имени.

— Никому, — ответила она, стараясь сохранить спокойствие.

Тот задумчиво кивнул и кинул конфетку в рот.

— Почему-то я думал, что вы так скажете.

ГЛАВА 51

— Попытайся вздремнуть, — предложил Эрик. — Я покараулю.

Куинн чуть крепче прижалась к нему, а он в ответ обнял ее. Койка, на которой сидели молодые люди, была такой узкой, что вдвоем они еле умещались. Эрик привалился к стене, а Куинн прижималась спиной к его груди. Тепло девушки, запах ее волос действовали на него до странности успокаивающе. Во время долгой поездки к виргинским горам пленников разделили, и он уже думал, что никогда больше не увидит Куинн. Однако теперь, когда они снова оказались вместе в этой крошечной камере, страхи его чуть-чуть улеглись. Конечно, это была всего лишь иллюзия. Гонка вышла не на жизнь, а на смерть, но теперь все закончилось. Они были уже все равно что покойники.

Куинн повернула к нему голову и попыталась улыбнуться.

— Кажется, я снова тебя подвела, да? Не думаю, что у тебя успели возникнуть свежие и оригинальные идеи.

— Я думаю, нам предстоит несколько интересных встреч со всякими интересными людьми.

Девушка прислонилась головой к плечу Эрика.

— Возможно.

Вся правда состояла в том, что от них теперь уже ничего не зависело. Стены каморки были сложены из сплошного бетона. Единственную дверь сделали из толстого куска стали, с одним только маленьким плексигласовым окошечком, похожим на иллюминатор. И насколько успел понять Эрик, подъезжая, вся территория комплекса была обнесена хорошо охраняемой изгородью, с колючей проволокой, да еще и под током.

Дыхание Куинн сделалось ровнее и глубже. Эрик чуть подвинул голову, чтобы видеть ее лицо. Глаза у нее наконец закрылись. Вот и хорошо. По крайней мере бедняжка хоть ненадолго забудет ощущение нависающего над ними грозного рока. А вот самому Эрику спать совсем не хотелось.

Внезапно в голову Твену пришла очень странная мысль. А вдруг ему уже никогда не суждено заснуть? За свои двадцать шесть лет он никогда всерьез не задумывался о том, что может умереть. Время тянулось перед ним, словно дорога — вперед и вперед, и ни разу еще за поворотом не мелькало конца пути.

Часы у Эрика забрали, поэтому он не знал, сколько они сидели вот так — но достаточно долго, чтобы он успел впасть в глубокую задумчивость, почти транс, вперив неподвижный взгляд в пустую белую стену. Когда послышалось какое-то электрическое гудение, он в первый миг растерялся, но, едва дверь приоткрылась, бережно отодвинул Куинн и вскочил на ноги.

— Что такое? — услышал он за спиной сонный голос девушки. — Эрик...

Мужчине, который вошел в их темницу, было, вероятно, уже за шестьдесят, однако широкие плечи и тонкая талия не давали утверждать этого наверняка. Эрик услышал, как тихо скрипнула койка — это Куинн, в свою очередь, поднялась на ноги. Девушка встала бок о бок со своим спутником, вложила руку в его ладонь и сжала ее — сильно, почти до боли.

— Все хорошо, — успокаивающе проговорил Эрик. — Это не он.

Хватка ее ослабла.

— Генерал Прайс?

— Отставной генерал, — ответил вошедший, прикрывая за собой дверь. — Вы продолжаете меня изумлять, мисс Барри. Из вас вышел потрясающий противник. — Он кивнул в сторону Эрика. — Но теперь мне бы хотелось переговорить с вашим другом наедине. Не возражаете, если мы на минуточку вас покинем?

Она промолчала.

— С вашего разрешения, я бы предпочел остаться здесь, — возразил Эрик.

— Возможно, нам обоим будет легче, если вы выслушаете то, что я хочу вам сказать, тет-а-тет.

— Нет, спасибо.

Прайс пожал плечами.

— Как вы уже, я уверен, прекрасно знаете, вы были важным членом нашей группы, Эрик. Мы не хотим вас терять.

— СОИ?

— Боюсь, что да, сынок. По вполне очевидным причинам проект не предается гласности. Но думаю, вы и сами согласитесь, что по большому счету это самое важное военное достижение со времен...

— Атомной бомбы?

Прайс улыбнулся.

— Я собирался сказать — с того момента, как придумали лук и стрелы.

— Я отказываюсь создавать оружие.

— Похоже, пришла вам пора расстаться с былыми предрассудками. Вы не хуже меня знаете, что уже недолго осталось до того времени, как американские побережья окажутся в радиусе действия ракет, установленных на территории стран «третьего мира». И система, над созданием которой мы работаем, сумеет нейтрализовать эту угрозу.

— Избавьте меня от лекций, генерал. Ведь это я разрабатывал теорию, на которой базируется ваша новая игрушка. Уж кому, как не мне, знать, на что она способна.

— Смышленый парнишка. Ну разумеется, вы правы. — Прайс прислонился к стене и на несколько секунд словно бы задумался. — Вы ведь, думаю, достаточно имели дело с военными, чтобы понять — большинству из них не хватает... гм-гм... ну, скажем, определенной творческой искорки...

— Сборище динозавров-садистов, — пробормотал Эрик.

— Возможно, звучит слегка грубо, но не то чтобы в корне неверно. Наши пэры словно бы застряли в прошлом. Им только и подавай броню потолще да калибр побольше, а уж мы-то с вами знаем, что и то и другое устарело раньше, чем успело попасть на конвейер для сборки. Будущее за скоростью и точностью. И наша — ваша — система — воплощение этих принципов. Честно говоря, мы и так уже опережаем изначальный график, но если бы могли заполучить вас в полное свое распоряжение, то, думаю, продвигались бы более быстрыми темпами.

В обычных обстоятельствах Эрик велел бы ему катиться куда подальше, а то и прибавил бы еще пару ласковых — как ответил бы любому мерзавцу в форме, которому хватило бы наглости показаться у него на пороге. Но сейчас обстоятельства явно выходили за рамки обычного.

— Я согласен работать на вас при одном условии. Куинн получает полную свободу.

На лице Прайса отразилось чуть наигранное сожаление.

— Боюсь, что предложение распространяется только на вас и что никакой торг в нем неуместен. Видите ли... хотя с вами нам было бы удобнее и выгоднее, но мы и без вас вполне можем обойтись.

— Марин.

Снова эта ироничная улыбка.

— Ну что я могу сказать? Только повторить — вы меня изумляете.

— Без Куинн никакой сделки не выйдет.

Прайс открыл было рот, но Куинн перебила:

— Эрик, постой! Подумай хорошенько. Если ты...

— Нет, — отозвался он. — Думать тут не о чем.

Она схватила его за плечи и развернула лицом к себе.

— Эрик, он предлагает тебе способ выбраться из всей этой истории живым и невредимым.

— Ничего подобного. Он предлагает мне временное рабство, а потом безболезненную казнь. — Он повернулся к Прайсу: — Разве не так, генерал?

Прайс еле заметно кивнул.

— По мне, честной сделкой это не назовешь, — продолжал Эрик. — Я в такие игры не играю.

— Крайне жаль это слышать. Но я уважаю вашу верность и мужество.

Слова генерала окончательно вывели Куинн из себя.

— Да что вы вообще знаете о верности и мужестве?

Эрик схватил ее за руку, но она вырвалась и подскочила к Прайсу, глядя ему в глаза с такой гневной страстью, что тот попятился.

— Вы помогаете ему! Ведь правда? Правда? Вы поставляете ему женщин, чтобы он мог замучить их до смерти, а потом строить вам ваши идиотские машины.

— Куинн, — предостерег Эрик.

Но девушка проигнорировала его.

— Вы видели хоть одну из его жертв, генерал?

Она ткнула Прайса в грудь. Эрик рванулся было вперед, но генерал не шелохнулся.

— Нет, не видели! Да? Просто читали об этом в докладах и отдавали приказы. Вам не хватало мужества самому смотреть на то, что вы натворили.

— Думаете, мне это нравилось? — спросил Прайс, глядя на девушку, которая кружила вокруг него, точно разъяренная кошка. — Что я этому потворствовал? Позвольте заверить, ничего подобного! Но я не могу позволить себе такой роскоши, как высокоморальный гнев. На моем попечении жизни двухсот пятидесяти миллионов человек.

— Ну еще прибавьте, что, мол, всего лишь выполняли приказ.

Он покачал головой:

— Боюсь, даже такого оправдания у меня нет. Я делал все то, что делал, потому что у меня не было иного выбора.

Эрик был готов к тому, что произойдет. Рванувшись вперед, он успел перехватить Куинн прежде, чем ее руки сомкнулись на горле генерала. Она отбивалась с поразительной силой, но все же ему удалось оттащить ее к противоположной стене и зажать там.

— Куинн! Успокойся! Это ничего не даст.

— К сожалению, через несколько часов у меня деловая встреча в Вашингтоне, — заметил Прайс, когда замок снова загудел и дверь начала открываться.

Куинн перестала вырываться. Эрик отпустил ее и повернулся к двери — но лишь для того, чтобы увидеть, как входят трое дюжих верзил.

— Сами понимаете, я должен знать все, — промолвил Прайс, выходя в коридор. — И думаю, допрашивать вас лучше поодиночке.

При этих словах трое верзил рванулись вперед и повалили Эрика, буквально вжимая в бетонный пол. Он все же умудрился с размаху ударить одного из них кулаком так, что тот зашатался, но двое других в мгновение ока скрутили молодого человека. Он не мог и пальцем шевельнуть.

— Отпустите его! — завопила Куинн, обхватывая одного из них за горло и пытаясь оттащить в сторону, но громила отшвырнул ее на пол.

Эрик увидел, как охранник, которого он ударил, хватает девушку за руку и волочет к двери.

— Эрик!

Он успел еще мельком разглядеть ее перед тем, как его прижали лицом к полу. Все отчаянные попытки вырваться приводили лишь к тому, что его противники усиливали захват.

— Прости, сынок, — услышал он голос Прайса. — У меня и правда нет выбора.

— У всех есть выбор, — прохрипел Эрик.

— Ах, если бы мир был устроен так просто. Как бы мне этого хотелось!

Вес, прижимавший Эрика к полу, внезапно исчез, но к тому времени, как молодой человек сумел подняться, Прайс и Куинн уже скрылись, а двое верзил, что удерживали его, как раз выходили в коридор. Эрик бросился к двери — заранее зная, что опоздал. Стальная дверь захлопнулась за долю секунды до того, как он с размаху ударился в нее всем телом. Раздался тяжелый лязг от удара. Потом все затихло. Эрик прижался лицом к стеклу, но ничего не увидел.

— КУИНН!

Два часа.

Наверное, столько он уже просидел на койке — не двигаясь, напряженно вслушиваясь в тишину. Они хотят сломить его — потомить неизвестностью, дать время воображению самому себя запугать. Эрик пытался сопротивляться, заняв голову различными математическими выкладками и неразрешимыми физическими проблемами, однако страх за Куинн пресек эти попытки на корню.

Марин здесь. Где-то близко. Но ведь они не... они не отдадут ее Марину!

Нет, говорил он себе. Прайс не станет — не сможет ее отдать. Да, в прошлом он поставлял Марину женщин на расправу, но тогда все было по-другому. Он сам не встречался с ними, не видел их. Как и сказала Куинн, они были для него лишь словами в докладах, статистикой. А с Куинн генерал Прайс разговаривал, касался ее, смотрел ей в глаза. Он не отдаст ее Марину... не сможет...

Голова Эрика медленно упала на руки.

— О Господи!

ГЛАВА 52

Куинн провела пальцами по краю двери, хотя сама не знала зачем. Холодная сталь была не менее дюйма толщиной, а к бетонной стене крепилась петлями, на вид способными остановить танк. Девушка предприняла попытку отодрать от стены панель с кнопками — но лишь сорвала ноготь, да так, что по руке потекла кровь.

Она знала: Эрик где-то неподалеку — по ее оценкам, не дальше сотни ярдов. Однако с тем же успехом он мог бы находиться и за тысячу миль. Они больше никогда не увидят друг друга. Теперь Куинн была в этом уверена. Его, как и ее саму, подвергнут допросу, а когда Прайс и его люди удовлетворят свое любопытство, Эрика просто убьют. И все по ее вине! Не будь она такой упрямой, такой охочей до приключений, он бы и сейчас сидел себе спокойно у себя дома и вырезал что-нибудь на том дурацком столе. С губ девушки сорвался горький смешок, она затрясла головой. Приключения! Наивная и скучающая девушка, которой была она две недели назад, теперь казалась такой далекой — и такой чужой.

Довольно громкий, но совершенно непонятный звук, донесшийся из коридора, внезапно нарушил тишину камеры. Девушка прижалась лицом к крохотному окошку в двери. Ничего — коридор выглядел пустым.

Гудение замка заставило ее вздрогнуть и отскочить от двери. В комнату вошел какой-то мужчина. Куинн не знала его — никогда не видела прежде. Несколько мгновений она молча разглядывала его лицо, пока он не отвернулся и не набрал несколько цифр на панели в стене. Напряжение в комнате так возросло, что у Куинн даже в ушах застучало, когда дверь снова захлопнулась наглухо.

Вошедший опять повернулся к ней, и она смогла разглядеть его получше. Он выглядел хорошо, даже очень хорошо. Лет сорока пяти, с длинными седыми волосами и ровными белыми зубами. Стильные — свободные и бесформенные — льняные брюки и хлопчатобумажная рубашка были идеально отглажены и элегантно болтались на стройной фигуре.

Выражение загорелого лица казалось пугающе-загадочным. Губы чуть изгибались, как бы в улыбке, однако в этом изгибе не сквозило ни радости, ни чувства юмора. Девушка попыталась разглядеть, что же скрывается за этой загадочной маской, но ее взгляд словно притянулся к длинному ножу в левой руке незнакомца. Она опустила глаза, наблюдая, как по лезвию течет, собираясь на острие ножа, кровь, пока одна-единственная крупная капля не упала на пол.

— Марин, — прошептала Куинн. Стараясь не делать резких движений, она попятилась — но через пять футов наткнулась на стену.

— Куинн. И сказать не могу, какое же наслаждение наконец увидеть тебя. — Он сделал шаг вперед, и она ощутила бешеный выброс адреналина. — Знаешь, твои фотографии... лгали. Знаешь, что требуется, чтобы быть фотогеничной?

Она покачала головой. Это тот самый голос? Голос человека, что звонил ей из дома Эрика? Она пыталась вспомнить, но никак не могла сосредоточиться.

— Нужно, чтобы душа была мертва, — заявил он. — Тогда камера сумеет запечатлеть все, что есть в человеке. Но никаким камерам и надеяться нечего отобразить тебя.

Куинн скользнула прочь вдоль стены, однако Марин продолжал неумолимо приближаться. Наконец она оказалась в углу, и он подошел к ней на расстояние вытянутой руки. Вот он провел по щеке девушки кончиком пальца — и все мускулы ее тела напряглись, закаменели. Странное выражение, что было на лице Марина, когда он заходил в комнату, исчезло — сменилось аурой безмятежности и доброты. Девушка вдруг вспомнила о ноже у него в руке, хотя сейчас, когда она смотрела ему в глаза, это вдруг показалось каким-то не важным.

— Кто вы? — с трудом произнесла девушка.

Он вдруг развернулся, отошел от нее на другой конец комнатки и сел на койку.

— Кто вы? — повторила Куинн.

Она сначала услышала, как вонзается в стену нож, а лишь потом успела увидеть: одним мгновенным, слепящим движением Марин всадил его в бетон у себя за спиной. Но не это заставило Куинн ослабеть, не от этого у нее вдруг подкосились ноги. А от того, что прочла она в глазах Марина в момент удара. Ненависть, жестокость, страх, злобу. Зло. Девушка попыталась глубже вжаться в угол, да только ноги не слушались, так что она с трудом удержалась и не упала.

А когда снова взглянула на Марина, он ласково улыбался ей.

— Ты... ты убил их, — пробормотала она.

— Да. Боюсь, что так.

Куинн бросила взгляд на стальную дверь, на бетонные стены вокруг. Бежать некуда. Ей никто не поможет. Внезапно ее мысленному взору предстало видение умирающей девушки из дома Эрика. Дыхание перехватило, в глазах потемнело.

— Почему? — еле выдавила она.

Вопрос вроде бы показался Марину интересным.

— Почему? Потому что мне это нравится. — Выражение лица у него сделалось задумчивым, но не отражало и тени промелькнувшей несколько секунд назад злобы. — Не думаю, что женщина способна это понять... А вот твой приятель Эрик смог бы. Как по-твоему, что он испытывает всякий раз, глядя на тебя?

Она не ответила.

— Может, любовь? Нежность? — Марин покачал головой. — Такие эмоции свойственны женским особям — иллюзия, уходящая корнями в борьбу за выживание. Женщины любят. Мужчины вожделеют. Когда он смотрит на тебя, он воображает, каково это — чтобы ты, обнаженная, лежала под ним, каково вторгаться, вбиваться в тебя. Твои крики. Твое тело, влажное от испарины, скользящее под его телом, пока ты пытаешься вырваться...

— Это не так! — возразила она. — Ты...

Он жестом заставил ее замолчать.

— О, ну конечно, он подавляет в себе эти чувства, коверкает их, убеждает себя, будто их нет вовсе. Тысячи лет цивилизации не позволяют ему подчиниться древним инстинктам — полностью овладеть тобой, подчинить тебя себе. Чтобы ты была совершенно беспомощна, покорно принимая все, чему он захочет тебя подвергнуть. Я же со своей стороны не лишаю себя этих ощущений.

Марин проследил ее взгляд, прикованный к ножу в стене, и широко улыбнулся:

— Хочешь?

Чтобы заговорить, ей пришлось сначала набрать слюны — так пересохло во рту.

— Сколько?

— Сколько чего?

— Сколько женщин?

— Тридцать две — и каждая по-своему уникальна и совершенна. Я помню их всех, в мельчайших подробностях. Такое и впрямь не забывается. Все пять моих чувств словно бы навеки запечатлели испытанное — не пропуская ни единого нюанса. Знаешь, каково это? Можешь ли хотя бы представить себе переживание, столь острое и яркое?

Он замолчал, недвусмысленно давая понять, что ждет ответа.

— Нет. И не думаю, что хочу.

— Да полно тебе, Куинн. Не будь тупицей. Я же знаю, у тебя есть мозги. Я говорю не об убийстве как таковом. Я говорю об эмоциональном накале. Готов ручаться, с этим ничто не сравнится — ни любовь, ни ненависть, ни вера. Может быть, смерть. Не знаю, я бывал лишь на самом краю смерти.

Куинн кое-как умудрилась более или менее выровнять дыхание, и это почему-то помогло скрыть страх, который уже почти парализовал ее.

— Ты ошибаешься. Ты мертв, давно мертв. Уже то, что ты ставишь ненависть в один ряд с любовью и верой, доказывает, что ни то ни другое тебе просто не знакомо.

По всем книгам, которые девушка брала в ФБР, она знала: спорить с ним — почти наверняка в корне неверно. Однако сейчас это не имело никакого значения. Этот человек — этот монстр — уже решил ее судьбу. И сама она ничего не могла изменить.

— А ты никогда не задумывался, что эмоциональный накал, который ты получаешь, терзая и убивая своих жертв, не сильнее того, что нормальные люди испытывают каждый день? Всякий раз, как смотрят на своих детей, слушают красивую музыку, ходят в церковь?

Марин подтянул колено к груди и осторожно пристроил ногу на край койки.

— Чудесно. А ты гораздо лучше, чем я смел хотя бы надеяться, Куинн.

Когда он снова поднялся, все инстинкты Куинн призывали ее отпрянуть, сильнее вжаться в стену. Однако она отказалась подчиняться инстинктам. Нет уж, подобного удовольствия она Марину не доставит! Он сделал уже пару шагов в ее сторону, но вдруг развернулся и направился к выходу. Набрал код на панели и, как только дверь раскрылась, вышел из комнаты.

Куинн не понимала, что происходит. Дверь так и осталась открытой. Девушка сделала несколько шагов вперед, однако ничего не увидела. Она уже собиралась снова шагнуть, как на пороге появился Марин:

— Идешь?

Она застыла на месте.

— Сегодня ты можешь не бояться меня, Куинн. Даю слово, что не трону и волоска на твоей прекрасной головке.

Не требовалось много времени на то, чтобы оценить варианты, что у нее были: остаться и принять «допрос» и смерть — или идти и взглянуть в лицо неизвестности.

Должно быть, Марин прочел решимость у нее во взгляде, потому что вдруг показал на нож, все еще торчащий в стене:

— Не забудь.

Не спуская глаз с Марина, девушка схватилась за рукоять. Чтобы вытащить нож, потребовались все ее силы — но она справилась.

— Где Эрик? — спросила Куинн, угрожающе выставляя нож перед собой.

Марин засмеялся и покачал головой:

— Я и правда восхищаюсь тобой. Ты поистине великолепна. Дух у тебя просто неукротим. Ты это знаешь?

ГЛАВА 53

Ричард Прайс сбросил скорость и нагнулся к переднему стеклу, чтобы стоящий у края дороги морской десантник в камуфляже мог хорошо разглядеть его. Тот отдал честь и скрылся в сторожке. Ворота, поверху затянутые колючей проволокой, начали открываться. Еще одна взметнувшаяся к козырьку рука — и Прайс выехал на узкий глинистый проселок, петляющий в глуби виргинских лесов.

До первой асфальтированной дороги было добрых восемь миль, а оттуда до большой автострады — еще десять. Владения «СТД», укрывшиеся от мира в горной глуши, вдали от людей и населенных центров, смело можно было назвать практически неприступными. Скалы вокруг были буквально напичканы камерами, подслушивающими устройствами и детекторами движения. На сложно оборудованной охранной станции посменно дежурили — и патрулировали район — не менее двадцати пяти человек. За десять лет, что компания обживала этот клочок дикой земли, на границах владений случилось всего три тревоги. Да и то все три оказались вызваны случайно заплутавшими охотниками, достоверность рассказов и биографий которых была подтверждена тщательным расследованием.

Иногда столь строгий уровень секретности и надежности подавлял, выносить его становилось трудно — однако, к несчастью, иначе было нельзя. Ведь совершенно невозможно было предсказать, как мировая общественность отреагировала бы на известия о деятельности «СТД». Пронюхай русские о достигнутых здесь успехах, они бы сражались не на жизнь, а на смерть. Не в состоянии более тратить миллиарды долларов на эффективную оборонную систему, они бы пустили в ход единственное еще остающееся у них оружие: яростное, пугающее бешенство. И пред лицом этой угрозы трусливые американские политиканы дрогнули бы, не устояли.

А вот если бы система уже была доведена до конца и готова к действию, и русских, и весь остальной мир это застало бы врасплох. Конечно, шашками бы все равно помахали, куда ж без этого, но только — поздновато. И в конце концов люди, стоящие у власти в том, что некогда было могучим Советским Союзом, подняли бы руки и уползли обратно в свои жалкие норы.

Прайс опустил боковое стекло на несколько дюймов и ощутил, как поток холодного воздуха в первый раз за много дней сдувает с лица тоненькую пленку пота. Последние недели были самыми напряженными и опасными со времени начала проекта. Казалось, все, что только могло, пошло вкривь и вкось. Но теперь, похоже, полоса невезения закончилась — ситуация вновь под контролем. Пять досье, попавших в руки Куинн Барри, сожжены, уже приняты меры к тому, чтобы уничтожить и сами оригиналы, а из всех компьютерных баз стереть даже упоминания о них.

Конечно, столь радикальные меры связаны с определенным риском. Многочисленные полицейские еще помнят об этих убийствах, да и семьи убитых тоже ничего не забудут. Однако в долгосрочной перспективе выгоды такого решения перевешивают риски.

Допросы Куинн Барри и Эрика Твена наверняка пройдут успешно — хотя Прайс весьма сомневался, что из этих допросов удастся узнать что-нибудь новое. Он был уверен, что знает совершенно все о последних днях Твена и Барри, о том, что они предприняли, и о том, что грозило опасностью компании. Возможно, смерть этой парочки еще вызовет какие-нибудь непредвиденные осложнения — впрочем, наверняка вполне преодолимые.

Прайс снова притормозил, сунул руку в отделение для перчаток и нажал кнопку, вделанную в стенку ящичка. Старая изгородь, с виду сложенная из гнилых бревен, плавно отъехала в сторону на скрытых петлях. Генерал бросил взгляд на часы и увидел, что уже отстает от расписания. Если только на дорогах в Вашингтоне сейчас есть хоть какие-то заторы, он неминуемо опоздает на встречу с сенатором Уилкинсоном. Прайс подумал, не вызвать ли вертолет, но решил, что эта двухчасовая поездка все равно необходима, чтобы заново прикинуть сроки основных пунктов в расписании проекта. Потеря Эрика Твена, несомненно, повлечет за собой уменьшение темпов. Вклад молодого ученого в проект, пусть и неосознанный, по значимости уступал лишь вкладу Марина.

Марин.

При одной мысли об этом человеке — если маньяка-убийцу вообще можно назвать человеком — генерал скривил губы. Психологический портрет, который был сделан еще в самом начале проекта по приказу Прайса, характеризовал Марина как одержимого жаждой смерти безумца. Конечно, генерал никогда не питал особой веры в такие психологические портреты. На его взгляд, Марин казался слишком уж хитрым и расчетливым для настоящего сумасшедшего. Он всегда наблюдал, изучал, прикидывал.

Однако, убив ту девушку в жилище Эрика Твена, негодяй окончательно перешел все границы — и сам это знал. Прайс помнил страх в глазах Марина, когда ему предъявили сувениры, что он оставлял себе на память об убийствах. Тогда-то Прайс окончательно запрезирал доктора. Марин — ничтожество, трусливый извращенец, любящий мучить беззащитных. Но теперь он боится, и этим страхом можно заставить его сосредоточиться на работе, возместить потерю Эрика Твена.

Прайс был уверен: несмотря ни на что, главную теоретическую проблему, тормозящую весь проект, удастся решить года за полтора. А потом уже отдельные лаборатории будут расформированы и переведены на службу в разные другие компании. С этого момента «СТД» прекратит существование. А с ним — и Эдвард Марин.

При этой мысли Прайс не смог сдержать улыбку. Он рисовал себе безжизненное тело Марина, брошенное в безымянную могилу где-нибудь в виргинской глуши, где никто и никогда ее не найдет. Такую церемонию он ни за что не пропустит — посетит лично.

ГЛАВА 54

— Там охранник, — прошептала Куинн.

Марин на миг выглянул из-за угла и отпрянул назад.

— Так и есть.

— И что нам делать?

— Наверное, тебе лучше бежать. Я могу вытащить тебя отсюда так, чтобы никто не вмешался. Но у нас мало времени.

— И что тогда станется с Эриком?

— А, ну, полагаю, его убьют, а ты как думаешь?

— Я его не брошу.

Марин задумчиво кивнул.

— Вот что я тебе скажу: я пойду к охраннику, заговорю с ним и отвлеку его внимание. Годится?

Куинн и сейчас боялась его ничуть не меньше, чем в первый момент, что придавало их нынешнему союзу особенную нервозность. Что руководит этим человеком? Ведь не по доброте же душевной он ей помогает.

Марин хладнокровно зашагал по коридору. Обеими руками сжимая тяжелый нож, она выглянула из-за угла, глядя, как доктор приближается к охраннику.

— Эрик Твен здесь? — Голос гулко разносился по коридору. Марин тем временем искусно сманеврировал так, чтобы охранник повернулся спиной к Куинн.

— Боюсь, что не имею права ответить, сэр.

— Ой, да ради Бога, — скривился Марин. — Мне всего-то надо три минуты поговорить с ним, обсудить одну возникшую у нас проблему.

— Простите, сэр. У меня приказ.

— Может, тогда позвоните генералу Прайсу и получите у него разрешение? А то у меня просто времени нет.

Он говорил серьезно и сам собирался ограничиться лишь разговорами. А она-то думала, что может рассчитывать на него в случае применения силы. Казалось бы — единственный плюс от временного союза с психопатом.

Когда Марин снова покосился в ее сторону, стало ясно: с каждой минутой ситуация забавляет его все больше и больше. Он явно пытался заставить девушку перейти к действию, дать ей понять: если спасать Эрика, то делать это придется ей самой.

— Да позвоните ему, — повторил Марин, показывая в ту сторону, где она пряталась. — Там как раз за углом висит телефон.

Охранник ничего не ответил, колеблясь в нерешительности. Времени больше не оставалось. Если он решит звонить, то пойдет прямо к ней. Теперь или никогда.

Она выскользнула из-за угла и бесшумно двинулась вперед по коридору, на ходу занося руку с ножом для удара. Когда до охранника оставалось не более нескольких дюймов, она замерла на месте. Марин явно потерял терпение и демонстративно уставился на нее поверх плеча охранника. Тот начал разворачиваться — и она ударила, ударила что есть сил.

Тяжелая металлическая рукоять так мощно опустилась на голову бедолаги, что у Куинн даже рука загудела, до самого плеча. Охранник со сдавленным всхлипом бесформенной кучей осел на пол, а Куинн оказалась лицом к лицу с Марином.

— Отлично, Куинн. Теперь закончи начатое.

— Что?

— Очнувшись, он поднимет тревогу. Тогда они примутся выслеживать тебя, как дикого зверя.

— Убить его? Ты хочешь, чтобы я убила его?

— Ну, о себе не заботишься, так хоть об Эрике подумай. Ведь это твоя вина, что он вообще тут оказался, верно?

— Я не буду никого убивать!

Марин посмотрел на нее с легким разочарованием и вставил карточку в прорезь в стене.

— Это твое решение.

— Эрик!

Молодой человек вскочил с койки и обнял девушку.

— Куинн! О Господи! Ты цела?

— Цела. А ты?

Он чуть отодвинулся и несколько долгих секунд не отрывал от нее взгляд, но потом заметил окровавленный нож у нее в руке.

— Куинн, что, черт возьми...

Внезапно он схватил девушку за плечо и быстро отодвинул ее себе за спину. Подняв голову, она увидела, что из-за двери плавно выскользнул Марин.

— Эрик Твен, — заметил он, непринужденно опускаясь на койку. — Только погляди на себя. Как ты вырос!

— Марин.

Эрик попятился, по-прежнему загораживая собой Куинн.

— Сколько уж времени-то прошло, а, Эрик? Тебя не узнать. Последний раз, когда я видел тебя, тебе еще только-только пятнадцать исполнилось.

— Ты убил ее, Эдвард. Ты убил Лайзу!

Марин закатил глаза и лениво показал на Куинн:

— Тебе стоило бы меня поблагодарить. Видишь, насколько ты лучше устроился.

Куинн прижалась к спине Эрика и обхватила его руками за талию — отчасти успокаивая его, отчасти чтобы не дать ему натворить глупостей.

— Сукин сын! Да как ты мог? Кто тебе дал право?..

— Так ли нам сейчас нужна вся эта ругань, Эрик? — небрежно отмахнулся Марин. — Что же до прав, ты, сдается мне, и сам знаешь ответ. Правительство Соединенных Штатов — вот кто дает мне право. И право дает, и еще много чего посущественней. А я взамен даю правительству уверенность в том мире, что оно себе создает. Просто идеальное получалось соглашение — особенно учитывая, что альтернативой была тюрьма и скорее всего смертная казнь...

— Но реальность оказалась куда как неприглядней фантазий, — промолвил Эрик.

— Да, так оно всегда и бывает, не правда ли? — Марин встал и направился к открытой двери. — Думаю, пора уходить. Идите за мной.

Когда Марин исчез в проеме двери, Эрик вихрем развернулся к девушке:

— Что за чертовщина тут происходит, Куинн?

— Он нам помогает.

— Ничего подобного. Он помогает только себе. Сама знаешь.

Куинн покачала головой:

— А какой у нас выбор, Эрик? Я вовсе не хочу никуда с ним идти, но и тут оставаться не хочу.

— Куинн...

Она схватила молодого человека за руку и потащила к двери, заранее зная, что он собирается сказать, и не желая этого слышать. Марин ждал за порогом, держа два пластиковых значка, похожих на тот, что висел у него на рубашке.

— Наденьте.

Они повиновались и остановились, выжидая, что будет дальше. Но Марин просто стоял на месте. Через несколько секунд он раздраженно показал им на лежащего на полу охранника.

Поняв намек, Эрик оттащил бесчувственное тело в камеру. Когда он вышел оттуда и закрыл дверь, Марин уже стоял на середине коридора.

— Как насчет камер наблюдения? — спросила Куинн, когда они с Эриком догнали его.

— Я отключил их от основной сети. Ни одна не работает.

— А их не захотят починить?

— Захотеть-то захотят. Даже попробуют.

Петляющий коридор наконец привел их к пункту охраны. Стол дежурного стоял пустой, на мониторах рядом отображалась застывшая картинка.

— Вам вон туда, по переходу, — сказал Марин, останавливаясь и указывая на узкий коридор справа от них. — Тут довольно далеко — он тянется под всем комплексом. Вам второй поворот налево и до конца. Там будет такой же пункт охраны, только с дверью на улицу...

Куинн смутно осознала, как голос Марина оборвался: и сам Марин, и Эрик проследили, куда она так напряженно смотрит — на дверь за постом.

— Ой-ой-ой, — протянул Марин. — Выглядит слегка подозрительно, да, Куинн? Куинн?

Она очнулась от транса и посмотрела на него.

— У тебя под свитером что-нибудь есть?

— Что?

— Полегче, Марин, — предупредил Эрик. — Клянусь, я...

Марин на него цыкнул.

— Я хочу, чтобы ты дала мне свой свитер. Но разумеется, только если у тебя под ним что-нибудь есть.

Куинн стянула через голову свитер и протянула ему, оставшись в одной футболке. А что еще ей оставалось?

Он вежливо кивнул, обошел стол и, кинув свитер на пол, повозил его ногой, пытаясь вытереть глубокую лужицу подтекающей крови. Сделав все, что мог, он открыл дверцу и запихнул свитер внутрь.

Охранник — который, несомненно, еще недавно стоял на посту — теперь восседал на стопке схем и компьютерных деталей, аккуратно уложенных в тесном чулане. Голова его была откинута назад, демонстрируя перерезанное горло.

Марин прикрыл дверь и повернулся к двум своим спутникам:

— На чем я остановился? Ах да! Как выйдете из здания, увидите... Вы слушаете?

Куинн постаралась сосредоточиться на его словах.

— Увидите большую парковку. Сверните налево и шагайте вдоль здания. Как обогнете угол, увидите большой синий «исузу», припаркованный у стены. — Он вытащил и протянул им связку ключей. Куинн не сумела заставить себя подойти к нему, чтобы их взять. На счастье, Эрик сумел, и Марин кинул их ему на ладонь. — Он принадлежит моей ассистентке. Ей он не понадобится.

Марин снял часы и протянул их Куинн. Та отшатнулась, но он поймал ее за руку и начал медленно застегивать их у нее на запястье. Эрик не вмешивался, но пристально следил за происходящим, пытаясь понять, к чему все это.

— Ровно в четыре часа, — продолжал Марин, — тут произойдет несчастный случай в лаборатории, в результате чего все здание будет уничтожено. Это дает вам десять минут. Предлагаю не тратить их понапрасну.

— Хочешь все уничтожить? — спросил Эрик.

— Они держали меня тут как в тюрьме. Все, что вы тут видите, украдено у меня — из моего разума. Не хочу им ничего оставлять.

— Почему ты помогаешь нам?

В ответ Марин лишь развернулся и зашагал прочь тем же путем, каким они пришли.

В коридоре было тихо, но не так, чтобы совсем уж безлюдно. Однако значки, выданные им Марином, оказались весьма эффективной маскировкой. Кое-кто из встречных на ходу улыбался и кивал, но в общем и целом внимания на молодых людей не обращали.

— Пять минут, — отметила Куинн, глядя на часы у себя на руке.

Они остановились перед ярко-красным огнетушителем и вделанным в стену ящичком пожарной тревоги.

— Ты хоть представляешь, сколько народу тут работает? — спросила Куинн.

— Нет. Наверное, несколько сотен.

— И все погибнут.

— Да.

Девушка протянула руку и взялась за ручку сигнала тревоги, но не потянула за нее, а оглянулась на Эрика, точно спрашивая, согласен ли он. Он пожевал немного нижнюю губу, а потом накрыл ладони Куинн своими:

— Поверить не могу, что мы это делаем.

ГЛАВА 55

Толстые стены этого уединенного, без единого окна, логова гасили звук, но Марин все равно различал пронзительный вой, разносящийся по комплексу. Доктор стоял посередине комнаты, глядя на загромождающие тесное пространство мониторы. Только эти пять экранов во всем здании сейчас еще получали информацию от разбросанных по комплексу камер наблюдения. Владелец комнаты как зачарованный наблюдал быструю смену картинок, когда экраны по-прежнему ровно переключались с участка на участок.

Сотрудники «СТД» действовали точно по инструкции. Техники встали к компьютерам, проворно пересылая все плоды дневных работ в находящийся в огнеустойчивом хранилище центр сбора информации, а остальные их коллеги послушно, как стадо скота, двигались к отведенным им выходам.

Протянув руку, Марин выключил свет и прибавил контрастности мониторам, наблюдая, как молодые техники заканчивают работу, выключают системы и торопятся за сослуживцами к безопасности наружного мира. Потом Марин повернулся, сосредоточившись на единственном экране, что находился у него за спиной. В отличие от остальных на этом экране картинка оставалась одной и той же — там мерцало изображение ассистентки доктора Марина. Девушка нервно перебирала бумаги у себя на столе, время от времени поглядывая на часы. Белый халат она сняла, и Марин видел, что на ней сегодня надето: зеленая шелковая блузка, аккуратно заправленная в короткую юбку. Колготок она уже давно не носила — еще несколько лет назад он вынудил ее отказаться от них, все увеличивая и увеличивая температуру во внешнем офисе. В тот первый день, придя без них, она слегка нервничала — но когда начальник проявил полное равнодушие к подобной неформальности, больше о них и не вспоминала.

Вот девушка резко поднялась и принялась расхаживать по офису туда-сюда. Даже на маленьком черно-белом экране видно было, как сокращаются мышцы длинных, стройных ног. Марин посмотрел за нее, на стекло, что образовывало дальнюю стену офиса. Основная лаборатория уже опустела, остались только безмолвные механизмы.

Движения его ассистентки выражали все большую и большую нервозность, и с той же скоростью возрастало затаенное возбуждение Марина. Девушка не хотела покидать здание без него, но точно так же не хотела и приближаться к невзрачной маленькой двери, отгораживающей его убежище. Он уже давно ясно дал понять, что беспокоить его там строго возбраняется и никто — никто — не должен ни при каких обстоятельствах входить туда.

Еще тридцать секунд — и она перестала расхаживать. Он увидел, как Синтия бросила очередной взгляд на дверь и решительно направилась к ней. Камера потеряла ее за секунду до того, как раздался негромкий стук.

У Марина в горле пересохло, он с трудом сглотнул и взялся за ручку двери. Четыре года. Четыре года он любовался Синтией, говорил с ней, вдыхал ее запах. Иногда даже касался ее, хотя позволял себе лишь мимолетные прикосновения к мягкой ткани — и никогда к коже. Предвкушение томило его уже почти невыносимо.

Открыв дверь, он обнаружил, что она стоит прямо перед ним, беспокойно переминаясь с ноги на ногу.

— Доктор Марин, простите, что потревожила. Вы тут слышали сигнал тревоги?

— Слышал, Синтия. — Он махнул на темную комнату позади себя. — Но почему-то у меня вырубился свет, а повсюду разложены документы. Оригиналы.

Губы девушки чуть сжались в огорченной гримаске, она оглянулась через плечо назад, на опустевшую лабораторию.

— Надо спешить, доктор Марин. Позвольте, я вам помогу?

Он словно бы заколебался — как она и думала. С тех пор как эту комнату переоборудовали по его указаниям, никто, кроме него, еще туда не заходил.

— Доктор, у нас мало времени, — поторопила она.

Он отступил в сторону, и девушка пронеслась мимо, лихорадочно собирая разбросанные по компьютерному столу бумаги. Марин тихо прикрыл дверь и двинулся следом, засовывая руки в карманы брюк. В каждом кармане было по шприцу. И когда Синтия наклонилась, чтобы вытащить из-за одного из компьютеров ноутбук, он всадил ей в бедро иглу прямо через юбку.

Девушка закричала, и доктор едва успел выдернуть шприц, прежде чем она развернулась. Сначала она просто смотрела на него, не понимая, что происходит, однако скоро увидела у него в руке пустой шприц. К ее чести, Синтия не колебалась: со всей силы отчаяния размахнулась и ударила его по лицу. Восхитительно!

Разумеется, он легко увернулся и позволил ей пробежать мимо него. Наблюдал, как она хватается за ручку двери и безрезультатно дергает на себя. Наконец осознав, что дверь не откроется, Синтия повернулась и прижалась к ней спиной. Вид у нее сделался слегка неуверенный, заторможенный.

Марин потянулся к ней — нарочито медленно, чтобы она успела увернуться. Резкое движение вывело ее, одурманенную, из равновесия, она зашаталась и неуклюже свалилась на пол. Марин зачарованно следил, как она переворачивается на живот и пытается отползти.

Когда он схватил Синтию за лодыжку и прижал ее ступню к своему животу, девушка издала еще один, совсем слабый, крик. Попытки вырваться не принесли ничего, лишь заставили короткую юбку сползти на бедра, обнажив узкую полоску белого нейлона и шелка меж ногами девушки. Полоска словно светилась в серых отблесках компьютерных мониторов, бесстрастно перебирающих картинки опустевшего здания.

— Перестаньте, — простонала она, когда он потащил ее назад. — Пожалуйста...

Марин тщательно выбирал наркотик и дозу. Как раз столько, чтобы лишить жертву сил и координации, но недостаточно, чтобы безнадежно затуманить сознание. Синтия прекрасно понимала, что с ней происходило, и, что еще важнее, понимала полное свое бессилие предотвратить это.

Она перекатилась на спину и лягнула Марина свободной ногой. Удар скользнул по бедру доктора и еще выше задрал юбку девушки. Сквозь полупрозрачный материал трусиков Марин различал темные волоски на лобке. Пока лишь намек. Многообещающая тень.

Потянувшись к ящику за спиной, Марин извлек оттуда три пары наручников. Один из них он застегнул на левой щиколотке девушки, после чего отпустил ноги, а сам уселся ей на живот, пригвождая жертву к полу. Когда она замолотила кулаками в жалкой попытке дать ему отпор, он защелкнул наручники у нее на запястьях и прикрепил их к стойке за головой.

— Доктор Марин... — простонала она, когда он повернулся и начал вставать. — Не надо... пожалуйста...

Он схватил наручник, свисавший с лодыжки девушки, и подтянул ее ногу к дальней стене.

Марин помнил, в какое замешательство привели рабочих его указания конкретно по этой детали переоборудования комнаты. В конце концов они все же исполнили его желание и вделали в дальнюю стену почти над самым полом два тяжелых стальных кольца, на расстоянии трех футов друг от друга. Марин пристегнул свободный конец наручников к одному из этих колец, а потом проворно приковал вторую ногу девушки к другому.

Заставить ее открыть рот оказалось проще некуда. Из-за воздействия наркотика мышцы челюсти расслабились, позволив Марину без труда засунуть ей в рот тряпочный кляп и для верности закрепить его куском скотча. Он видел, как помутневший взор Синтии пытается проследить движение его руки к лежащему на полу охотничьему ножу.

Он начал с блузки: отрезал пуговицы, потом вспорол рукава по всей длине, так что блузка упала, а он даже и не притронулся к ткани руками. Время еще не пришло. Затем Марин просунул нож между ног девушки, ощущая сопротивление шерсти, когда острое как бритва лезвие взрезало ткань юбки, оставляя Синтию в одних трусиках и лифчике.

Соски девушки, ясно просвечивающие сквозь прозрачный белый материал, оказались чуть темнее и крупнее, чем он себе представлял, но ничуть не менее прекрасны. Когда Марин поддел ножом край мерцающих трусиков, бедра девушки слабо отдернулись. Она права. Еще рано. Марин отпустил нож, оставив его зажатым меж шелком и кожей, и вытащил из кармана второй шприц. Не сводя глаз с лица девушки, он воткнул иглу в ее бедро и нажал на поршень.

Стимулирующее подействовало быстро — глаза Синтии прояснились, она шумно втянула носом воздух.

Вот теперь она была готова.

ГЛАВА 56

Когда они наконец вырвались из коридора к охранному пункту, вокруг все было забито народом, спешащим к стеклянным двойным дверям на другом конце холла.

— Сколько еще? — спросил Эрик.

Куинн бросила взгляд на часы и безуспешно попыталась подтолкнуть людей впереди, чтобы шли чуть быстрее.

— Меньше минуты.

Они вылетели за дверь за пятнадцать секунд до назначенного срока и метнулись налево, чтобы не попасть под осколки, если разлетится стекло. Поток людей из здания поредел, парковка была забита народом, собирающимся хорошо организованными группками.

— Три, два, один! — отсчитала Куинн. Молодые люди присели и закрыли уши в ожидании взрыва.

Ничего.

— Ну вот и все, — промолвила Куинн, опуская руки.

— Уверена?

— Эрик, у меня есть часы. Может, кто-то нашел бомбу? Или, может, Марин наврал? Какая нам разница? Давай убираться отсюда ко всем чертям.

Она заспешила прочь, но, не пройдя и нескольких футов, остановилась, поняв, что Эрик никуда не идет.

— Ты что? Пойдем!

Он не трогался с места, разглядывая автостоянку и мельтешение народа кругом.

— Эрик! — Она ухватила его за руку и поволокла за собой. — Да какая муха тебя укусила? Это же первый клочок удачи за все время. Не будем же его упускать!

— Почему он сказал нам, что собирается все взорвать? — спросил Эрик, упираясь ногами в землю. Молодые люди резко остановились. Эрик выдернул руку и сделал несколько шагов в сторону толпы на стоянке.

— Что? Понятия не имею — потому что хочет заставить нас бежать?

— Мы и так убегали.

Куинн показала на дверь, через которую они вышли:

— Смотри. Все покидают здание, с ними будет все в порядке! А нам надо спешить!

На миг Эрик словно бы впал в тот свой транс, в котором Куинн уже научилась узнавать сосредоточенную задумчивость, а потом вдруг запрыгал на месте, дико маша руками:

— Эй! Вы! Уходите! Скорее с парковки!

Куинн бросилась на него, всем своим небольшим весом сбивая в сторону, прижимая к стене, и попыталась закрыть ему рот ладонью.

— С ума сошел?

Он отбросил ее в сторону и снова заорал во все горло:

— Убирайтесь оттуда, ко всем чертям!

Куинн посмотрела на забитую народом парковку. Большинство перестали разговаривать и теперь смотрели на них с Эриком. А еще через миг из толпы вырвались двое мужчин и бросились в их сторону. Девушка мгновенно узнала их обоих.

Вместо того чтобы развернуться и обратиться в бегство, Эрик кинулся им навстречу, продолжая выкрикивать какую-то бессмыслицу. Куинн обхватила его за талию, но знала: уже слишком поздно. Враги находились в каких-то двадцати футах от них и стремительно приближались.

Взрыв застал ее врасплох. Она успела ощутить силу и жар взрывной волны за долю секунды до того, как Эрик сбил ее с ног. Почти сразу же прогремели еще два взрыва, но их она слышала хуже — из-за звона в ушах, а еще из-за того, что Эрик полностью закрыл ее своим телом.

Грохот последнего взрыва затих, переходя в треск огня и вой автомобильных сирен, но Эрик не двигался. Девушка попыталась спихнуть его с себя, но не смогла.

— Эрик! Эрик! Ты меня слышишь? Ты цел?

Молодой человек слабо пошевелился.

— Я... да. Кажется, да.

Он скатился с нее на асфальт, перевернулся и застыл, лежа на спине и глядя в наполнившееся дымом небо. Встав на колени рядом с ним, Куинн быстро ощупала его, выискивая раны или ожоги. Однако из видимых повреждений нашла лишь глубокий порез на боку. Оторвав от подола юбки длинную полосу, она прижала ее к ране.

— О Боже! — Эрик закашлялся.

— Как ты себя чувствуешь? — спросила Куинн, помогая ему сесть.

— Все в порядке.

Лицо его на миг загородило облачко дыма. Пах дым как-то странно, вроде бы похоже на бензин, но с каким-то сладковатым душком. Когда дымка рассеялась, Куинн повернулась и посмотрела на автостоянку.

Повсюду полыхал огонь — кое-где до пятидесяти футов вышиной. Это горели машины. В части лежащих тел еще можно было опознать останки людей, иные же были разорваны в клочья, исковерканы, превращены в жуткое месиво обугленной плоти, пожираемой пламенем. Те двое мужчин, что мчались к ним с Эриком, теперь лежали лицом вниз на мостовой в нескольких футах от молодых людей. Хотя они успели отбежать достаточно, чтобы спины им не опалило огнем, зато их густо истыкало осколками и гвоздями.

Куинн с трудом сглотнула и поднялась.

— Эрик, идти можешь?

— Кажется, да, — отозвался он, позволяя ей помочь ему встать. Куинн как раз пристраивала его руку себе на плечо, как вдруг заметила, что один из преследователей, которых она считала мертвыми, приходит в себя. Он все еще лежал ничком, но уже поднял голову и нацелил прямо на них револьвер.

— Эрик!

— Вижу.

Лицо лежащего представляло разящий контраст с истерзанной спиной и осталось совершенно нетронутым. В умирающем легко можно было опознать главного из троицы, захватившей молодых людей в отеле.

Рука его дернулась, однако выстрела не последовало. Вместо того чтобы стрелять, он потратил последние силы на яростный удар револьвером по асфальту. Оружие выпало из ослабевшей руки, голова снова опустилась на землю. Он умер. Но перед смертью успел что-то сказать. Куинн не была уверена точно, но ей послышалось что-то вроде: «Удачи!»

Мужчину в камуфляже, бегущего по немощеной дороге, Куинн заметила сразу, как обогнула поворот. Она еле успела выкрутить колесо вправо, разминувшись с бегущим всего на несколько футов и едва не врезавшись в стену деревьев, обрамлявшую крутой вираж. Посмотрев в зеркало заднего вида, она обнаружила, что охранник остановился и смотрит им вслед сквозь тучи пыли. Она вся напряглась, ожидая, что он вытащит пистолет и откроет огонь, но он лишь развернулся и снова бросился в сторону поднимавшихся из-за леса клубов черного дыма.

— Проклятие! Думаешь, мы тут прорвемся? — спросила Куинн, подъезжая к высоким, замотанным цепью воротам, по верху которых тянулась колючая проволока.

— Не знаю, — ответил Эрик.

Девушка вдавила акселератор в пол и перед столкновением невольно зажмурилась. А когда открыла глаза, машина уже промчалась через ворота и теперь вся тряслась и прыгала по ухабам — за воротами дорога стала резко хуже.

— Куинн! Тормози!

Она не могла. Впервые за все время с начала этой истории ею овладела самая настоящая паника. Девушка думала о людях, разорванных на куски, убитых бомбами — бомбами, под которые они с Эриком сами и послали несчастных... о том кратком мгновении, на которое Марин показал ей свое истинное лицо... о том, как он сказал ей: «Сегодня тебе от меня ничего не угрожает». Теперь она понимала: он все еще крепко держит происходящее в руках, манипулируя каждым ее шагом. И — когда только захочет — без труда найдет ее, а потом...

Дорога впереди резко уходила вправо. Куинн видела поворот, но сознание отказывалось регистрировать то, что видели глаза.

— Куинн!

Мотор вдруг взревел, девушку мотнуло вперед — это Эрик переставил переключатель в нейтральное положение и перехватил экстренный тормоз. Девушка отчаянно попыталась оттолкнуть его руку, но даже не сдвинула ее с места.

— Ты с ума сошел! Поехали! — завопила она, когда автомобиль остановился. — Надо спе...

— Куинн! — крикнул Эрик, отпуская тормоз и хватая девушку за плечи. — Посмотри на меня!

Она повиновалась, стараясь черпать спокойствие в темных глазах молодого человека.

— Там не осталось никого, кто бы сейчас стал нас преследовать.

— Марин, — возразила она. — Он...

— Прямо сейчас мы Марину не нужны. — Эрик протянул руку и ласково обхватил Куинн за затылок. — Все в порядке. Понимаешь? Все в полном порядке.

— Да, прости... Ты прав.

Он ободряюще пожал ей плечо, вылез из машины и зашагал в ту сторону, откуда они приехали. Пройдя футов двадцать, Эрик остановился, глядя на поднимавшийся из-за деревьев столб дыма. Куинн опустила голову на руль, глубоко дыша и чувствуя, как постепенно возвращается к ней способность рассуждать здраво. Более или менее придя в себя, она открыла дверцу и направилась к Эрику.

— Эрик? Что ты делаешь?

Эрик стянул рубашку через голову, скомкал ее и вытирал струйки все еще сочащейся из раны крови.

— Эрик, идем. Надо отвезти тебя в больницу.

— Пустяки. Ничего страшного.

— Но нам нельзя тут оставаться, — проговорила Куинн, останавливаясь рядом с Эриком. — Даже если и не Марин, кто-нибудь тут да поедет. Охранники, выжившие...

Молодой человек печально покачал головой:

— В следующем взрыве выживших не будет.

Девушка встала прямо перед ним, загораживая то — она сама не знала, что именно, — на что он смотрел.

— О чем ты говоришь?

— Помнишь, что он сказал? Что все это украдено у него и что он ничего им не оставит.

— Эрик! Он лгал нам. Он знал, что мы поднимем тревогу. Он просто хотел...

— Нет. Он планировал это с самого начала, а мы просто стали для него дополнительным развлечением. Он подождет, пока в здание войдут охранники и те немногие, кого не убило на парковке, а потом взорвет весь комплекс.

Куинн на мгновение задержала дыхание и крепко зажмурилась, пытаясь подавить кипящие внутри страх, ненависть и чувство вины.

— Надо вернуться, — услышала она свой собственный голос. — Погибло и так уже много народу, Эрик. Надо предупредить их.

Он покачал головой:

— Поздно.

Второй взрыв — как и предвещал Эрик — раздался лишь несколько секунд спустя. Куинн резко развернулась, когда земля под ногами зарокотала и заходила ходуном. Взрывы продолжались — один за другим. По небу, описывая грациозные дуги, летели куски охваченного пламенем бетона и железа. Девушка не знала, сколько времени все это продолжалось, но ясно было одно: Марин выполнил задуманное, от «Современной термодинамики» и работавших там людей не осталось решительно ничего.

— Ты думаешь... Думаешь, он мертв?

Эрик лишь развернулся и зашагал к машине.

ГЛАВА 57

На улице горела только половина ламп фонаря, бросая тусклый свет на недостроенные тротуары и наваленные вдоль них большие кучи земли. В этом престижном районе было мало достроенных домов — просторных и красивых, в колониальном стиле, призванных тактично демонстрировать богатство и социальный статус их обладателей. Марин двинулся к самому большому из них, расположенному на самой высокой точке холма и окруженному открытыми незастроенными участками.

Выключив фары, Марин повел машину вверх по крутой подъездной аллее Ричарда Прайса, ориентируясь по свету, льющемуся наружу через высокие окна дома, и мимолетно оглядел себя в зеркальце заднего вида. Выражение спокойной доброжелательности и скромности, что так отлично служило ему все эти годы, сейчас пришло не совсем. То есть на поверхности-то оно было, но вот внизу царила странная пустота. А скоро, понимал Марин, даже и то, что есть, станет трудно удерживать. Однако пока хватит и того, что есть.

Он расправил воротничок и окинул быстрым взглядом одежду. Лабораторный халат оказался неплохой защитой. Если не считать уже успевшего выцвести невинного пятна крови на манжете и привязчивого запаха дыма, все было в полном порядке. Марин коснулся крошечного пятнышка, на мгновение позволив себе вновь пережить то, что послужило причиной его появления, но тщательно контролируя силу ощущений. Годы фантазий, планов, самоограничения — он думал, что она ни за что не сможет сполна вознаградить его за столь долгое ожидание. Ничего подобного! Синтия была чудесна. Так же чудесна, как та, первая...

Марин вылез из машины и зашагал по аллее пешком, тщательно огибая грязные лужи, оставленные недавним дождем. Над дверью висела одинокая лампочка, и он на миг остановился в кругу света под ней, прикидывая, позвонить или же просто постучать. Почему-то это казалось крайне важным. Сейчас каждая деталь была крайне важна.

За сдавленным звяканьем почти сразу же послышались шаги. А через пару секунд дверь приоткрылась на несколько дюймов, остановившись, когда натянулась цепочка. В образовавшуюся щелочку виднелся только маленький кусочек лица: голубой глаз, краешек маленького прямого носа. Прядка светлых волос.

— Привет! — произнес Марин, и по его лицу разлилась теплая, дружеская улыбка. — Ты, верно, Рейчел. Папа дома?

— Нет. Секундочку. — Она закрыла дверь, и он услышал лязг цепочки. Когда девочка снова открыла, он увидел ее всю, целиком.

— А ты не очень похожа на свою фотографию, — заметил Марин.

— Фотографию?

— Ту, что стоит на столе у твоего папы. Ты под деревом рядом с...

Девочка поморщилась:

— О Господи! Она так у него там и стоит? Она просто ужасна!

Марин знал: фотография сделана два года назад, когда Рейчел было четырнадцать. С тех пор волосы у нее успели отрасти до плеч, а тело приобрести соблазнительные изгибы.

— Ну, не знаю. По-моему, очень милая. — Он протянул руку. — Я доктор Марин. Мы с твоим папой вместе работаем.

Рука у девочки оказалась чуть влажной. Судя по свисавшему у нее с плеча посудному полотенцу, от воды и мыла, а не от пота.

— Не знаешь, когда твой папа вернется? Мне надо ему коечто сказать, это очень важно.

— Может, через часок.

Не слишком уж много времени, однако тут уж ничего не поделаешь. Хотя Марин был уверен, что полностью уничтожил весь научный комплекс «СТД», но, без сомнения, кто-нибудь из людей уцелеет. Строго говоря, он вполне допускал, что большинство охранников, дежуривших по периметру, живы и в ясном сознании. Правда, у них нет быстрого выхода на Прайса — только верхние чины знали, как связаться с ним дома или в машине, но они-то как раз будут не в состоянии ни с кем связываться. Конечно, нельзя быть твердо уверенным — однако в том-то и состояла часть всей забавы.

Марин чуть-чуть нахмурился. Это возымело желаемый эффект.

— Может, войдете, доктор Марин? Если вы немного посидите, то наверняка дождетесь его...

Он сделал вид, что колеблется.

— А знаешь, наверное, и в самом деле так поступлю.

— Так вы и правда настоящий доктор? — спросила она, ведя его за собой через вестибюль в просторную гостиную. Джинсы на девочке изрядно потерты, так что на попке уже стали совсем белыми. Под тоненькой белой футболкой просвечивал лифчик, но Марин невольно задумался, а так ли этот лифчик нужен для столь маленькой груди.

— Если я верно понял твой вопрос, то нет. Я физик.

Рейчел повернулась к нему с грацией гимнастки — он знал, что она и занимается гимнастикой.

— Правда? Кошмар какой!

По лицу Марина снова расползлась улыбка — на сей раз почти даже искренняя. Открытая непосредственность и бьющая через край энергия Рейчел просто завораживали. Внезапно он осознал, что никогда не общался толком с девочками ее возраста. Даже когда он преподавал, в его классы приходили только после двадцати.

— Кошмар? Почему это?

— У меня завтра контрольная по физике. А я ни в зуб ногой. Всемирное тяготение. Черные дыры. Прошу прощения, но кому все это нужно?

Марин показал ей на ноги:

— Вот тебе, например. Земное тяготение не дает тебе разбить макушку о потолок.

Она снова состроила гримаску. Судя по всему, тема была еще более болезненной, чем даже фотография на столе у отца.

— Разреши. — Марин взял у нее с плеча полотенце. — Тяготение — это легче легкого. Иди сюда, я сейчас тебе покажу.

Он постелил край полотенца на стол, придавив его тяжелой вазой с фруктами, чтобы не сваливалось.

— А вот тут подержи.

Девочка повиновалась и, взяв другой край полотенца, туго натянула его.

— Допустим, полотенце — это космос. Представила?

— Ага, — кивнула она.

— Отлично. — Марин взял из вазы яблоко и положил его в центр полотенца. — А яблоко — планета, ладно?

— Ага.

— Смотри, что получается. — Он положил виноградинку на край полотенца, и они вместе смотрели, как она скатывается в углубление, образовавшееся от яблока. — Вуаля! Вот тебе и тяготение. Представь это в трех измерениях, вот и все.

Рейчел некоторое время еще смотрела вниз. А потом вдруг улыбнулась:

— Только и всего? А черная дыра?

— Тоже проще простого. Что, если бы это яблоко стало в десять раз больше и весом в тысячу фунтов? Что бы получилось?

— Ну, наверное, разорвало бы дыру в полотенце.

— В чем?

— То есть в космосе.

— А что бы сталось с виноградинкой?

— Выпала бы в дыру.

— Совершенно верно.

Девочка обдумывала услышанное.

— Но куда она попадает? Ведь куда-то должна?

— Очень умный вопрос, — промолвил Марин, искренне впечатленный. — Не знаю куда. Может, в другую Вселенную? Ну что, сойдет?

— Да-а. Думаю, вполне...

— Рейчел! С кем это ты там разговариваешь?

Донесшийся сверху женский голос временно разбил чары, навеянные на Марина этой прелестной полудевочкой-полудевушкой.

— Это твоя мама?

Рейчел кивнула.

— Может, поднимемся и поболтаем с ней?

ГЛАВА 58

Режущие глаза вспышки встречных фар словно бы идеально вписывались в ритм пульсирующей головной боли. Виски ломило. Ричард Прайс повернул голову так, чтобы видеть только правую сторону дороги, и вел машину, руководствуясь лишь периферийным зрением.

Шесть часов! Шесть часов позерства, улещиваний и бесконечных объяснений не привели ровным счетом ни к каким результатам.

Каждый раз, высидев на очередной долгой и томительной встрече, он уходил, говоря себе, что хуже некуда. И каждый раз ошибался.

Сначала это был просто типичный военный маразм: чванливые «избранники народа», которых заботливые папеньки избавили от военной службы — даже не читавшие материалы, которые приносил для обсуждения Прайс, — указывали ему, откуда ждать следующей угрозы Америке и как от нее лучше всего защититься. Ну разумеется, их стратегии никоим образом не были связаны с патриотическим пылом, зато определялись исключительно тем, что та или иная оборонительная система, которую они предлагали, разрабатывалась в их штатах.

Однако теперь встречи эти перешли на такой уровень абсурдности, что это выглядело уже совершенным сюрреализмом. Первое время перемены шли медленным темпом, но по мере развития системы «СТД» фокус интереса сместился просто-таки радикальнейшим образом.

Все эти люди явно никоим образом не были готовы к появлению полномасштабной космической оборонной системы. Они считали «СТД» очередной бездонной ямой, куда уходят денежки налогоплательщиков. И теперь начинали паниковать — выдумывать всякие бюджетные препятствия, каждый день менять требования и условия в попытке остановить — или хотя бы отсрочить — неотвратимое.

Свернув с автострады на ответвление к своему району, Прайс благодарно вздохнул: автомобиль окутала тихая мгла. Он вел машину почти автоматически, мысленно снова и снова проигрывая в голове недавнюю встречу. Его лишили доброй порции финансирования — в последней отчаянной попытке замедлить прогресс разработок. Но все равно ничего у них не получится. Марин вносил в проект столько непредсказуемости, что Прайс давно понял: перебои в денежном потоке могут оказаться губительны. Каждая минута, которую Марин посвящает проекту, на вес золота, и выжать из таких минут нужно по максимуму. Поэтому Прайс уже давно создал тайный резервный фонд, средств которого теперь хватит для завершения проекта. Возможно, будет трудновато, но, поскольку основные теоретические трудности преодолены, а Марин временно укрощен, задача вполне выполнима.

Прайс свернул к своему дому и чуть нахмурился. Чтобы поставить машину в гараж, пришлось протискиваться мимо какого-то незнакомого автомобиля. Если это очередной ухажер Рейчел, для них же самих будет лучше, если они тихо-мирно занимаются. Еще одна тройка по точным наукам — и он посадит девчонку под замок до двадцати лет.

Прайс завел машину в гараж и хотел было взять дипломат с документами, но передумал. Все, на сегодня больше никакой работы. Принять душ — и в постель.

— Конни? Ты дома? — закричал он, перешагивая через груду приготовленного к стирке белья и направляясь к двери в кухню. — Конни! Ты?..

Судорожно выставив руку в сторону, он успел опереться на холодильник и кое-как устоять на пошатнувшихся ногах.

— Простите, генерал. Вы что-то сказали?

Эдвард Марин чуть покачивался из стороны в сторону, точно дерево под ветром. Или, скорее, точно изготовившаяся к броску змея. Он стоял за спиной у Рейчел, и на фоне его темного туловища смутно виднелось ее лицо — бледное пятно над кухонной стойкой.

— Нет...

Звук, сорвавшийся с губ несчастного отца, нельзя было назвать даже криком — скорее выдохом.

Прайс медленно шагнул влево, стараясь не делать резких движений и не сводя глаз с Марина. Того было практически не узнать. Волосы, обычно идеально приглаженные, спутались и блестели от пота, губы кривились в злобной ухмылке, оскаленные зубы словно бы не могли принадлежать человеку. Прайс видел и прежде у Марина проблески такого оскала, краткие и мимолетные. Но ему и в страшном сне не представлялось, каково будет, если то, что таится внутри маньяка, полностью вырвется на поверхность.

Когда Прайс вышел наконец из-за кухонной стойки и увидел, что стало с его маленькой девочкой, внутри у него все сжалось. Он согнулся пополам, и его чуть не вырвало.

— Что-нибудь съели, генерал?

Она была совершенно обнажена и привязана проволокой к кухонному стулу. Бледную кожу избороздили узкие разрезы — от шеи и до колен. В самых неглубоких ранах кровь уже начала останавливаться и запекаться, но из остальных так и текла алыми ручьями по телу. Прайс зажмурился, стараясь заблокировать замелькавшие в голове картины: рождение и детство дочери. В голове у него мутилось.

— Простите, генерал, я так невежлив. Вы, верно, беспокоитесь о вашей жене. Она там, наверху. Только, боюсь... она мертва.

— Сукин сын! — Голос вернулся к Прайсу вместе с могучим выбросом адреналина в кровь. — Я убью тебя!

Он шагнул вперед, но остановился: в воздухе сверкнул длинный охотничий нож. Обхватив сзади Рейчел обеими руками, Марин принялся медленными кругами размазывать кровь у нее на правой груди. Когда он зажал указательным и большим пальцами сосок девочки, голова ее чуть шевельнулась. Она была жива.

Прайс вынул из кармана револьвер девятого калибра.

— Прочь от нее! Живо!

Марин нагнулся чуть ближе к Рейчел, задевая ее волосы губами и нашептывая что-то на ухо. Прайс видел, как веки дочери затрепетали, но, не успела она поднять на него глаза, он снова твердо уставился в лицо Марину:

— Я сказал — прочь!

Марин задумчиво продолжал гладить сосок девочки, держа нож так близко к ее горлу, что Прайс не мог рискнуть и выстрелить.

— Хотите сказать ей что-нибудь, Ричард? Она еще в сознании. Вы дали мне вдоволь возможности напрактиковаться, как сохранять им сознание.

— Я сказал, прочь от нее, мерзавец!

На этот раз Прайс даже сумел закричать, но его голосу не хватало подлинной силы. Слезы начали затуманивать взор, и ему пришлось торопливо смахнуть их с глаз.

— Не понимаю, Ричард. Вы словно бы чем-то взволнованы? А ведь лазер важен по-прежнему, правда? Он был достаточно важен, чтобы во имя его жертвовать чужими дочерьми. — Марин глубоко вдохнул, словно упиваясь запахом волос Рейчел. — Впрочем, я вовсе не хочу вас расстраивать, Ричард. Я ей все рассказал. И не сомневаюсь — она гордится вами за те жертвы, что вы принесли во имя родины.

— Отойди от нее! — отчаянно завопил Прайс. — Пожалуйста!

Марин наконец повиновался и шагнул влево. Но на ходу полоснул девочку ножом по горлу.

— Нет!

Прайс безнадежно наблюдал, как кровь алой волной течет по плечам, груди и животу дочери, льется между голых ног и спадает на пол. Девочка словно бы даже и не поняла, что произошло. Лишь удивленно смотрела на него, пока свет, так ярко сиявший в ее глазах, не угас. Но за долю секунды до этого в глазах Рейчел вспыхнула искорка понимания. И упрека.

Прайса начало безудержно рвать. Он согнулся, силясь совладать с собой и не опускать направленного на Марина пистолета. Наконец сумев выпрямиться, он увидел, что Марин даже не шелохнулся. Так и стоял с издевательским сочувствием на лице.

— Вы меня не убьете, — промолвил он, когда Прайс направил дуло пистолета ему в грудь. — Подумайте о вашем долге. Подумайте об Америке.

Прайс ринулся на него, стреляя и стреляя с такой скоростью, с какой палец успевал нажимать на спусковой крючок. Марин пошатнулся, откинулся назад, пытаясь сохранить равновесие, и рухнул на пол. Прайс упал на колени рядом с ним, мысленно отмечая дыры в рубашке Марина прямо напротив сердца — но этого было еще недостаточно. Выпустив револьвер, он принялся молотить ненавистное лицо кулаком, чувствуя, как костяшки пальцев натыкаются на плоть, кости, зубы, видя, как разлетаются во все стороны брызги крови. Но и этого было еще недостаточно. Он снова схватил пистолет и изо всей силы замахнулся рукояткой.

Однако ударить не смог.

Рука Марина взметнулась вверх, сжав запястье Прайса немыслимым, невероятно крепким захватом. Чувствуя, как трещат кости, и боясь, что они вот-вот сломаются, Прайс свободной рукой ударил врага в грудь. Но она натолкнулась на плотную обшивку пуленепробиваемого жилета.

— Вы что, и правда думали, что меня так легко убить? — спросил Марин. Изо рта у него хлестала кровь. — Вы меня разочаровываете, Ричард.

ГЛАВА 59

— Ты уверена, что это здесь?

— Нет.

В полумраке Куинн едва различала очертания лица Эрика. В этом районе фонари мало того что стояли на большом расстоянии друг от друга, так еще и находились в разных стадиях недостроенности, как и большинство домов вокруг. Все кругом казалось нежилым, заброшенным. Все — кроме большого дома, возвышавшегося над ними на голом холме. Из окон этого дома разливалось тусклое сияние — такое слабое, что, если взглянуть в упор, даже и не видно. Но все же это был свет.

Добыть адрес в конце концов удалось Эрику. Молодые люди на пару переговорили практически со всеми военными или псевдовоенными организациями, какие нашлись в справочной книге, — и все эти организации оказались равно скупы на сведения. Звонки в гольф-клубы, видеоклубы и даже старому приятелю Куинн по учебе, который нынче работал в налоговом управлении, также успеха не принесли. Переломным моментом стало решение Эрика позвонить давно ушедшему на пенсию профессору математики, который некогда консультировал космическую программу США. Как выяснилось, он до сих пор обменивался с неуловимым Ричардом Прайсом рождественскими открытками и знал его домашний адрес.

Куинн покрепче прижалась к Эрику. Исходящее от него тепло хоть сколько-то помогало девушке справиться с бьющим ознобом. Снова пошел дождь — не сильный, но вполне достаточный, чтобы промочить футболку насквозь.

— Ну и что ты считаешь?

— То же самое, что и час назад: что нам лучше бы отправиться в «Феникс» и найти этого твоего фэбээровца.

— И что тогда? Теперь у нас даже досье нет, и, думаю, можно не сомневаться, что оригиналы уже превратились в кучку пепла. Самой «СТД» и большей части ее сотрудников тоже не стало. А тебя разыскивают в связи со смертью по меньшей мере четырех человек...

Эрик тихонько вздохнул:

— Отлично. Допустим, мы делаем, как ты предлагаешь. И допустим, Прайс дома. Что дальше?

Куинн уже всячески обдумывала этот вопрос, но ничего хорошего так и не придумала. Просто этот путь — найти Прайса — казался единственным, что у них еще оставался. Марин, если он еще только жив, разумеется, немедля исчезнет. У него ни дома, ни семьи, а скоро по следам доктора помчится армия хорошо вооруженных профессионалов, охотящихся за его головой. Однако Прайс не мог столь же легко скрыться от всего мира.

— Поговорим, — сказала она.

— Поговорим, — повторил Эрик. — И что мы скажем?

— Не знаю.

В темноте девушка увидела, как он наклоняется к ней, однако выражения его лица разглядеть не могла.

— Еще несколько часов назад этот тип готов был с утра до вечера прижигать нас сигаретами...

— А теперь стал нашим лучшим другом во всем мире.

— Куинн, я серьезно.

Она пожала плечами:

— Так и я тоже. Смотри сам. Все его люди — все, кого он должен был защищать, — погибли. И это отчасти ставит нас с ним в одинаковое положение.

— Марин.

— Пока он жив, ты, я и Прайс будем жить в вечном страхе, что он вдруг выскочит у нас за спиной. Не знаю, как ты, а я так жить не могу.

Эрик довольно долго молчал. Девушку все сильнее пробирал холод, но она не торопила своего спутника. Сказать начистоту — подниматься на холм ей хотелось ничуть не больше, чем ему.

— А что, если сам он так не считает? Что, если не переменил свои взгляды на нашу участь?

Она промолчала.

— Так я и думал.

— Эрик, но мы обязательно сумеем до него достучаться, это же так просто.

— Прости. Мне жаль это говорить, но я вовсе не разделяю твою веру в человечество.

Он отстранил Куинн и вытащил что-то у себя из-за пазухи. Когда девушка сумела разглядеть очертания непонятного предмета, оказалось, что это рукоятка от автомобильного домкрата.

— Зачем это тебе?

— Догадайся.

— Эрик...

— А какой у нас выбор? Если он не с нами, то против нас, Куинн. Если его не станет, есть все шансы, что из «СТД» не осталось никого, кто бы о нас знал. И тогда нам надо тревожиться только из-за Марина. И насколько я могу судить, уже и этого за глаза достаточно.

Куинн отвернулась от молодого человека, вглядываясь в дом на холме.

— А ты сможешь? — наконец спросила она. — Сможешь его убить?

— Не знаю, — тихо ответил он. — А ты бы могла?

— Не знаю.

Вслед за ним девушка пошла по улице, а потом по крутому подъему к парадной двери Прайса. Даже в таком сумрачном свете видно было, как во взгляде Эрика нарастает решимость. Одной рукой он покрепче сжал свою импровизированную дубинку, а другой повернул ручку двери.

Дверь тихо отворилась, и молодые люди напряженно уставились в пустой коридор, вслушиваясь, не раздастся ли какой-нибудь подозрительный шорох. Но ничего не было. Ничего и никого — лишь паркетный пол и элегантная мебель.

Эрик первым переступил порог и двинулся вдоль коридора к тому, что, похоже, было сейчас единственным источником света во всем доме. Куинн последовала за ним, спиной вперед — чтобы видеть, если кто-нибудь вдруг появится сзади. Сердце так и колотилось у нее в груди, и девушка пыталась унять этот бешеный стук, говоря себе, что все, кто пытался убить ее, уже и сами мертвы. Но не помогало.

Эрик остановился в конце коридора так резко, что она чуть не врезалась в него. Он повернулся и на миг заглянул ей в глаза. Оба молчали — хотя все было ясно и без слов. Точка, откуда не будет возврата.

Куинн видела, как побелели у Эрика костяшки пальцев, плотно сомкнутых на стальном пруте. Молодой человек шагнул в проем двери. Но, не пройдя и двух футов, застыл на месте.

— О Господи...

Куинн вошла вслед за ним — и тут же на глазах у нее выступили слезы. Тем самым источником света, пробивавшегося через окна дома, оказалась одна-единственная лампочка, повернутая так, чтобы выхватывать из темноты обнаженную окровавленную девочку-подростка, привязанную к стулу.

— Не трогай ее! — Эрик успел поймать Куинн за плечо. — Она мертва. Надо уходить.

Куинн попыталась вырваться. А вдруг девочка не умерла? Вдруг она еще на грани жизни и смерти — как та, что лежала в квартире Эрика? Надо позвонить в «Скорую помощь»...

— Куинн! — свистящим шепотом произнес Эрик. — Куинн! Взгляни на нее! Ты ничем не сможешь помочь.

Она почувствовала, как ее волокут к выходу, но все не могла отвести глаз от девочки. Лицо — без единой царапинки, гладкое и мертвенно-белое — являло жуткий контраст телу, покрытому коркой запекшейся крови. Даже в таком ужасном состоянии видно было, что ей не больше пятнадцати-шестнадцати лет. Сколько еще? И сколько было перед ней?..

Когда они достигли прихожей, Эрик внезапно остановился:

— Генерал Прайс?

Куинн медленно повернула голову, глядя через плечо Эрика, на дверь. В проеме смутно, но безошибочно вырисовывались очертания человека. И револьвера у него в руке.

— Генерал Прайс? — повторил Эрик.

Неизвестный сделал несколько шагов вперед — и луч света выхватил пряди длинных седых волос.

— Вы ведь не разочарованы, правда?

Голос Марина, казалось, исходил отовсюду, со всех сторон сразу — жутковатая дрожь воздуха. Эрик и Куинн попятились, а он продолжал приближаться.

— Я знал, что вы меня найдете.

— Что ты хочешь? — спросил Эрик, когда они вошли на кухню, стараясь сохранять неизменной дистанцию между ними и убийцей.

— Чего я хочу... Теперь уже и сам не знаю. Ну не прекрасно ли?

Он шагнул в круг света, и Куинн увидела, что лицо и одежда у него в крови. Длинные волосы липли ко лбу, загораживая глаза и отчасти скрывая синяки и ссадины, что уже начали уродовать красивое породистое лицо. Вот он махнул револьвером в сторону Куинн — и она вся напряглась, но Марин всего лишь указывал на пол у нее под ногами.

— Не упади, милая.

— О Господи! — вскрикнула Куинн, отпрыгивая вправо, чтобы не наступить на Ричарда Прайса. Он недвижно лежал на спине в луже крови, медленно расползающейся по паркетному полу.

— Должен поблагодарить вас обоих, — промолвил Марин. — Вы очень мне помогли. По-моему, вам удалось убить почти всех.

— Зачем? — спросила Куинн. — Зачем все это? Зачем надо было убивать тех людей?

Марин немного подумал, почесывая подбородок дулом револьвера.

— Они превратили меня в домашнее животное, Куинн. Поработили меня, использовали. Лишили меня свободы.

— По крайней мере они так думали, — сказала Куинн, чтобы заставить его говорить, не дать ему осуществить те планы, ради которых он и сидел тут в засаде. — Но ты планировал все это уже долгие годы...

— Неосознанно, наверное, с самого первого дня. И вот я своего добился. За несколько часов целиком и полностью стер результаты десяти лет исследований и разработок. Афганистан и Северная Корея могут размещать у себя ракеты, не боясь, что их уничтожат прямо на месте. Так земной шар становится куда более интересным местом, не находите?

Куинн закричала — Марин внезапно швырнул пистолет Эрику, которому, чтобы поймать его, пришлось выронить железный прут. Несколько мгновений молодой человек растерянно смотрел на оружие в своей руке, а затем перевел взгляд на Марина.

— Ответ на вопрос, что ты хочешь задать, — да. Он заряжен, — сообщил Марин, придвигаясь все ближе к ним. — Знаешь, Эрик, единственное, что всю дорогу меня несказанно удручало, так это возможность быть убитым каким-нибудь кретином. Ренквистом, Прайсом или этой свиньей Лоуэллом. Ты и не представляешь, какое облегчение я испытываю при мысли, что теперь-то этого уж точно не случится.

— Не подходи, — предупредил Эрик. — Остановись. Отойди подальше.

Марин повиновался и пятился, пока не натолкнулся на стену.

— Так лучше?

— Стой... стой там, Эдвард. Не двигайся.

— Взведи курок, — предложил Марин.

— Что?

Марин сделал движение, как будто что-то поднимает, и Эрик последовал его инструкциям.

— Готов, Эрик? — Марин оторвал спину от стены и взглянул на Куинн. — А ты?

— Эрик, стреляй в него, — сказала она.

Марин снова двинулся к ним, грациозно покачиваясь и не сводя глаз с револьвера в руке Эрика.

— Стреляй!

— Эдвард, не подходи.

— ЭРИК! СТРЕЛЯЙ!

Куинн уже готова была сама выхватить у него оружие, когда револьвер вдруг дрогнул в руке Эрика и выстрелил. Марин с почти сверхъестественной скоростью отпрыгнул в сторону — и пуля, не причинив никакого вреда, ушла в стену.

Эрик снова нажал на спусковой крючок, но раздался лишь сухой щелчок.

— Второго шанса не будет, — прорычал Марин, бросаясь на них. Куинн попятилась, и он чуть изменил траекторию, словно напрочь забыв о существовании Эрика.

— Куинн! Беги! — Эрик схватил с пола железный стержень и изо всей силы размахнулся. Однако Марин увернулся от удара и схватил Твена за горло. Куинн несколько мгновений беспомощно стояла на месте, глядя, как Эрик тщетно пытается оторвать от шеи стальные пальцы. Он снова замахнулся прутом, но Марин перехватил его и вырвал из руки Эрика.

Это был ее единственный шанс. Бежать — добраться до машины и исчезнуть. Впрочем, ценой бегства, разумеется, стала бы жизнь Эрика.

Куинн подбежала к дерущимся, схватила Марина за волосы и попробовала оторвать его от уже начавшего слабеть Эрика. Она попыталась впиться ему в глаза ногтями, но Марин ударил ее локтем по голове и отбросил на пол. Удар был не из сильных, но в сочетании с перенесенным недавно сотрясением мозга подействовал оглушающе. Встать на ноги оказалось невероятно трудной, просто-таки непосильной задачей. Девушка беспомощно наблюдала, как Марин продевает вторую руку между ног Эрика и, оторвав молодого человека от пола, тащит на середину комнаты, к дивану. Подняв его еще выше, Марин с силой швырнул свою жертву на кофейный столик. Тело Эрика пробило стеклянную поверхность стола и застыло, запутавшись в металлическом каркасе.

— Куинн? Ты как? Не поранилась? — спросил Марин, поворачиваясь к девушке.

С трудом выпрямившись, она заковыляла к выходу и, обернувшись, увидела, что он опустился на четвереньки и ползет за ней так быстро, что это похоже на ускоренную киносъемку. Она успела пройти еще всего несколько шагов, прежде чем рука маньяка впилась ей в щиколотку и сдернула на пол. Марин навалился на нее, точно гигантский паук, распластался у нее на спине и с привычной легкостью обездвижил. А когда он заговорил, девушка почувствовала, что губы его касаются ее уха.

— Не кричи, Куинн. Пока еще рано. Пока рано.

ГЛАВА 60

— Ты не голодна?

Куинн не могла заставить себя смотреть на него — но и отвернуться не смела. Она смотрела в окно прямо перед собой, тщетно пытаясь почерпнуть хоть какое-то утешение из вида мелькающей мимо нормальной жизни — магазинов, кафе, людей. Но ничто из всего этого теперь уже не являлось частью ее мира. Вся вселенная Куинн съежилась до размеров этой вот машины и мужчины, что маячил сбоку, на границе поля зрения.

— Ты не голодна? — повторил Марин.

Она чуть изогнулась на сиденье, от чего боль в скованных наручниками запястьях усилилась. Лицо Марина стало еще темнее и раздутее — но было трудно сказать, из-за ран или синяков или же из-за того, что последние крохи человечности на глазах покидали его.

Девушке хотелось заговорить с ним, сказать что-нибудь, что остановило бы весь этот ужас. Книги утверждали, что, дескать, к убийце такого рода надо взывать о сострадании, что нужно попытаться стать для него реальным человеком, а не просто безвольной жертвой, марионеткой в руках, отданной на волю его фантазий. Но она знала: в этом человеке взывать уже не к чему. Он только порадуется.

— Надо поддерживать силы, — заявил доктор, сворачивая с дороги и подъезжая к «Макдоналдсу».

Не сводя глаз с девушки, Марин высунулся в окно и проговорил в микрофон:

— Два чизбургера, две большие картошки и... пожалуй, две колы. Две средних колы.

Ведя машину вперед, он взял с приборной доски длинный нож. Куинн невольно задержала дыхание, когда он протянул руку и коснулся ее голой ноги под самым краем юбки. Рука — и нож — медленно скользила вверх, приподнимая ткань. К тому моменту, как машина притормозила перед окошком раздачи, острое лезвие уже прижималось вплотную к трусикам между ног девушки, да так сильно, что легкого нажатия было бы довольно, чтобы их прорезать. Куинн почувствовала холод стали.

Девушка попыталась унять дрожь. Марин повернулся к ней и улыбнулся. Из разбитых губ его снова потекла кровь. Несмотря на это, Куинн видела, как его глаза поистине чудесным образом преобразились — назад к почти нормальным человеческим глазам, — хотя эта метаморфоза была не такой полной и убедительной как та, которую она видела в «СТД». Казалось, способность Марина создавать маску доброжелательности и мягкости ускользала вместе со всем прочим.

— Всего восемь долларов и двадцать три цента, пожалуйста... О Боже, мистер! Ничего себе! С вами все в порядке?

— Абсолютно. Спасибо за внимание.

Куинн не видела лица девушки, только руку. Марин обменял десятидолларовую купюру на поднос с едой.

— Возьмите сдачу.

Куинн хотелось закричать, но она словно онемела. Впереди не было ни одной машины. Девушка знала — издай она хоть один звук, Марин без колебаний пустит в ход нож, зажатый сейчас у нее между ног. Но не убьет до конца. А сам нажмет на газ — и они умчатся, девушка за стойкой и сообразить ничего не успеет. А Марин разойдется еще пуще.

Когда они отъехали, глаза маньяка снова затянулись злобной тьмой. Однако в них появилось и еще одно, новое выражение — глубочайшего удовлетворения, на грани чуть ли не оргазма.

Он медленно, мучительно медленно, убрал нож, словно бы уже напрочь забыв про поднос с едой и две чашки на приборной доске. Власть. Вот для чего все это было проделано. Он дал Куинн возможность сопротивляться, а она слишком боялась, чтобы попытаться это сделать.

— Что ты от меня хочешь? — услышала она через несколько минут собственный голос. Хотя ей страстно не хотелось ничего узнавать, хотелось до последнего лгать себе, но она не могла дольше выносить этого жуткого ожидания. В голове беспрестанно мелькали страшные картинки: та мертвая девочка, которую они оставили в доме Прайса, та женщина, которую она нашла в доме Эрика, фотографии из полицейских досье.

— Я приготовил тебе подарок, — сказал Марин.

Куинн закрыла глаза и почувствовала, как по щекам катятся теплые слезы. Теперь ей уже никто не поможет. Никто не знает о существовании Марина, а даже если бы кто и знал, все равно его не найдут, пока он сам этого не захочет. И она воочию видела тело Эрика на разбитом кофейном столике Прайса, видела смерть и страдания, что окружали его. И какой-то частицей души девушка даже надеялась, что Эрик уже мертв. Ему так было бы куда легче.

ГЛАВА 61

Эрик Твен не знал, сколько прошло времени, прежде чем тьма вокруг просветлела, а он наконец осознал, что недвижно уставился в потолок. Выбраться из покореженного каркаса столика оказалось куда труднее и потребовалось на это куда больше времени, чем он думал, но все же Эрик сумел, пошатываясь, подняться на ноги. Он дотронулся до затылка и ощупал ребра, не в силах понять, где сильнее болит.

Оглядевшись вокруг, он увидел, что ничего не изменилось — только Марин и Куинн исчезли. Прайс все так же лежал на полу, а девочка все так же сидела, привязанная к стулу, — мертвая. Эрик застонал и, хрустя разбитым стеклом, двинулся на середину комнаты.

Бросив взгляд на часы, он прикинул, что пролежал без сознания минут двадцать, не больше. Потом осмотрел себя. Потрясающе, но вроде бы он даже совсем не порезался. Рана на боку, полученная при взрыве, снова начала кровоточить, да на затылке наливалась огромная шишка — но только и всего. Его швырнули через стол, точно тряпичную куклу, а он отделался лишь головной болью, правда, сильной.

— Куинн! — закричал он, скорее просто ради того, чтобы разогнать тишину, а не надеясь услышать ответ.

Прихватив кухонное полотенце и зажимая им рану на боку, Эрик принялся методично обходить первый этаж.

— Куинн!

Тишина.

Он направился было к лестнице, но на первой же ступеньке остановился как вкопанный. На краткий миг ему показалось, что женщина на верхней площадке смотрит на него. Но иллюзия быстро прошла — стало совершенно ясно, что эта женщина уже ничего не может увидеть.

Гораздо старше той девочки на кухне, в зеленой блузке, хотя ниже пояса на ней ничего не было. На внутренней поверхности правого бедра зияла глубокая рана, рассекшая бедренную артерию несчастной так, что жизнь утекла из нее с потоком крови, струящимся вниз по лестнице. Помимо этой раны, единственными повреждениями были порезы на запястьях под наручниками, что приковывали ее к перилам.

Поднимаясь наверх по лужам крови, Эрик не хотел думать о том, что произошло с несчастной, но не мог ничего с собой поделать. Наверное, это жена Ричарда Прайса, мать той замученной девочки. Нанес ли Марин сразу тот смертельный удар, а потом ушел и оставил ее умирать в попытках освободиться? Или просто приковал ее к перилам, а сам отправился развлекаться с дочкой?

Поднявшись наверх, он обнаружил правду. В ранах под наручниками просвечивали розовато-белые кости — несчастная вынуждена была слушать, как терзают и насилуют ее дочь, и чуть не отрезала себе руки, пытаясь остановить этот кошмар.

Обходя тело женщины, Эрик отвернулся, изо всех сил стараясь заглушить, подавить эмоции. Он обыскал все комнаты и помещения на втором этаже и окончательно убедился в том, что и так уже знал: Куинн тут нет.

Пошарив в аптечке, молодой человек вытащил рулончик пластыря. Спускаясь по лестнице, он прикрепил полотенце поплотнее к ране, замедлив тем самым кровотечение до той стадии, когда оно уже потихоньку прекратится и само.

— Что теперь? — вслух спросил он себя. — Думай!

Надо найти Куинн прежде, чем Марин успеет... Эрик яростно тряхнул головой, не позволяя себе думать о том, что будет, если он не успеет ее найти. Сейчас ему нужен незатуманенный ум. Сейчас важно только одно — найти Куинн.

Но как? Марин волен делать все, что захочет, отправляться куда вздумается. Никто на белом свете знать не знает о его существовании. Даже в нынешнем состоянии, окончательно обезумевший и поглощенный одной-единственной страстью, сколько он протянет, прежде чем его обнаружат и выследят? Месяц? Два? Шесть? Сколько женщин еще умрет?

Почувствовав, как от головы отхлынула кровь, Эрик наклонился вперед. Думать надо. Должен быть какой-то ответ, какой-то выход — только его надо найти. Даже в самом хаосе всегда отыщется какая-нибудь закономерность. Куда мог отправиться Марин?

Вой сирен сначала был едва слышен. Эрик медленно повернул голову, чтобы определить, откуда доносится этот звук, и заметил, что тот становится все громче и громче.

— Черт! — пробормотал он и резко заторопился, обшаривая комнату. Кто знает, едет ли полиция именно сюда или просто так, мимо, но ни в коем случае его не должны найти здесь. Еще рано. Время Куинн стремительно утекает, у нее нет времени ждать, покуда он сумеет все объяснить властям.

За тридцать секунд поиска никакого револьвера не обнаружил. Должно быть, Марин забрал его с собой. Упав на колени, Эрик принялся обшаривать тело Ричарда Прайса в поисках оружия. Нашел кобуру, но она оказалась пуста.

— Нет!

Эрик отшатнулся, еле успев уклониться от свирепого удара кулаком прямо в лицо. С бешено бьющимся сердцем он все отползал и остановился, лишь натолкнувшись спиной на стойку посреди кухни.

Из горла Прайса вырвался протяжный вопль, скорее, даже вой — еле слышный, но исполненный безграничного, немыслимого отчаяния. Еще через несколько секунд генерал открыл глаза и приподнял голову.

— Вы не мертвы? Почему? — спросил Эрик, но тут же понял, как же очевиден ответ. А зачем было Марину его убивать? Он хотел, чтобы Прайс остался жить — и помнил, что сам стал причиной смерти своих родных. Чтобы он провел оставшиеся годы жизни, гадая, что именно Марин сделал с его дочерью, прежде чем убить ее.

Эрик подполз к лежащему и, схватив его за отвороты пиджака, оторвал от пола. Сирены выли все громче.

— Поднимайся, сукин сын!

Тело Прайса висело все так же безжизненно, но в глазах появились искорки сознания.

— Живо поднимайся! — завопил Эрик, рывком пытаясь поставить Прайса на ноги. Тот закачался, но, судя по всему, мог стоять и передвигаться сам.

Помимо окровавленной спины и темной ссадины на голове, никаких иных повреждений на нем видно не было. Собственно говоря, сейчас Эрик уже был не уверен, что кровь, в которой лежал Прайс, принадлежала самому генералу.

— Мы сваливаем отсюда, — объявил Эрик. — И в темпе!

Он снова схватил Прайса и потащил за собой к черному ходу, но генерал воспротивился с удивительной силой.

— Моя... моя жена...

— Она мертва.

— Нет, не может быть! Я...

Эрик взялся за отвороты пиджака Прайса и притянул его к себе так, что они почти соприкасались носами.

— Уж можете мне поверить, генерал. Благодаря вам я теперь эксперт по части мертвецов.

Прайс резко рванулся назад, покачнулся и невзначай повернулся как раз в сторону того, что осталось от его дочери.

Эрик успел поймать его прежде, чем он рухнул на пол. Прайс рыдал, и всхлипывания затихли только тогда, когда Твен обхватил его за шею, сдавливая горло локтем, перекрывая ему воздух. Прайс все тянулся к дочери, но у него уже не хватало сил сопротивляться, и Эрик поволок его прочь. По стенам дома

11 – 2983

кружились мертвенные сине-красные огни: это полицейская машина ехала к дому по подъездной аллее.

Ответ на вопрос, который Эрик задавал себе раньше, пришел сам, когда они с Прайсом вывалились через дверь черного хода под леденящий дождь. Эрик знал, что сделает, если Прайс не сумеет — или не захочет — помочь найти Куинн. Задушит ублюдка, своими руками задушит. Медленно и с наслаждением.

Тащить тяжелое, точно мертвое, тело Прайса по грязи и лужам с каждым шагом становилось все труднее. А еще хуже стало, когда генерал внезапно рывком вышел из ступора и начал вырываться, забился в руках Эрика, силясь оторвать его руку от своего горла. Эрик сжал сильнее и продолжал идти, при каждом шаге утопая во влажной почве на добрых шесть дюймов.

Наконец они добрались до рощицы ярдах в двухстах от дома. Здесь земля стала тверже, позволяя Эрику двигаться быстрее, но зато и Прайс смог сопротивляться активнее. Еще тридцать секунд — и они оказались у деревянного забора, окружавшего задний двор соседнего, ярко освещенного дома на краю рощицы. Эрик резко дернулся в сторону, заваливая Прайса лицом вниз на землю, и взгромоздился ему на спину.

— Прекратить! — прошептал он сквозь стиснутые зубы яростно вырывавшемуся генералу и ткнул его лицом в грязь. Через несколько секунд тот уже не мог дышать, — не сказать чтобы Эрик гордился такой победой, но сейчас ему было уже все равно. Когда противник почти перестал биться, Эрик приподнял его голову, позволяя вдохнуть чуть-чуть воздуха.

— Ну что, генерал, теперь мы с вами друг друга понимаем?

Он думал, Прайс снова примется вырываться, но тот весь обмяк и медленно опустил голову на землю.

— Единственная причина, почему я не убил вас сразу, это то, что вы мне нужны, чтобы найти Куинн.

Когда Прайс наконец ответил, голос его звучал еле слышно.

— Думаете, мне есть до этого дело?

Властность, уверенность, сила, что излучал генерал при их первой встрече, исчезли, растаяли безвозвратно. На смену им пришли усталость и безразличие.

— Да. Думаю, есть, — заявил Эрик. — Потому что если мы найдем Куинн, то найдем и Марина. И я бы предположил, что вам бы хотелось сказать ему пару слов после всего, что он сделал с вашими близкими. Или вам и до них уже дела нет?

Слова его возымели реакцию. Прайс опять попытался вырваться, но ему не хватало ни запала, ни сил. Эрик снова ткнул его лицом в землю, хотя почти сразу же отпустил. На сей раз генерал отплевывал грязь чуть более энергично.

— Где он? — спросил Эрик.

— Почем мне знать?

— Думайте! У него нет нигде больше никакого другого дома? Родственников? Ночной работы? Вы уже запланировали ему очередную жертву? Думайте!

Прайс весь напрягся, однако не пытался вырваться. Дыхание его участилось, начало сбиваться по мере того, как он снова вспоминал все, что произошло.

Гнев. Вот и отлично. Гнев можно использовать на пользу дела.

— Не двигайтесь, — предупредил Эрик, слезая с генерала. Стянув с Прайса пиджак, он разорвал на нем рубашку, обнажив неожиданно сильную и мускулистую спину. Да, кровь, в которой он лежал, несомненно, принадлежала ему самому: в слабых отсветах из окон дома неподалеку отчетливо различались узкие кровоточащие полосы. Эрик стер кровь краем разорванной рубашки, чтобы проверить, нет ли среди этих ран опасных для жизни.

На вид все они были не слишком глубоки. Эрик на несколько секунд сжал края тех, из которых еще текла кровь, а потом отпустил, проверяя, глубоки ли раны. И тут-то Твен заметил, что они складываются в определенный узор. Марин исполосовал врага не просто так — он вырезал кое-что у него на спине.

Адрес.

ГЛАВА 62

Когда рука Марина протянулась мимо Куинн к ящичку для перчаток, девушка постаралась забиться как можно дальше в щель между сиденьями. Через мгновение гаражная дверь маленького пригородного домика перед ними начала открываться. Автомобиль тронулся с места, и Куинн закрыла глаза. Рокот мотора сменился гулом закрывающего дверь механизма. А потом — тишина. Куинн была полностью отрезана от наружного мира.

Марин вылез из машины, и она снова открыла глаза. В гараже было чисто, вещи аккуратно разложены на высокой полке под потолком, тянувшейся по всему периметру. Все выглядело так нормально, так обыденно: велосипеды, пара лыж, потрепанные картонные коробки с рождественскими рисунками. Это не его дом, не Марина. Куинн знала это наверняка.

— Идем.

Он наклонился к открытой дверце и протянул руку девушке. Куинн не двинулась с места.

— Не надо, доктор Марин. Вы... вы один из самых блестящих людей в истории человечества. Вы же не захотите запомниться таким... таким...

Она знала, что все это лишь беспомощный лепет. Что такого может она сказать, чтобы остановить его? За последние двадцать четыре часа он уже стал причиной гибели сотен людей. А за несколько десятилетий до того изнасиловал, замучил и убил еще тридцать две женщины.

Когда он потянулся схватить ее, Куинн изогнулась и обеими ногами лягнула его.

— Нет! Не трогай меня! Убирайся!

Она промахнулась — нога пролетела в полудюйме от лица Марина, что позволило ему поймать ее за лодыжку — хваткой, вырваться из которой было уже невозможно.

— Перестань! Отпусти! — кричала Куинн, пока он волок ее по сиденью. Яростно брыкалась и вырывалась, несмотря на боль от врезавшихся в запястья наручников, тщетно пыталась ухватиться за руль.

Стальные пальцы Марина впились в ее бедро. Девушка ахнула, а в следующую секунду он уже швырнул ее на бетонный пол. Отчаянные крики, которыми она надеялась разбудить людей, спящих в соседних домах, стихли, когда маньяк ладонью зажал ей рот.

Марин подождал, пока она выдохнет, а потом защемил ей нос. Объятая паникой, она забилась сильнее, но нехватка кислорода очень быстро истощила ее силы. И когда перед глазами девушки уже замелькали яркие точки, Марин убрал ладонь с ее рта. Куинн жадно хватала ртом воздух, однако доктор тут же заткнул ей рот кляпом. Еще секунда — кляп был надежно приклеен скотчем, а девушка пыталась отдышаться через нос. Марин потащил ее в дом.

Когда он волок ее через кухонную дверь, Куинн почувствовала, как силы потихоньку начинают возвращаться к ней, но уже не сопротивлялась. Теперь ничто не в силах остановить происходящее. Она знала это с того самого момента, как Эрик рухнул на стеклянный стол. Сколько пройдет времени, прежде чем она умрет? Час? Два?

О, только не больше двух!

Марин бросил ее на пол, а сам, усевшись у нее на спине, сковал ее щиколотки. Только когда он подтянул ноги девушки назад и прицепил их к цепочке между ее запястьями, до нее дошло, что здесь что-то не так. Своих жертв Марин связывал иначе.

Ее грубо вздернули на колени. Перед глазами замаячило лицо Марина.

— Куинн!

Сфокусировать взгляд было так трудно...

— Куинн!

Распухшие губы Марина расползлись в ухмылке. Розовато сверкнули окровавленные зубы.

— Ну что, ты снова со мной?

Из-за кляпа девушка не могла говорить, но выражение ее лица, похоже, удовлетворило Марина. И только когда он зашагал обратно к гаражу, Куинн увидела ее. Другую пленницу.

Она лежала всего в трех шагах от Куинн. На пару лет старше, с длинными темными волосами и худеньким, но соблазнительным телом, совершенно нагая. Руки ее были привязаны к кухонному столу, а ноги — к двум вбитым в стену болтам.

Куинн крепко-крепко зажмурилась, стараясь усилием воли вытеснить из головы все происходящее. А когда снова открыла глаза, то увидела, что жертва смотрит прямо на нее. Куинн явственно различала ужас в ее глазах и следы от высохших слез на висках и щеках.

— Вижу, вы уже встретились, — заметил Марин, вернувшись. Пройдя мимо Куинн, он остановился возле связанной молодой женщины и поставил на пол рядом с ней переносной холодильник.

— Я же говорил, что приготовил тебе подарок, — промолвил он, вытаскивая баллон с кровью и привешивая его к столу. — Строго говоря, нам обоим.

Пока он готовился к уколу, Куинн отвернулась. Она увидела, что ноги молодой женщины совсем побелели под связывающей их проволокой. Сколько бедняжка уже лежит здесь? Давно ли он все это запланировал?

Молодая женщина сдавленно застонала. Куинн решила, это она от укола, но, обернувшись, увидела, что игла уже вставлена в руку несчастной и приклеена пластырем, а Марин надевает плотный фартук.

Куинн знала, чего хочет от нее та женщина. Знала, но не могла дать. Она не вынесет, просто не вынесет. Нет, ни за что.

И все же она подняла голову и ответила на взгляд молодой женщины, посмотрела ей прямо в глаза. Казалось, это слегка успокоило несчастную.

— Она прекрасна, правда? — спросил Марин.

Куинн не отводила глаз, пытаясь вдохнуть в молодую женщину силу и мужество, которых у нее и самой-то не оставалось.

— Просто поразительно, — продолжал Марин. — Как сияют, как светятся у них глаза, когда они вот так смотрят. Какие они живые. Она работает над диссертацией по геологии — во всех отношениях талантливая и одаренная молодая женщина. И понимает все-все, что с ней происходит. Не то что эти твари, которыми пытался удовлетворить меня Прайс. Они никогда не смотрели вот так. Они уже были полудохлыми. Глупыми. Слабыми. Скучными.

Когда рука Марина скользнула меж бедер молодой женщины и принялась там что-то ощупывать, бедняжка жалобно закричала сквозь кляп, но глаз от Куинн не отвела. Куинн хотелось заплакать — однако слез больше не было.

— Смотри на меня, Куинн. Куинн!

Молодой женщине не хотелось разрывать этот последний контакт, и она слабо застонала, когда Куинн повиновалась Марину.

— Хочу сообщить тебе правила. — Он вынул из кармана фартука кусачки и длинный нож и положил их на трепещущий живот своей жертвы. — Каждый раз, как ты отвернешься, я буду отрезать тебе палец. Только не ножом. Кусачками. Поняла?

Та не шевельнулась.

— Очень важно, чтобы ты поняла хорошенько. Ну что?

Молодая женщина кое-как умудрилась кивнуть.

— Вот и славненько.

Куинн снова посмотрела в лицо жертве, стараясь хоть как-то успокоить ее, не выдать взглядом, что знает, чему суждено произойти.

— Нет-нет. — Марин погладил молодую женщину по голове, ласково поворачивая ее к себе. — Не смотри на нее. Смотри на меня.

ГЛАВА 63

— Генерал! Нет!

Эрик нажал на тормоз и попытался ударить дверцей машины выпрыгивающего на ходу Прайса. Тот увернулся с поразительной для его возраста ловкостью и помчался по грунтовой дороге, что вела к ничем не примечательному пригородному домику.

Эрик вылез из автомобиля чуть осторожнее — не столько из соображений собственной безопасности, сколько из страха перед тем, что может найти внутри. Адрес, вырезанный на спине Прайса, привел их на бензозаправку на другом краю города. После десятиминутных поисков им удалось обнаружить конверт с адресом следующей заправки. Конверт, найденный там, привел к этому дому — почти через четыре часа после того, как Марин похитил Куинн.

— Генерал? — позвал Эрик, шагая через порог открытой парадной двери домика.

Поначалу никакого ответа, потом — невнятный крик Прайса и звон бьющегося стекла. Эрик бросился вперед, на ходу сорвав со стены тяжелую деревянную лампу и стараясь не думать о сверхъестественной силе Марина. Если Прайс сумеет сдержать того хоть несколько секунд, этого будет достаточно. Эрик проломит мерзавцу голову, раз и навсегда уничтожив один из самых блестящих и самых извращенных умов в истории человечества.

Однако, ворвавшись на кухню, Эрик обнаружил, что Прайс просто-напросто скидывает на пол все содержимое кухонной стойки.

— Генерал, где он? Где Марин?

Прайс окончательно утратил контроль над собой. Он переворачивал буфет с посудой, сорвав створки дверей с петель. Порезы на спине у него снова начали кровоточить, рубашка прилипла к спине.

Эрик осторожно двинулся вперед — и тут заметил ноги. Голые, все исчерченные узкими кровавыми полосами, они высовывались из-за перегородки, что отделяла саму кухню от крошечной столовой. Эрик уронил лампу и усилием воли заставил себя не останавливаться, а продолжать идти, глядя на появлявшееся из-за перегородки женское тело.

— Только не она, — услышал он свой собственный голос. — Пожалуйста, только не она.

Лишь когда в поле зрения показались длинные черные волосы, Эрик смог выдохнуть — а ведь даже и не замечал, что задержал дыхание. Эту женщину он никогда в жизни не видел.

Стоя над трупом, он остро ощущал жгучую смесь вины и облегчения. Порезы покрывали все тело убитой, каждый дюйм кожи, кроме оставшихся нетронутыми шеи и лица. К руке еще крепился свисавший со стола пустой баллон из-под крови.

Эрик присел на корточки и закрыл некогда прекрасные зеленые глаза. Треск ломаемой мебели у него за спиной вдруг затих.

— Мертвее некуда! — заявил Прайс, нависая над плечом молодого человека. — А его давно и след простыл. Мы даром теряем время.

Тело находилось в точно таком же состоянии, что и все остальные — женщина, убитая в спальне Эрика, и те, которых он видел на фотографиях в полицейских досье. Не считая одной важной детали. Эта жертва была развязана. На запястьях и щиколотках у нее все еще болталась проволока, но от ножек стола и болтов в стене Марин ее отвязал.

— Я знаю, что она мертва, — с нескрываемой ненавистью ответил Эрик. — Но она еще и развязана. Он оставил нам очередное послание.

Прайс потянулся к плечу мертвой женщины, чтобы перевернуть ее, и тут-то Эрик взорвался. Ударом локтя в лицо он оттолкнул генерала, едва не сбив его с ног.

— Не прикасайтесь к ней!

С трудом восстановив равновесие, Прайс вроде бы собирался снова рвануться к телу, однако передумал.

Эрик глубоко вздохнул и осторожно просунул руки под убитую, но тут же отдернул их.

— Да что, черт возьми, за проблема такая...

— Заткнись! — заорал Эрик. — Заткнись, твою мать!

Отвернувшись от мертвой женщины, он снова просунул под нее руки и на сей раз сумел перевернуть. Он даже не думал, каким жутко холодным, леденящим окажется тело.

Надпись оказалась у нее на спине, как он и думал. Эрик рукавом стер излишки крови и взглянул на проступившие буквы и цифры, вырезанные куда глубже, чем на спине Прайса.

— Что там? Что тут сказано?

— Адрес. В Аннандейле.

Аннандейл был одним из бесчисленных виргинских пригородов, что сплошным кольцом окружали Вашингтон. Эрик бросил взгляд на часы. Два ночи. Пробок не будет. Но все равно, в лучшем случае они доберутся туда через час.

Эрик сел на пол, глядя вслед Прайсу, уже исчезавшему в коридоре, что вел к парадной двери. Так хотелось поспешить за ним, вскочить в машину, вдавить акселератор в пол и мчаться по указанному адресу. Найти Куинн живой.

Да только будет все совсем не так. По адресу окажется очередная бензозаправка. А от нее след приведет к следующей. И так по кругу, пока они не попадут в еще один такой пригородный домик с еще одной убитой женщиной. Может быть, Куинн, может, кем-то еще. И рано или поздно Марину прискучит эта игра и он бросит ее.

Как и ожидалось, Прайс появился буквально через минуту.

— Что, Твен, нервишки сдали? — прошипел он. — А я думал, тебе нужна моя помощь. Думал, ты хочешь найти его.

Эрик даже головы не поднял, вперив сосредоточенный взгляд в пустую стену напротив. Так им Марина никогда не выследить. Надо прекратить играть по его правилам. Предугадать его следующий ход.

— Дай мне ключи! — потребовал Прайс. — Если тебе храбрости не хватает, так я и без тебя обойдусь.

— И как собираетесь действовать, генерал? Выполнять все, что Марин потребует? Бегать вокруг как идиот, пока ему не прискучит дергать за ниточки? Дело не только в том, чтобы вам отомстить. Куинн...

Горький смех Прайса заглушил последние слова Эрика.

— Куинн! — повторил он. — Твоя подружка мертва. Мертва. И ты это знаешь не хуже меня. Марин связал ее по рукам и ногам и искромсал ножом.

Эрик вскочил на ноги и, подобрав тяжелую лампу, угрожающе занес ее над головой.

— Хочешь убить меня, мальчик? Ну давай, убивай. — Прайс чуть нагнулся, подставляя Эрику голову. — Давай! Что тебе мешает?

Эрик снова уронил лампу на пол. Еще оставался шанс спасти Куинн. И сейчас было важно лишь это.

— Сколько, генерал? Сколько их было, таких?

— Не важно, — ответил Прайс. — Я исполнял свой долг. Оборонная противоракетная система...

Голос его оборвался: весь рационализм, которым он привык утешать себя, развеялся, едва только мысленному взору предстало мертвое тело дочери.

— Нет больше никакой противоракетной системы! Марин заставил всех выйти из здания на парковку, а потом взорвал ее. Все мертвы. Понимаете? Все мертвы.

Эрик видел, как Прайс пытается осознать услышанное. Молодой человек понимал: бессмысленно сейчас вести все эти разговоры, но просто не мог остановиться. Ему хотелось, отчаянно хотелось сделать Прайсу как можно больнее.

— Данные, приборы...

— Груда искореженного бетона и угля, генерал. От «СТД» ничего не осталось. Все эти женщины, ваша семья... Вы убили их совершенно напрасно. Напрасно.

Прайс несколько секунд тупо смотрел в пол, а потом яростно замотал головой:

— Нет! Наши психологи предупреждали, что в один прекрасный день он захочет уничтожить все, что создал. Есть резервные копии.

— Генерал, придите в себя! Марин контролировал весь комплекс, все компьютеры, всю базу данных. Ничего не осталось.

Прайс так же качал головой.

— Модели и самые последние копии, возможно, и уничтожены. Но у нас есть еще база хранения вне основного комплекса, и ее компьютер извне недоступен — вообще не имеет выхода в Сеть. Мы перевозим туда файлы на магнитных лентах физически — раз в несколько дней. И кроме трех непосредственных участников процесса, никто об этом ничего не знает — даже Марин.

Эрик смотрел на него, пытаясь понять, что движет людьми вроде генерала Прайса, как же они устроены. Заносчивость, гордыня, привычка рационализировать необъяснимое, слепота ко всему, помимо сотворенной ими же некой извращенной реальности.

— Генерал, ну как вы можете такое говорить? Неужели потому, что до сих пор вам удавалось каждый раз так здорово переигрывать Марина?

ГЛАВА 64

Куинн лежала лицом вниз на заднем сиденье машины Эдварда Марина. Запястья и щиколотки у нее были все так же скованы, веревка, скреплявшая две пары наручников, тоже никуда не исчезла. Онемение, давно уже охватившее пальцы рук и ног, начало распространяться и дальше, на голову, так что сейчас девушка ощущала лишь легкую вибрацию кожаного сиденья под щекой. Она снова была ребенком, свернулась калачиком на пассажирском месте папиного грузовичка, дремала под пробивающимся в окошко солнцем и слушала, как папа подпевает радио. Тепло. Безопасно...

Первым к дремлющему мозгу — рывком, шокирующе — вернулось изображение изуродованного тела Шэннон Дорси, хотя ядовито-яркие тона от вспышки фотоаппарата сейчас словно бы выцвели. Как же потрясла Куинн та фотография, когда девушка впервые увидела ее, когда не успела еще усилием воли превратить просто в мертвую картинку, без прошлого и будущего, преобразовать в важную информацию, которую надо тщательно проанализировать, но которую не надо чувствовать, из-за которой нечего расстраиваться. Услужливый разум Куинн вбирал в себя только необходимые факты — даты убийств, методы преступника, личность жертвы, — а все остальное запихивал в темный уголок подсознания, куда сама Куинн боялась даже заглядывать.

Девушка заметалась на сиденье, забилась, принялась дергать руками, словно отбиваясь, — представшая мысленному взору фотография медленно канула в пустоту, которая почти полностью завладела сознанием Куинн, вытесняя оттуда все остальное. Необходимо было хоть как-то рассеять это наваждение, испытать хоть что-то настоящее — боль от врезающихся в тело наручников, стук сердца, ползущую по виску струйку холодного пота. Что угодно, лишь бы остановить кошмар...

Слишком поздно. Мертвая женщина уже была с ней — зеленые глаза слабо светились во тьме, ища человеческого контакта, опоры и утешения. Притягивая к себе.

Куинн зарылась лицом в кожаное сиденье, до крови прикусила щеку. Но ничего не помогало. Мертвые глаза сияли все ярче, в них разгорались искорки боли и ужаса. А потом — ненависти, ненависти не к Марину, а к Куинн — за то, что она не смогла помешать ему.

Та девушка оставалась живой и в сознании долго — куда дольше, чем казалось возможным. Чувствовала каждую рану, каждое издевательство, которым так изощренно подвергал ее Марин. Куинн молилась, чтобы она скорее умерла — чтобы обе они скорее умерли, потому что ей все труднее и труднее становилось отделить себя от этой несчастной. Она сама со все нарастающей отчетливостью испытывала страдание, страх, бесконечное унижение, теряла ощущение себя как отдельной личности. И когда молодая женщина наконец погрузилась в спасительное забытье, она унесла с собой частицу души Куинн.

Тихо скрипнула кожа — это Марин обернулся посмотреть на свою пленницу. Девушка открыла глаза. Теперь он казался уже совсем бесформенным, точно сгусток черного дыма. Убив очередную жертву, он потерял последние жалкие крохи того, что еще делало его похожим на человека. Какие бы то ни было остатки сопереживания, способности понимать других — все растаяло, когда он склонялся над своей добычей, растаяло быстро и бесследно, как будто и вовсе не бывало.

К тому моменту как его нож спустился к бедрам молодой женщины, Марин был насквозь мокр, но словно и не замечал этого. А под конец, когда жертва теряла сознание и видно было, что от этого забытья ей уже не очнуться, он сорвал с себя одежду и набросился на несчастную, как дикий зверь. Так она и умерла — когда он навалился на нее.

Автомобиль остановился. Марин опустил окно. Холодный воздух с легким запашком выхлопных паров ворвался в салон, разгоняя царившую там удушливую атмосферу, пропахшую кровью, мочой и спермой.

Машина снова тронулась с места. Однако далеко они не уехали. При следующей остановке мотор заглох, и Марин вылез наружу. Снова порыв свежего воздуха — и холод асфальта, на который Куинн грубо бросили.

Марин опустился на колени. Лицо его оказалось всего в нескольких дюймах от лица Куинн. Он гримасничал, словно наобум пытаясь восстановить на лице прежнюю маску спокойствия, скрыть жуткий оскал ненависти и жестокости, однако это его лишь еще более уродовало. Явно встревоженный утратой способности маскироваться, он отрывистыми, отчаянными движениями попытался пригладить волосы и вытереть кровь с губ. Но девушке было уже все равно. Она упорно смотрела вниз, на асфальт.

— Приехали, Куинн. Смотри.

Он ухватил девушку за волосы, запрокинул ей голову. На миг во вспышке до боли яркого света глазам ее предстал маленький склад. И все снова поглотила тьма.

В воздухе сверкнул нож. Девушка ощутила, как веревка, подтягивавшая ее щиколотки назад, распадается под ударом. Онемевшие, почти утратившие чувствительность ступни упали на землю. Еще пара секунд — и Марин снял с ног пленницы наручники и рывком поднял ее.

— Что, не слышала? Приехали.

Даже голос его звучал хрипло и неразборчиво, как будто горло уже не было приспособлено к обычной человеческой речи.

Куинн скосила на него глаза, но толком не поняла, что именно он сказал. И даже кто он — практически не осознавала.

— Еще одно небольшое дельце напоследок, — заявил Марин, просовывая нож за пояс юбки девушки и волоча Куинн ко входу на склад. — А потом можем отправляться на свидание к генералу. Может, и твой дружок Эрик там будет. Ты бы хотела увидеть его, правда? Хотела бы последний раз увидеть Эрика?

Когда они приблизились к дверям, Куинн увидела охранника, сидевшего за массивным деревянным столом. Она инстинктивно попыталась броситься к нему, но Марин ожидал этого и дернул цепь наручников, заставив девушку упасть на колени.

— Не спеши, — прорычал он, уволакивая ее в тень, из поля зрения охранника. — Очень скоро мы наконец сможем провести вместе несколько приятных часов — и никто не станет нам мешать.

ГЛАВА 65

— Четыре-три-пять-ноль, — продиктовал Прайс.

Высунувшись в окно, Эрик набрал цифры на маленькой панели и немедленно направил машину в начавшие открываться ворота.

— Сколько людей здесь по ночам, генерал?

— Один.

Эрик почувствовал слабый выброс адреналина — должно быть, больше у него и не оставалось. На опустевшей стоянке стояло два автомобиля.

Молодой человек покосился на Прайса. Тот сидел, вперив невидящий взор в приборную доску, уйдя глубоко в себя. Эмоциональные перепады последних четырех часов словно бы кончились полным крахом, оставив на лице генерала выражение какой-то неживой, целеустремленной решимости — и ничего более.

Въехав на территорию склада, Эрик выключил фары и направился прямиком к одноэтажному металлическому зданию за воротами.

На этот раз, когда Прайс неожиданно ожил и выпрыгнул из автомобиля, Эрик был готов. Мгновенно поставив переключатель скоростей на нейтралку, он распахнул дверцу, бросился вдогонку за Прайсом и повалил его на землю.

— Теперь сделаем по-моему, — прорычал он на ухо генералу, для вящей убедительности вдавливая колено в его израненную спину. — Понятно?

Прайс попробовал сопротивляться и даже сумел ухватить Эрика за волосы. Хорошая попытка, — но он был уже слишком истощен и измучен, чтобы совладать с более молодым и занимающим более выгодное положение противником. Не обращая внимания на боль, Эрик перевернул Прайса на спину и обеими руками сжал его горло.

Никогда прежде он не испытывал подобной ненависти. Ни к Ренквисту, который с радостью и удовольствием загубил всю его жизнь, ни к Марину — ведь тот был явно безумен. Эрик все крепче сжимал горло генерала, представляя себе все страдания, которые вынесли несчастные жертвы маньяка перед смертью, и зная: в его власти хоть отчасти отомстить за эти страдания. Через несколько секунд Прайс отпустил волосы Твена и попытался оторвать руки от горла, но нехватка воздуха окончательно подкосила его, лишив даже последних остатков силы и ловкости.

Нет!

Убитым женщинам придется немного подождать, пока за них отомстят. Эрик чуть ослабил хватку и нагнулся к уху генерала, слыша слабое шипение, с каким воздух входил во все еще пережатое горло.

— Я достаточно ясно выразился, генерал?

У Прайса не осталось сил ни ответить, ни сопротивляться. Эрик поставил его на ноги и, подталкивая перед собой, повел к стеклянным дверям склада. За ними виднелись пост охранника и низкая деревянная скамья у стены. Ни там, ни там никого не было.

Прайс с трудом выпрямился и набрал очередной код на панели замка. Раздалось громкое жужжание, и Эрик первым толкнулся вперед, стараясь не делать резких движений и выставив одну руку назад, чтобы удержать Прайса. Внутри не было слышно ни одного звука. Ни шороха. Эрик подобрался к изогнутой стойке блокпоста на такое расстояние, чтобы заглянуть за нее.

Охранник был мертв — точно так же, как тот, в «СТД». Жизнь вытекла из него вместе с кровью через перерезанное горло. Нагнувшись чуть дальше, Эрик увидел револьвер охранника: им разбили вделанные в стойку экраны наблюдения, а потом просто бросили на пол, предварительно разрядив.

— Он здесь, — еле слышно прошептал Прайс.

Эрик вихрем развернулся и схватил генерала за руку.

— Ни с места! Вы меня поняли? Ни на дюйм!

— Пока у нас есть элемент неожиданности, — возразил Прайс. — Но не долго.

— Да ни черта у нас нет, — прошипел Эрик, обходя стойку и усаживаясь в кресло покойника. — Когда вы набрали код, дверь вам открыл компьютер. Марин знает, что мы здесь. И готов — вот почему он разрядил револьвер охранника и разбил экраны.

— Значит, он убегает! — В голосе Прайса послышалось отчаяние. — Тут есть пожарный выход...

— Нет, генерал. Он не уйдет. Во всяком случае, пока не сделает то, что задумал. Тут еще где-нибудь имеется пункт видеонаблюдения?

Прайс словно не слышал. Обернувшись через плечо, он пристально смотрел на металлическую дверь, что вела в глубь здания.

— Генерал!

— Нет... нет... — наконец отозвался тот. — Только здесь.

Эрик нажал клавишу на клавиатуре компьютера перед ним, вызывая единственный неповрежденный экран к жизни.

— Какой пароль?

— Э... косая черта сто тридцать восемь.

Эрик набрал пароль и затаил дыхание.

Сработало! Первым делом он полез осмотреть систему безопасности.

— Черт!

— Что такое? — встрепенулся Прайс. Вид у него стал чуть более осмысленный: должно быть, начало доходить, что это их последний шанс и что явились они сюда без оружия, а противник уже ждет. Марин снова заранее обеспечил себе полное превосходство по всем позициям.

— Он перекрыл доступ к охранным системам. Какие-нибудь обходные пути есть?

Прайс помотал головой.

Эрик попытался вывести на экран схему здания. На счастье, эта функция еще работала.

Прайс показал на экран:

— Мы вот здесь. В вестибюле.

— Где хранятся резервные копии?

Прайс ткнул пальцем в просторное помещение, занимавшее большую часть склада, а потом на маленькую комнатку перед ним:

— А вот это пункт контроля, здесь все каталогизируют и ставят на учет. Он отделен от главного хранилища плексигласовой стеной.

— Черт побери! — выдохнул Эрик. — Ну ничего подходящего! Главный вход, холл, коридор, контрольный пункт, ванная комната. Ни в засаде не притаиться, ни войти запасным ходом... Я ничего не упустил, генерал?

Прайс снова помотал головой.

Выйдя из-за стойки, Эрик подошел к металлической двери и обернулся на генерала:

— Второго шанса он нам не даст. Ну что, готовы?

— Еще как!

Эрик рывком распахнул дверь, и Прайс одним прыжком ворвался в узкий коридор.

Пусто.

— Тут недалеко, — тихо произнес Прайс, устремляясь вперед. — В двух шагах.

К тому времени как Эрик догнал его, генерал уже прижимался спиной к стене возле стальной двери, что вела в контрольную комнату перед главным хранилищем. Подняв вверх руку, чтобы видел и Эрик, он молча начал загибать пальцы, ведя отсчет. На счет «три» оба ворвались в комнату.

Ничего.

Комнатка была совсем крохотная: десять на двенадцать футов, не больше. Дальняя стенка ее была целиком прозрачна, если не считать длинного, во всю стену, лабораторного стола, заставленного компьютерами и прочими офисными принадлежностями. Свет в комнатке не горел, и это позволяло видеть все, что творится за стеклом, в главном хранилище.

Оно было гораздо больше. Правую половину занимало около двадцати застекленных стеллажей с полками. Левая оставалась почти пуста, если не считать еще одного низкого длинного стола по задней стене и компьютера, похожего на тот, что стоял в пункте контроля. А посередине высилась груда магнитных лент, точно приготовленных для праздничного костра.

Прайс показал на дверь, через которую они с Эриком вошли:

— Закрой.

Эрик не тронулся с места.

— Мы ведь не знаем, где он, и нам ни к чему, чтобы он взял и подобрался к нам сзади, — объяснил Прайс, шагая вперед и осторожно проходя во вторую дверь — ту, что вела из пункта контроля в хранилище. Разумеется, он был совершенно прав, но Эрику очень не хотелось делать ничего, что могло бы замедлить отступление, ежели вдруг понадобится срочно бежать.

В конце концов он все же неохотно закрыл дверь. Запиралась она на электронный замок, сейчас отключенный, так что пришлось просто придвинуть к ней стул. Марину войти этот стул не помешает, но они хотя бы услышат его.

Прайс остановился возле груды лент и замер, прислушиваясь. Эрик подошел к нему и собрался было заговорить, когда за стеллажами справа зазвучал безошибочно узнаваемый перестук шагов. Оба настороженно обернулись. Шаги приблизились.

— Умно, очень умно, Эрик, — похвалил Марин, показываясь из-за стеллажей. — Полагаю, именно ты нашел меня, а не эта... — он показал на Прайса, — эта тварь.

Эрик положил руку на плечо своего спутника:

— Спокойно, генерал.

Марин сделался практически неузнаваем: лицо его было расцвечено бурыми синяками, изуродовано отеками и ссадинами. Судя по запаху, огромное пятно, распространившееся почти на все дорогие брюки, оставила моча.

— Куинн? — позвал Эрик. — Ты как?

В одной руке Марин крепко сжимал наручники, которые сковывали запястья девушки, а в другой — пистолет-автомат.

— Куинн?

Она не отозвалась, ни на секунду не оторвала взора от пола. Физически девушка выглядела целой и невредимой, но в глазах отражалась лишь пустота.

— Что ты с ней сделал?

— Ничего, — пожал плечами Марин, медленно сдвигаясь влево и увлекая за собой Куинн. — И пальцем не тронул.

Добравшись до единственного находящегося в этой комнате компьютера, он быстро набрал какую-то команду. Раздалось знакомое жужжание замка. Эрик невольно повернул голову. Дверь, что вела в контрольный пункт, осталась открыта, зато выход в коридор был крепко заперт. Замечательно!

— Куинн! — Эрик снова повернулся к девушке. Он понятия не имел, что будет дальше, но знал одно: она должна прийти в себя, осознавать происходящее. — Куинн! Ты меня слышишь?

Она не подняла головы, однако в глазах вроде бы промелькнула искорка.

— Я же тебе уже сказал, Эрик. С Куинн все расчудесно. Хватит тебе беспокоиться, — заявил Марин.

Встав позади девушки, он прижался к ней, поглаживая ее пистолетом по бедру. Эрик невольно выпустил плечо Прайса и шагнул вперед, но замер на месте, увидев направленный себе в грудь пистолет.

— Прости, Эрик. Она твоя, да? Только скажи мне, что она твоя, — и получай на здоровье. Скажи, что уже успел побывать внутри этой маленькой красоточки.

Эрик молчал, лихорадочно соображая, как бы преодолеть разделявшие их десять футов и не нарваться на пулю. Но ничего не придумал. Как всегда, Марин полностью контролировал ситуацию.

— Нет. Ну конечно же, нет. Не везет тебе с женщинами, а?

Прайс рванулся вперед, и находился всего в нескольких футах от Марина, когда дуло пистолета повернулось в его сторону.

— А вы, генерал? Вы-то зачем пришли? Хотите отомстить за семью? Или просто-напросто спасаете свою драгоценную карьеру?

Резкий огонь в глазах Марина внезапно потух, лицо расслабилось.

— Знаете, Ричард, я ведь никогда не думал об этом — о таких молоденьких девушках. Как вам прекрасно известно, я всегда ждал — ждал, пока они наберутся опыта, станут поумудренней. Думал, так они лучше поймут, что я с ними делаю. — Он печально покачал головой. — Никакими словами и выразить не могу, как же я ошибался. Она понимала все. И сражалась. Сражалась, как ни одна другая. Она так отчаянно хотела жить. Вы будете гордиться, узнав, что она не сдалась до самого конца. Пока я не рассказал ей про вас. И про наше... соглашение.

На этот раз Эрик даже не пытался остановить Прайса — это было бы напрасно. Он весь напрягся, ожидая выстрела и надеясь, что ему хватит времени. Хотя бы доля секунды — это уже дало бы крошечный шанс. Схватить пистолет, вырвать его...

Но он не получил и доли секунды.

Рукоять пистолета ударила Прайса по лицу, отбросив его на пол. Эрик не успел подскочить к Марину и на пять футов, как в грудь ему снова уставилось черное дуло.

Марин отступил на несколько шагов, увлекая за собой Куинн. Эрик невольно стиснул зубы, когда пистолет снова качнулся в сторону Прайса. Однако вместо того, чтобы выстрелить, Марин высыпал пули на пол, а сам пистолет швырнул в сторону.

— По-моему, так оно куда интереснее, а?

Прайс первым налетел на него, но новый удар в лицо остановил его. Эрик с разбега толкнул плечом Куинн, отбрасывая ее назад, а сам изо всей силы врезал Марину кулаком по голове.

Он почти попал — но только почти. Костяшки пальцев скользнули по самой макушке врага, не причинив ему вреда. Думая лишь о том, как бы ударить снова, Эрик не замечал ответного могучего выпада, пока не стало слишком поздно. Кулак Марина с силой впечатался в скулу Эрика, в голове что-то слабо хрустнуло, и молодой человек опрокинулся спиной вниз на низкий столик сзади, разбив при падении стоявший там компьютер. Искры осыпали его дождем. Пытаясь остановить бешено вращающуюся комнату, Эрик чувствовал, как они прожигают его рубашку. Вот руку его лизнул язычок пламени, и Эрик отшатнулся. От боли в голове чуть-чуть прояснилось.

Обеими руками держа Прайса за плечи и не обращая внимания на градом сыплющиеся на распухшее лицо удары, Марин теснил генерала к плексигласовой перегородке. К тому времени как Эрик смог стоять, не опираясь на стол, Марин уже бил Прайса головой о стену.

Эрик заковылял к ним, но не успел преодолеть и половину комнаты, как заметил, что звук ударов изменился. Звонкий лязг, с которым голова генерала билась о стекло, стал глуше и как будто мокрее. Приглядевшись к дерущимся, Эрик увидел, что глаза и рот Прайса широко открыты, однако тело при каждом ударе раскачивается, точно у тряпичной куклы. И всякий раз оно словно чуть больше вжимается в размазанное кровавое пятно на стекле.

К двери!

Огонь в загоревшемся от падения Эрика компьютере набирал силу, застилая помещение едко пахнущим дымом. Молодой человек рванулся к Куинн. Девушка так и лежала на полу, куда упала в самом начале драки. Эрик обхватил ее обеими руками и потащил к выходу. Она не сопротивлялась, но и не помогала, застряв в кошмарном мире, сотворенном для нее Марином. Эрик хотел заговорить с ней, пробиться через этот заслон, но боялся, что Марин услышит.

Странно успокаивающие звуки ударов разбитого черепа Прайса о стенку прекратились, когда молодые люди находились всего в нескольких шагах от двери. Эрик перескочил через порог и обернулся, отчаянно торопясь втащить в маленькую комнатку и Куинн, пока то, что осталось от генерала Прайса, медленно сползало вниз по стене.

Марин уже бежал за ними. Вот он метнулся вперед, упал животом вниз, заскользил по полу и ухватил Куинн, которую Эрик так и не успел перетащить через порог, за лодыжку. Молодой человек в ужасе наблюдал, как Марин, упорно переставляя руки, подтягивается по ногам девушки, поднимается все выше, как руки его исчезают у нее под юбкой.

— Нет! — закричала Куинн, наконец ожив, когда он добрался до ее бедер.

Руки у нее были все еще скованы за спиной, но она забилась и принялась лягаться с такой неожиданной силой, что Марин на мгновение оторопел. Куинн так выгнулась, что футболка у нее задралась, и Эрик увидел на белом животе девушки серебристый продолговатый предмет, заткнутый за пояс юбки. Выпустив руку Куинн, Эрик плашмя упал на девушку, в полете выхватывая нож и занося руку для удара. Марин попытался отклониться, но запутался в юбке Куинн. Нож, буквально на дюйм миновав шею маньяка, глубоко погрузился в тело рядом с ключицей.

В вопле, вырвавшемся у Марина, не звучало уже ничего человеческого. Выпутавшись из складок ткани, он встал на колени, хватаясь за нож и отчаянно пытаясь вынуть его.

Только этого Эрику и надо было. Одной рукой вцепившись в косяк двери, второй изо со всей силы толкнул Марина в грудь, так что тот завалился назад. А секундой позже Эрик уже втянул Куинн в контрольный пункт и захлопнул дверь. Раздался ласкающий слух щелчок запирающегося замка.

— Куинн, — начал Эрик, поднимаясь с нее и кашляя от заполнившего комнату едкого дыма. — Ты...

Неожиданно сильный удар коленом в грудь отбросил его на пол. Когда Эрик сумел подняться, девушка уже забилась в щель между стенкой и стеллажом с документами.

— Куинн, все хорошо, — промолвил Эрик, подбираясь к ней. Глухой удар по плексигласу остановил его. Обернувшись, он увидел, что Марин стоит, прижавшись ладонями и лицом к стеклу, затуманившемуся от его дыхания. Нож все так же торчал у него из плеча, напоминая непонятную, выросшую прямо из тела антенну.

Внезапное завывание пожарной тревоги и поваливший с потолка белый дым так напугали Эрика, что он отскочил на несколько футов назад. Огонь охватил почти весь разбитый компьютер и с поразительной скоростью распространялся по столу. Клубящийся в воздухе дым, бьющие с потолка струи противопожарного средства, прижатое к стеклу лицо Марина — все, вместе взятое, в точности отражало представление Эрика о том, что такое настоящий ад.

Внезапно Марин развернулся и помчался к чуть пригасшему огню. На середине помещения он остановился и рухнул на колени. Эрик встал, чтобы лучше разглядеть, что он там ползает, но не мог понять, пока не было уже почти слишком поздно.

Бросившись на пол перед Куинн, он прикрыл девушку своим телом ровно в ту же секунду, как три пули, которые Марину удалось-таки отыскать, ударили в стекло. Куинн забилась, пытаясь вырваться, однако Эрик держал крепко. Когда выстрелы смолкли, он повернулся и увидел на стекле три отчетливо различимые сетки трещин, похожие на паутину, каждое пятно около шести дюймов в диаметре. Эрик наконец выдохнул. Стекло выдержало.

Марин ухватил еще дымящийся стул и со всех ног помчался с ним к стене. Когда тяжелый металл ударился о стекло, Куинн отчаянно закричала.

— Куинн! Все хорошо. Не бойся! Ладно? Все хорошо.

Так хотелось успокоить ее — но времени не было. Эрик следил, как Марин возвращается к последним языкам пламени, поворачивает и снова мчится к стеклу. Зрелище было почти сюрреалистическое: рот Марина широко открыт в крике, а, кроме сигнализации, не слышно ни звука.

Куинн вроде бы начала выходить из оцепенения, хотя попрежнему молчала. Пробегая мимо нее, Эрик увидел, что она лежит на спине, поджав ноги, и старается перенести скованные руки вперед.

Эрик взялся за ручку двери и потянул на себя. Не поддалась!

— Куинн! Помоги! Надо выбираться отсюда!

Слова его сопровождались очередным грохотом. Оглянувшись, он увидел, что Марин опять пятится сквозь клубы льющегося с потолка белого тумана.

— Куинн! Иди сюда! Помоги мне!

Девушка уже перенесла руки вперед и поднялась, но словно бы не осознавала присутствия Эрика. Вместо того чтобы броситься ему на помощь, она подбежала к компьютеру. И когда стул снова ударил в стекло прямо рядом с ней, даже головы не подняла. Трещины уже расползались от пола до потолка, стекло заметно пошатывалось.

— Куинн! — заорал Эрик, когда она принялась деловито барабанить по клавишам. — Черт возьми! Помоги!

Она не слушала.

— Не могу войти!

Отчего-то внезапный звук ее голоса потряс Эрика до глубины души.

— Он закрыл доступ к системе безопасности. — Эрик ударил стальную дверь плечом, но только пребольно ушибся. — Отсюда дверь не отопрешь.

Она оглянулась на него:

— Так ты никогда...

Звук крошащегося стекла заставил ее на миг замолчать, и все-таки она продолжала смотреть на Эрика, не поддаваясь порыву обернуться на Марина, с прежней энергией атакующего стену.

— Ты никогда эту дверь не выбьешь. Это наш единственный шанс.

Эрик остановился, тяжело дыша, и заглянул ей в глаза. Ясные. Она обрела способность нормально мыслить.

— Косая черта сто тридцать восемь. Попробуй так.

Эрик подошел к девушке. Стул ударил снова. На сей раз одна ножка пробила стекло, оставив отверстие около двух дюймов в диаметре. Марин припал к губами к этой дыре, жадно всасывая относительно чистый воздух соседней комнаты.

— Вошла! Вошла!

— Куинн, говорю же тебе, он отрезал нас от всего управления, — повторил Эрик, пока она пролистывала меню команд. Куинн остановилась на строчке «Пожарная безопасность». Марин оторвался от дыры и изготовился уже снова бежать к стеклу, когда туман вдруг прекратил литься с потолка. Марин замер и оглянулся. Почти весь огонь потух, хотя в паре мест языки пламени вздымались еще на добрый фут.

Когда Марин снова повернулся к молодым людям, по лицу его расползлась широкая ухмылка. Они не слышали его слов, но Эрик прочел по губам:

— Поздно!

Марин снова помчался на них, выставив перед собой стул. И снова одна ножка пробила стекло. На сей раз Марин не выдернул ее, а принялся расшатывать стул, расширяя отверстие. Эрик ухватил ножку с другой стороны, судорожно пытаясь пропихнуть назад. А еще через миг вой пожарной тревоги утих. Теперь слышался лишь скрежет стекла да лихорадочный стук Куинн по клавишам.

— Не знаю, что там ты делаешь, — произнес Эрик, — но делай это поскорей.

Дыра расширилась уже до трех дюймов, и, несмотря на все усилия Эрика, Марин увеличивал ее.

Куинн резко ударила по клавишам. За звуком удара последовал низкий гул, от которого завибрировало все здание. Завеса химической пакости и дыма от пожара быстро рассеялась — заработали вделанные в потолок мощные вентиляторы.

— Куинн! Боже, да ты что? Теперь ему будет легче дышать! Ведь дым...

И тут Эрик понял. Как ни эффективны оказались вентиляторы для очистки воздуха, еще эффективнее они раздували пламя. Огонь, минуту назад вялый и почти погасший, взметнулся и вновь заплясал по комнате.

Лицо Марина находилось в нескольких футах от Эрика — и впервые за все это время оно затуманилось неуверенностью. Отпустив стул, маньяк подскочил к стеклу прямо напротив Куинн и изо всех сил грохнул в него кулаком. Эрику показалось, будто он различил на губах девушки улыбку.

Наконец Марин отошел от стекла и исчез за стеллажами в правой части хранилища.

— Пошел за огнетушителем, — промолвила Куинн, набирая еще несколько команд. Вентиляторы остановились, и комната стала заволакиваться дымом. Не прошло и минуты, как

Эрик уже с трудом различал стеллажи, за которыми скрылся Марин.

— Где он? Ты его видишь?

— Огнетушитель в самом дальнем углу. Он его, конечно, найдет, но не без труда.

Прошла еще минута, прежде чем Эрик заметил в дыму какое-то шевеление. Он прижался лицом к стеклу. Из-за полок, заливаясь кашлем, выскочил Марин.

— Вон! Достал!

Куинн была готова к этому. Она снова нажала клавишу — и вентиляторы включились с удвоенной силой. Пламя взметнулось кое-где на добрых пять футов и занимало уже всю дальнюю стену.

Марин сорвал с огнетушителя колпачок и попытался сбить огонь, но буквально через несколько секунд осознал тщетность своих усилий. Он повернулся и опять помчался к стеклу, подняв огнетушитель над головой. Огнетушитель был не настолько остр, чтобы пробить стекло, однако в месте удара оно выгнулось и сделалось молочно-белым. Если еще раз ударить по тому же месту...

— Куинн, он не сможет потушить огонь. Отключи вентиляцию. Если ему будет нечем дышать, он не вырвется.

Девушка не шевельнулась. Сидела, спокойно наблюдая, как Марин пятится и снова бьет огнетушителем по стеклу. Оно выгнулось еще сильнее, еле выдержав напор.

— Куинн! Ради Бога!

Эрик нагнулся и потянулся к клавиатуре, но Куинн схватила его за руку:

— НЕТ!

— Спятила?

Эрик отодвинул стул, на котором она сидела, от компьютера, однако девушка вырвала клавиатуру из порта и отшвырнула в сторону.

— Ну замечательно, Куинн! Лучше и не придумаешь!

Девушка встала прямо напротив того места, где Марин атаковал стену, упершись обеими ладонями в стекло по сторонам от дыры и напряженно уставившись на доктора.

— Боже правый, — пробормотал Эрик, теперь все поняв. Она не хотела, чтобы Марин задохнулся. Она хотела, чтобы он сгорел.

Огонь пылал уже повсюду. Тело Ричарда Прайса было охвачено пламенем, магнитные ленты на полу и стеллажи, где они хранились прежде, тоже. Теперь Марин не мог отойти от стекла дальше чем на пару футов, не угодив в огонь. Эрик видел, что лицо убийцы утратило почти всю жестокость и высокомерие. На нем сейчас оставалось одно отчаяние.

Фантастическая сила Марина начала иссякать. Дыма в хранилище было по-прежнему очень мало, однако Эрик чувствовал, какой жар исходит от стекла. Несмотря на это, железный верх огнетушителя наконец пробил стекло. Но вместо того чтобы пытаться расширить отверстие, Марин припал к нему лицом, со свистом вбирая прохладный воздух в обожженные легкие.

— Сука! — выдохнул он, когда Куинн наклонилась ближе и пристально посмотрела ему в глаза. Кровавый плевок ударил ее по щеке... Она даже не прореагировала. Ни на плевок, ни на ненависть в голосе Марина, ни на его сдавленные вопли, когда рубашка на нем загорелась и он попытался сбить пламя голыми руками. Ни на наступившую жуткую тишину, когда огонь окончательно поглотил его.

Эрик осторожно приблизился к девушке, взял ее за руку и отвел от стекла. Заглянув ей в лицо, он увидел, что оно снова сделалось пустым и безразличным. Он обнял ее и прижал к себе. Через несколько секунд Куинн тихо всхлипнула и обмякла.

ЭПИЛОГ

В первый раз за последнее время — Куинн уже и не помнила, за какое долгое время — она почувствовала на коже ласковые лучи аризонского солнца и получила от них хоть какое-то удовольствие. Стоял теплый полдень, и тихий дворик постепенно наполнялся людьми — служащие сплошным потоком текли из соседних офисов на ленч. Девушка откинулась на спинку скамейки, не сводя глаз со входа в здание, перед которым сидела.

— Вон там! Это он? — Эрик тихонько кивнул, показывая на хорошо одетого высокого и широкоплечего мужчину с аккуратно подстриженными вьющимися волосами.

— Нет.

Она устояла перед искушением отрешиться от всего происходящего, уйти в себя — слишком уж она поднаторела в этом приемчике. Большую часть трех последних дней Куинн провела за рулем автомобиля Эрика — видя ровно столько дороги, сколько надо, чтобы вести машину. Ей отчаянно требовалось заблокировать все произошедшее — ужасы, прочитанные в досье, мертвую девушку в доме Эрика, то мертвенное забвение, в которое она сама погрузилась, наблюдая Марина за работой. Но более всего — безумный гнев, овладевший ею при виде Марина, запертого в горящем хранилище, и злобную радость, когда он наконец сгорел. Куинн не могла отделаться от мысли — не уловила ли она в этот миг слабый отблеск того, что испытывал он, убивая своих жертв.

Однако чтобы отстраниться от тех воспоминаний, ей приходилось отстраняться и от всего остального. А так жить она не могла. Нельзя позволить Марину лишить ее нормальной и полноценной жизни!

Девушка скосила глаза на Эрика, тайком разглядывая его профиль. Он выглядел совсем иным человеком, чем когда она впервые повстречала его. Нет, в общих чертах, конечно, оставался все тем же — смуглая гладкая кожа, длинные черные волосы, стройная мускулистая фигура... Но вот что-то в глазах...

Сами-то по себе они не изменились — все те же сверкающие темно-серые глаза, как и прежде. И все же теперь Куинн могла заглянуть вглубь, за непроницаемую блестящую поверхность.

Через некоторое время Эрик с легким раздражением повернулся к ней:

— Прекрати. А то мне не по себе становится.

— Что такое?

— Ты так на меня таращишься...

— Прости. Я просто гадала, о чем ты думаешь.

— Ни о чем.

— Правда?

— Совершенно ни о чем.

Она улыбнулась, но глаз не отвела. Эрик был настоящей, самой главной причиной того, что она не могла раз и навсегда отстраниться от всего произошедшего. Ведь тогда бы она выбросила из своей жизни и его.

— Куинн, серьезно, ты меня...

Она подалась вперед и прильнула губами к его губам. А когда отодвинулась, на лице молодого человека снова появилось коронное загадочное выражение.

— Что, не понравилось? — спросила она.

— Я... ну... то есть...

Она снова поцеловала его, на сей раз прижавшись всем телом. Только через несколько секунд Эрик сумел справиться с потрясением — обнял ее и ответил на поцелуй. Куинн уже и не помнила, сколько времени мечтала об этом, но давно, очень давно. Возможно, с первой встречи.

Они все еще не разжали объятий, когда она вдруг открыла глаза и мельком разглядела человека, который выходил из здания напротив. Упершись ладонями в грудь Эрика, девушка ласково оттолкнула его.

— Вот он!

— Отлично. Ты как чувствовала. — Эрик проследил за ее взглядом. — Где? Я никого не вижу.

— Да вон же! Тот, что как раз прикуривает, рядом с фонтаном.

Наконец поняв, кого она имеет в виду, Эрик недовольно поморщился. Куинн схватила его за руку и поволокла за собой, не обращая внимания на явное разочарование своего спутника. И вправду, внешность Марка Бимона не слишком внушала доверие. Толстенький, лысоватый, с пухлыми щечками, не претендующий на солидную внушительность. Старомодный костюм выглядел так, словно был куплен, когда его хозяин весил фунтов на тридцать больше, чем сейчас.

Бимон шагал к молодым людям, выдувая толстую струю дыма и отвечая на уважительные кивки встречных чуть застенчивой улыбкой. Походка у него была неестественно быстрая — как будто он не просто шел, а пытался бежать.

— Идем, — сказала Куинн, таща Эрика за собой.

— Ты уверена?

— Да. Уверена. Это он.

Отойдя на некоторое расстояние от офисов «Феникса», Бимон замедлил шаг и словно бы вздохнул свободнее. Даже начал поглядывать на вывески ресторанов и магазинов по сторонам улицы.

Куинн быстро догоняла фэбээровца и, оказавшись в трех футах, подстроилась под его скорость.

— Мистер Бимон, — окликнула она, стараясь изгнать из голоса волнение.

Он обернулся и посмотрел ей в лицо.

— Здравствуйте. Мы знакомы?

— Не совсем... Нет, сэр.

— Что же, чем могу помочь?

— Я... я бы хотела с вами минутку поговорить.

Простой вопрос — однако он обдумывал его так, словно речь шла о жизни и смерти.

— Вы репортер?

— Нет, сэр. Я работала на ФБР. Строго говоря, наверное, еще и сейчас работаю.

Бимон взглянул через ее плечо на Эрика, задержавшись взглядом на распухшей и разбитой щеке молодого человека.

— А как насчет вас? Вы кто такой?

— В общем-то физик.

Бимон пожал плечами:

— Тогда все в порядке. Как раз прикидываю, где бы перекусить. Почему бы нам не пойти и не поесть вместе?

По вопросам оптовой покупки книг
издательства АСТ обращаться по адресу:
Звездный бульвар, дом 21, 7-й этаж
Тел. 615-43-38, 615-01-01, 615-55-13

Книги издательства АСТ можно заказать по адресу:
***107140, Москва, а/я 140*, АСТ – «Книги по почте»**

Литературно-художественное издание

Миллс Кайл

Обжигающий фактор

Роман

Художественный редактор М. Седова
Компьютерная верстка: Р.В. Рыдалин
Технический редактор Т.В. Сафаришвили
Младший редактор Е.А. Лазарева

Общероссийский классификатор продукции
ОК-005-93, том 2; 953000 — книги, брошюры

Санитарно-эпидемиологическое заключение
№ 77.99.02.953.Д.001056.03.05 от 10.03.05 г.

ООО «Издательство АСТ»
170000, Россия, г. Тверь, пр. Чайковского, д. 19А, оф. 214
Наши электронные адреса:
WWW.AST.RU E-mail: astpub@aha.ru

ООО Издательство «АСТ МОСКВА»
129085, г. Москва, Звездный б-р, д. 21, стр. 1

ООО «ХРАНИТЕЛЬ»
129085, г. Москва, пр. Ольминского, д. 3а, стр. 3

Отпечатано с готовых диапозитивов
в Открытом акционерном обществе «Ордена Октябрьской
Революции, Ордена Трудового Красного Знамени
«Первая Образцовая типография».
115054, Москва, Валовая, 28